D1373293

ALMODÓVAR

EN LA PRENSA DE ESTADOS UNIDOS

Biblioteca Javier Coy d'estudis nord-americans

http://www.uv.es/bibjcoy

Directora
Carme Manuel

ALMODÓVAR
EN LA PRENSA DE ESTADOS UNIDOS

Cristina Martínez-Carazo

Biblioteca Javier Coy d'estudis nord-americans
Universitat de València

Almodóvar en la prensa de Estados Unidos
© Cristina Martínez-Carazo

1ª edición de 2013
Reservados todos los derechos
Prohibida su reproducción total o parcial
ISBN: 978-84-370-9082-5
Depósito legal: V-341-2013

Imagen de la portada: © EL DESEO, D.A., S.L.U.
    Foto de Paola Ardizzoni y Emilio Pereda

Diseño de la cubierta: Celso Hernández de la Figuera

Publicacions de la Universitat de València
http://puv.uv.es
publicacions@uv.es

Impresión: Publidisa

Índice

INTRODUCCIÓN 11

CAPÍTULO 1
El cine español al otro lado del Atlántico:
Almodóvar en USA/USA en Almodóvar 25

CAPÍTULO 2
Almodóvar en *The New York Times* 65

CAPÍTULO 3
De Madrid a Hollywood:
la crítica estadounidense durante la primera fase
del cine de Almodóvar 101

CAPÍTULO 4
La prensa estadounidense frente al último Almodóvar:
del éxito en Hollywood a la conquista del mercado global 133

CONCLUSIONES 197

APÉNDICES 209

BIBLIOGRAFÍA 245

Agradecimientos

Mi más sincero agradecimiento a mis estudiantes, colegas y amigos, así como al Departamento de Español y Portugués de la Universidad de California, Davis, que de un modo u otro hicieron posible este libro. A Valerie Hecht, Daniel Herrera y Matt Russell por ayudarme a recopilar material, a Javier Herrera por facilitarme las consultas en la Filmoteca, a Wilfrido Corral por estar siempre dispuesto a compartir su sabiduría, a la familia Mishra por su generosidad y a todos mis estudiantes graduados por mantener siempre un debate vivo y estimulante en los seminarios. Igualmente agradezco a la editorial y a su equipo la eficacia y el entusiasmo que desde el primer momento mostraron en este proyecto. El anexo con los premios y nominaciones concedidos al cine de Almodóvar procede de la productora El Deseo que amablemente me facilitó tanto los datos como la imagen de portada. Finalmente el apoyo de Jean-Xavier y la sonrisa de Inés y Javier me ayudaron a poner el punto final a este libro.

Introducción

He [Almodóvar] finds an obsessive angle on everything.

Pauline Kael

La limitada presencia del cine español en Estados Unidos, y por extensión del cine extranjero, invita a explorar la excepcionalidad de la obra de Pedro Almodóvar y a reflexionar sobre los factores que determinan su éxito y le desvían de la norma. A pesar de los mecanismos activados para proteger los intereses de la industria cinematográfica estadounidense y del escaso interés de las distribuidoras y del público hacia el cine importado, el director español se ha abierto un espacio difícil de conquistar para los cineastas extranjeros.

Más allá del contenido de las películas, varios obstáculos dificultan la presencia del cine procedente de otros países en las salas estadounidenses, entre los más obvios la progresiva reducción del número de salas de proyección dedicadas a cine alternativo en las cuales se exhibe gran parte del cine extranjero y sobre todo el monopolio actual de las mismas por films correspondientes al cine norteamericano independiente, ahora distribuido por compañías filiales de los grandes estudios de Hollywood. Paralelamente las nuevas generaciones acuden cada vez menos a los locales comerciales y acceden al cine sobre todo por medio de los ordenadores, DVDs, televisión, tabletas y teléfonos móviles, consumiendo películas accesibles a través de internet, Netflix y otros canales de distribución controlados por Hollywood, limitando con ello el acceso a otras cinematografías nacionales. En una época marcada por un lado por "el mundo pantalla, la todopantalla" (22) y por otro por el individualismo, como bien apunta Lipovetsky, la pantalla grande ha dejado de monopolizar el cine alterando con ello la dialéctica entre el espectador y el film.[1]

Barry Jordan, en su ensayo titulado "Audiences, Film Culture, Public Subsidies: The End of Spanish Cinema", subraya varias lacras del cine español que dificultan su competitividad, entre ellas, el hecho de no estar diseñado con fines comerciales y ser concebido como un bien cultural financiado por el gobierno. Alude en él a artículos de prensa que abordan la cuestión del limitado interés que despierta el cine español dentro y fuera de sus fronteras. Uno de ellos, firmado por Román Gubern, aparecido en *El País* (6-2-2008) bajo el título "¿Por qué no gusta el cine español?", achaca este rechazo al "descrédito cultural", a la "hegemonía coercitiva" de los grandes estudios estadounidenses y a la atomización de la industria cinematográfica española que cuenta con más de cien pequeñas productoras capaces de financiar solo películas de bajo presupuesto, poco competitivas, encuadradas en el marco del cine de autor y destinadas a festivales de limitado alcance para el público. Esto conlleva un desconocimiento del cine español en las pantallas internacionales, en parte debido a la falta de recursos para lanzar campañas de promoción efectivas. Más allá de los reproches que suscitó el tendencioso título de este artículo entre cineastas y críticos (Víctor Erice, José Luis Guerín, Miguel Marías expresaron públicamente sus quejas), las lacras en él apuntadas reflejan fielmente el estado del cine español.

Este panorama tan poco alentador intenta ser contrarrestado por las estrategias de distribución activadas tanto por la productora de los hermanos Almodóvar, El Deseo, como por las distribuidoras, así como por el efectivo diseño de las campañas de promoción. La cuidadosa selección de clips de sus películas en función del público al que van destinadas, los estrenos casi simultáneos de sus films, las entrevistas, fiestas y demás apariciones en público, junto con las mediáticas presentaciones de sus películas, buscan incrementar la visibilidad de la obra almodovariana.

Un factor clave en este proceso es el deslizamiento de la figura del director del terreno del autor al terreno de las estrellas, con la popularidad y las exigencias que esto conlleva a nivel de presencia en el espacio público, medios de comunicación, revistas del corazón, persecución por parte de los periodistas y admiradores, y un

---

[1] Al hilo de este consumo individual del cine, Lipovestsky contrasta la capacidad de la pantalla grande para aislar al espectador de la banalidad de la vida con la pantalla de la televisión cuyo visionado se da jalonado de interrupciones, despistes y demás interferencias asociadas al ámbito doméstico. Ver *La pantalla global*, págs. 217-226.

largo etcétera de renuncias a la privacidad y concesiones a la fama. La presencia de Almodóvar en la esfera pública y su dialéctica con los medios de comunicación refleja claramente este fenómeno. A ello alude Ann Davis al afirmar que

> The move towards star studies ironically coincides with the discovery of the director as himself (rarely herself) a star of sorts, following the theorization of Timothy Corrigan (1991) that posits the director as an industrial rather than an artistic phenomenon, in which the director's persona can derive from publicity just as much as from the unifying artistic vision that lay at the heart of earlier conceptualizations of auteurism. Thus the director can become a star like the stars—Almodóvar is the preeminent example in the Spanish case. (4)

Entre las nuevas iniciativas de Almodóvar en lo que respecta a la comercialización de sus películas destaca la cesión de la venta internacional de su último film, *La piel que habito,* y de la siguiente, *Amantes pasajeros*, actualmente en fase de postproducción, a FilmNation, compañía internacional de distribución, venta y producción, dirigida por Glen Basner. Con vistas a evitar la piratería, la productora El Deseo adoptó, a partir de *Los abrazos rotos*, una nueva estrategia para el lanzamiento de sus películas consistente en estrenar simultáneamente en tantos países como fuera posible para evitar los riesgos que conlleva el mercado ilegal. A la misma realidad responde la decisión de no presentar su próxima película, *Amantes pasajeros*, a ningún festival antes de su estreno.[2]

Más allá de la complejidad del mercado cinematográfico, la proyección global del director manchego da buena prueba de su habilidad para sortear los obstáculos que lastran la difusión del cine español. A su vez, la convergencia de su propuesta estética con los marcadores del cine global opera como acicate en la internacionalización de su obra. La evolución de los géneros canónicos a géneros híbridos, la andadura hacia una identidad plural, la heterogeneidad, la fragmentación, la reflexividad y la existencia de un espectador portador de un repertorio visual mucho más amplio, marcan el discurso fílmico actual y hacen patente la relación biunívoca entre lo nacional y lo global. Junto a ello, la pérdida de "collective identities" (13), en palabras de J.P. Singh, y su sustitución por una identidad global desdibujada, como resultado del creciente flujo de gentes, ideas,

---

[2] La venta de su próxima película, *Amantes pasajeros*, se gestionó durante el Festival de Cannes celebrado en mayo del 2012.

objetos y obras de arte, establece un denominador común que favorece la circulación del cine de Almodóvar en el mercado global.[3]

Como contrapunto a esta homogeneización conviene destacar el posicionamiento de Almodóvar dentro del contexto del cine de autor. Sin pretender entrar a fondo en el debate que rodea la cuestión de la autoría en el cine y más allá del desacuerdo entre quienes hablan de la muerte del autor y quienes defienden la validez de dicha etiqueta, el hecho de que el concepto haya ocupado a la crítica durante más de sesenta años da buena prueba de la vigencia del mismo.[4] En el caso de Almodóvar la presencia de un estilo personal, de un repertorio temático constante y de una ideología dominante atravesando su cinematografía permiten inscribir su obra en el marco del cine de autor. Lo que resulta pertinente para mi acercamiento es el impacto de esta autoría en la promoción y comercialización de su cine. El espacio del cine de autor posiciona al director en un circuito comercial claramente codificado que proporciona un valor añadido como instrumento publicitario. El binomio originalidad-calidad que se asocia a este modo de crear opera como reclamo a la hora de promocionar su cine del mismo modo que la percepción del cine europeo como un cine de directores, cuyos proyectos individuales contrastan con el modelo norteamericano regido por las leyes internas de los estudios. Más aún, en una sociedad en la que se valora tanto la individualidad y la diferencia, la cuestión de la autoría viene a intensificar estas tendencias. A ello alude Janet Staiger al apuntar que "Neoliberal economic theory supports using individuated authorship within its marketing and promotion" (Staiger 42). No obstante, el éxito de taquilla de Almodóvar obliga a entender la autoría de un modo menos restrictivo y a abrir un espacio en el que la popularidad y el sello personal como sinónimo de arte minoritario conviven armónicamente.

Dentro del marco de esta dinámica global me propongo explorar en este libro la respuesta de la prensa estadounidense al cine de Almodóvar y su impacto en la

---

[3] Brian Michael Goss incluye en *Global Auteurs* un estudio de la obra de Pedro Almodóvar centrado en el modo que refleja las transformaciones que experimenta España al pasar de la dictadura franquista a la democracia.

[4] Desde las primeras reflexiones sobre la teoría del cine de autor publicadas en *Cahiers de Cinema* en 1951 por François Truffaut hasta hoy la crítica ha abordado el tema desde diferente ángulos. La defensa del cine de autor como respuesta al cine elitista —entendido como sinónimo de cine de calidad— que en los años 50 monopolizaba las pantallas en Francia, partía del interés en abrir un espacio a cineastas que se desviaban de las convenciones del momento y cuya estética, dotada de una incuestionable calidad, abría el abanico de posibilidades del séptimo arte. Para una visión panorámica de la cuestión consultar *Film Theory and Criticism,* editado por Gerald Mast y Marshall Cohen, en el que aparece, entre otros, el debate sobre la cuestión que mantuvieron Andrew Sarris y Pauline Kael.

recepción de sus films. La elección de la prensa como objeto de estudio no implica olvidar la relevancia de la crítica en la red ni el elevado número de publicaciones académicas sobre el trabajo de este director, ambas igualmente fundamentales para aquilatar la presencia de Almodóvar tanto en el espacio real como en el virtual. Su investidura como doctor honoris causa por la universidad de Harvard en junio del 2009, por ejemplo, viene a corroborar esta presencia en el ámbito universitario, no solo como objeto de estudio sino como figura pública. No obstante, la crítica periodística tiene, como ahora veremos, un perfil único que, en mi opinión, ayuda a dilucidar su relevancia. Si bien dicha crítica pasa en la actualidad por una fase recesiva y por un buen número de ajustes, las reseñas publicadas en prensa son un instrumento eficaz para tomar el pulso a la presencia (o ausencia) del director manchego en las pantallas estadounidenses. Al hablar de fase recesiva me refiero a la considerable disminución del número de puestos de trabajo para críticos de cine en prensa y sobre todo al deslizamiento de la crítica del papel (periódicos, revistas y publicaciones académicas) a las plataformas digitales, con las consecuencias que ello conlleva a nivel de proceso de elaboración, contenidos y difusión. En opinión de los defensores de la letra impresa, este trasvase ha supuesto la muerte de la crítica de cine, cuestión que ha generado un encendido debate entre los defensores/detractores de la crítica periodística. Entre los numerosos artículos que se hacen eco de esta situación, destaca "The Death of Film Criticism" de Thomas Doherty, publicado en *The Chronical of Higher Education*, por ser el más polémico a juzgar por las numerosas y acaloradas respuestas que ha suscitado entre sus lectores.[5] En él Doherty disecciona la trayectoria de la crítica de cine desde sus albores en los años 30 hasta el presente, poniendo especial énfasis en el impacto de la tecnología. El artículo lamenta la transformación que se ha operado en la crítica de cine con el paso del papel al espacio virtual y verbaliza sus quejas en los siguientes términos:

> Then [refiriéndose a nuestro presente] a different kind of termite art burrowed into the house that film criticism built. In the mid 1990s, wide open frontier of the blogosphere allowed young punks who still got carded at the multiplex to leapfrog over their print and video elders on user—friendly sites with hip domain names. If the traditional film critic was a professional lecturer who lorded his superior knowledge and literary chops over the common rung of moviegoer, the Web slinger was a man-boy of the people, visceral and emotional, a stream of consciousness spurted with no internal censor or mute bottom. Listen the cry of the Internet Movie

---

[5] La página web en la que aparece dicho artículo incluye a continuación treinta y siete respuestas de diversos lectores al mismo.

Critic ensconced at http://home.earthlink.net/~usondermann: What sets me apart from Siskel & Eberts of this world is a simple truth: I don't read books. (http://chronical.com/article/The-Dead-of-Film-Criticism/64352)

Como contrapunto a tal argumento el mismo artículo destaca lo que de ventajoso tiene la crítica en la red: "The unpaid fan-bloggers are more independent, more honest, and more in sync with the mass audience than the jaded sexagenarians". Al margen de esta controversia, la crítica en internet supone para Doherty una pérdida, no una ganancia. No olvidemos que la crítica de "elite" tiene un impacto limitado para la recaudación de taquilla del cine de Hollywood, al margen de su indiscutible calidad. La visibilidad de este artículo vinculada al lugar de su publicación, *The Chronical of Higher Education*, y a la vigencia del tema, ha dado pie a un buen número de respuestas que en gran medida subrayan la necesidad de llevar a cabo una reflexión más exhaustiva. Para unos, la indiferenciación entre "crítica" y "reseña" en este trabajo oscurece su sentido, para otros, el fallo deriva de la incapacidad del autor para entender el poder y el sentido del mundo virtual. Hay quienes defienden la calidad de la crítica de cine actual al margen del medio por el que se canalice y rechazan la legitimación del crítico según la revista en la que publique, y quienes acusan a Doherty de confundir el medio de transmisión con el propio mensaje. Al hilo de este debate, Roger Ebert publicó un artículo en *The Wall Street Journal* (22-1-2011), titulado "Film Criticism is Dying? Not Online", en el que explica cómo a pesar de la reducción de puestos de trabajo en prensa para especialistas en cine, la crítica vive uno de sus momentos más prósperos gracias a la tecnología. En opinión de R. Ebert, "We are actually living in a Golden Age of Film Criticism […] The Web and HTML have been a godsend for film criticism". Este rápido cambio en el medio de difusión lleva a fundir/confundir las limitadas oportunidades profesionales para los críticos que trabajan en prensa, con la muerte de la crítica minando en el proceso la validez de internet como soporte de dicho acercamiento crítico al cine. Junto a esto la red abre un amplio foro para opiniones personales, desdibujando la línea divisoria entre los sentimientos que suscita un film y la capacidad del crítico para iluminar la lectura del mismo.

Sin intención de generalizar sobre el mencionado desinterés en los libros por parte de los cinéfilos internautas ni sobre el carácter impresionista de sus escritos, hay que señalar que se dan una serie de rasgos en la crítica en prensa que, en mi opinión, explican mi elección del objeto de análisis. En primer lugar, detrás de esta controversia aflora el consenso de que las publicaciones periódicas con más prestigio, entre ellas *The New York Times, The New Yorker, The Village Voice,* etcétera, operan como filtros eficaces a la hora de abrir un espacio para los críticos, y que si bien esto no es garantía de calidad ni implica que la profesionalidad esté reñida con internet, la crítica periodística deja menos espacio para opiniones impresionistas, exige más experiencia por parte del crítico así como un conocimiento académico de la disciplina y requiere mayor rigor en la medida en que ha de satisfacer las exigencias de contenido y estilo de los directores.

La misma cuestión inquieta a David Bordwell, según muestra en un escrito aparecido en su blog, titulado "Film criticism: Always declining, never quite falling" (http://davidbordwell.net/blog/2010/03/16/). Al hilo de la opinión dominante afirma que los supuestos expertos en cine no merecen ser llamados críticos a menos que "(a) write for print publication; (b) have been doing it for x years; (c) are a member of a critics professional society; and/or (d) get paid for it". Esta visión difundida por Bordwell ha reavivado el debate entre los defensores de la crítica escrita sobre papel y los de la aparecida en soporte digital, insistiendo en la percepción de la crítica divulgada en las páginas web y en los blogs como producto de escritores amateur. Si bien es cierto que ambos soportes propician un discurso diferente —más elaborado y filtrado en el caso del papel, más espontáneo y cercano al espectador medio en el caso de los escritos en línea—, lo que más los separa es la prevalencia de la opinión personal en el caso de la red, frente a la voluntad de contextualizar en el marco de las artes, de la política y de la sociedad el significado de un film por parte de la crítica en prensa. Como indica el mismo Bordwell, "Insofar as we think of criticism as evaluation, we need to distinguish between taste (preferences, educated or not) and criteria for excellence". Si bien hay quienes opinan que el estilo escrito está sobrevalorado y que la red posibilita una eficaz difusión de críticas valiosas, es indudable que la conexión entre opinión e información es más débil en este medio.

Independientemente de la calidad de la crítica o del medio por el que se divulgue, el impacto en el espectador y, por extensión, en la recaudación de taquilla es relativamente limitado, más en el papel que en la red. Esto no implica negar el positivo efecto que una buena crítica ejerce sobre cualquier film ni el potencial daño de una negativa, lo cual explica la reacción de algunos cineastas como muestra la polémica entre Pedro Almodóvar y Carlos Boyero, a cargo de la sección de cine de *El País* y, como tal, enviado especial a los más prestigiosos festivales

(Venecia, Cannes, San Sebastián…). Su crítica de dichos festivales, a los que califica de tediosos y pretenciosos, se vuelve especialmente ácida al abordar el cine de Almodóvar (con honrosas excepciones), llegando, en el caso de *Los abrazos rotos* (*El País* 18-3-2009), a desencadenar un enfrentamiento con el director. Su ataque frontal a la película y a su director, y el tono general de dicho artículo llevaron al propio Almodóvar a lanzar en su blog una "Crónica negra" contra Boyero, lo que suscitó una respuesta por parte de la defensora del lector de *El País*, Milagros Pérez Oliva, en la que defendía la libertad de Boyero, apuntando únicamente la conveniencia de publicar sus escritos como "opiniones", no "críticas", debido a la prevalencia de la opinión personal sobre la crítica "objetiva". Además, por detrás de esta polémica, asoma la potencial influencia de este crítico a la hora de distribuir y comercializar a nivel nacional e internacional el cine de Almodóvar.[6]

Aunque los grandes estudios confían más en las campañas de promoción que preceden al estreno de sus films que en las reseñas de prensa a la hora de comercializar sus productos, como prueba el hecho de que prácticamente un tercio del presupuesto de cada película se dedique a este fin, el valor de la crítica periodística es especialmente significativo para películas con un presupuesto menor, entre ellas las englobadas bajo la categoría de cine independiente y de cine extranjero. En este espacio se minimiza la equiparación entre la calidad de la película y la recaudación de taquilla, dato que de un modo u otro acompaña al cine de Hollywood. El público que acude a las salas para ver este cine minoritario se inclina más a la lectura de artículos firmados por críticos de reconocido prestigio que al bombardeo publicitario, de modo que su decisión de ver o no ver una determinada película se ve en parte afectada por lo escrito sobre la misma. Es precisamente este tipo de cine menos comercial el que más se beneficia de la crítica tanto impresa como en internet. De ello habla Paul Brunick, en *Film Comment,* en un artículo titulado "Online Film Criticism Part One: The Living and the Dead" en el que afirma que

> When Hollywood treats formal ambition and dramatic complexity as specialty
> division afterthoughts, when foreign releases are ghettoized in a handful of cities,
> when readers are defined by their lowest-common-denominator indifference—that's
> a situation where dozens of professional critics expend their collective intelligence

---

[6] El mencionado artículo de Barry Jordan contiene un análisis exhaustivo de esta polémica y del peso de la opinión de críticos de prensa y académicos en la comercialización de una película. Tomo el dato de J.P Singh en *Globalized Arts,* pág. 15.

> finding new ways to snark about Brett Ratner's hackwork or Michael Bay's inhumanity (worthy causes both but hardly the pinnacle of cultural commentary). What of criticism's other functions proselytizing on behalf of the creatively triumphant but commercially marginal: trawling through cinema's back catalogues in search of unappreciated master pieces, putting movies with the broader narratives of intellectual history, transforming personal taste into an essayistic art unto itself? In the commodified columns of newspapers reviews, such practices have been the exception, not the rule. (http://www.filmlinc.com/film-comment)

Sin negar la validez de esta afirmación se hace necesario precisar que muchas películas extranjeras de directores reconocidos por Hollywood, aunque no trabajen dentro de esta órbita, como es el caso de Almodóvar, se benefician considerablemente del espacio que les dedica la prensa, en especial la de mayor tirada y prestigio, como *The New York Times, The New Yorker, Los Angeles Times* y otras publicaciones con un perfil similar.

Al margen de este debate, la proliferación de páginas web con todo tipo de contenidos ha cambiado radicalmente la dinámica entre el cine y el espectador, y ha intensificado el diálogo y la reflexión sobre el medio fílmico, independientemente de la profundidad o el rigor de los contenidos. La variedad de criterios que rige cada página pone de manifiesto la amplia gama de acercamientos añadidos a esta reflexión. Desde las páginas construidas en base a preferencias religiosas (http://www.crosswalk.com/culture/movies/), al contenido —aptas o no aptas para niños (http://www.screenit.com)—, significativas desde el punto de vista científico y cultural (http://www.thelocationguide.com) hasta las que subrayan la popularidad de las películas basándose tanto en la opinión de expertos como de espectadores (http://www.rottentomatoes.com/) (http://www.imdb.com/), (http://www.metacritic.com/), (http://www.everyoneisacritic.org/), pasando por los numerosos blogs creados por profesionales y profanos, el diálogo entre el cine y el espectador disfruta de una fluidez hasta ahora desconocida. Mención aparte merece http://moviereviewintelligence.com/, creada por David A. Gross en el 2009, cuya recopilación de publicaciones firmadas por críticos reconocidos, clasificadas bajo diversos apartados ("Broad National Press, Key Cities, Alternative Press, Highbrow Press, Movie Industry"), sumadas a las valiosas estadísticas y a los exhaustivos datos sobre recaudación de taquilla, hacen de ella un instrumento de enorme utilidad para aquilatar la presencia de una película en el mercado. A pesar de su corta vida, apenas tres años, se ha constituido en referencia ineludible en este diálogo entre el cine y la crítica.

Si bien las diferencias apuntadas entre la crítica periodística y la generada en la red resultan obvias, tal dicotomía se diluye en gran medida al constatar que internet no limita su influencia a las reflexiones gestadas dentro de su propio medio sino que opera como uno de los mayores aliados en la difusión de la crítica periodística. Un elevado número de lectores accede a la lectura de periódicos en la red, en especial en lo que atañe a la crítica de cine, ya que su permanente accesibilidad permite al espectador interesado informarse sobre cualquier película en cartel en todo momento y lugar. La red opera así como un difusor eficaz en lo que atañe a la crítica de cine, al margen de la diferencia de contenidos en función del perfil del autor de la crítica, dando cabida tanto a reflexiones firmadas por profesionales como a aquellas producidas por amateurs.

En un momento en el que se repite el lamento por la muerte de la crítica de cine en prensa parece contradictorio abordar un estudio basado en esta fuente. No obstante, existe un espacio para un tipo de espectador/lector más interesado en cine extranjero y cine independiente que en las grandes producciones hollywoodienses, para quien la prensa canónica opera como mapa de ruta en el amplio panorama de la industria del entretenimiento. Este público exigente y selectivo disfruta de una cierta autoridad en materia de cultura que le permite consolidar el prestigio de un creador, abrirle un espacio dentro de la esfera de las artes o por el contrario excluirle de este circuito de élite al que buena parte de los creadores aspira. De ahí que la voz de un crítico legitimado por una publicación de prestigio sea capaz de aglutinar a una comunidad lectores/espectadores con unos criterios estéticos afines. Motivo también por el que nombres como Janet Maslin, A.O. Scott, Pauline Kael, Anthony Lane, David Denby, entre muchos otros, han funcionado como catalizadores de Almodóvar en el mapa cinematográfico estadounidense. Su peso, sumado al de los periódicos o revistas en los que publican su crítica, les permite ejercer una influencia considerable tanto en lo que atañe a la legitimación de un cineasta como a la construcción de un público fiel al mismo. La afirmación de Neil Postman adquiere en este contexto especial sentido: "Our media are our metaphors. Our metaphors create the content of our culture".[7] El poder de la prensa de prestigio en el afianzamiento de Almodóvar en Estados Unidos trasciende el éxito de taquilla, pues ha contribuido considerablemente a que el cineasta español merezca entrar en el radar del público estadounidense, y ha logrado situarlo como

---

[7] Tomo el dato de J.P Singh en *Globalized Arts,* pág. 15.

artista dentro de la cultura con mayúsculas.[8] La consolidación de un gusto determinado por parte de la prensa contribuye igualmente a abrir paso a una estética y a aglutinar en torno a ella a un público afín a la misma.

Este estudio explora, partiendo de artículos periodísticos publicados en Estados Unidos entre 1981 y 2012, la imagen de Pedro Almodóvar construida por la prensa junto con su presencia en el panorama cinematográfico de este país. El objetivo principal radica en analizar el modo en que la prensa, junto con otros medios de comunicación, en especial televisión e internet, articulan la dialéctica entre Pedro Almodóvar y el espectador estadounidense, y en entender el modo en que la relación entre el director y la crítica condiciona su recepción en este país. Para ello he llevado a cabo una selección de artículos aparecidos en varios periódicos y revistas (*The New York Times*, *The New Yorker*, *Los Angeles Times*, *San Francisco Chronical*, *The Washington Post*, entre otros), así como de programas y entrevistas aparecidos en televisión y en internet, todo ello complementado con la visión que ofrece la crítica académica sobre la recepción de Almodóvar en Estados Unidos.

En el primer capítulo, "El cine español al otro lado del Atlántico: Almodóvar en USA/USA en Almodóvar", parto de la limitada presencia del cine europeo en Estados Unidos en general y del español en particular, a la vez que analizo el diálogo entre el cine de Hollywood y el europeo. En este contexto destaco el papel desempeñado por el cine español en la construcción y propagación de la imagen de la España postfranquista en Estados Unidos, y el interesado apoyo por parte del gobierno. Almodóvar como referente continuo del cine español actual, su convergencia con el cine norteamericano, los encuentros y desencuentros con la crítica de este país, así como su presencia en festivales y los numerosos premios y nominaciones recibidos logran hacer del cine español un producto cultural más homologable.

El segundo capítulo, "Almodóvar en *The New York Times*", analiza la respuesta de *The New York Times* al cine del director manchego y su impacto en la recepción del mismo en Estados Unidos, inseparable de la canonicidad de este periódico y de su amplia tirada. El peso de Nueva York como catalizador del éxito o fracaso del cine extranjero en Estados Unidos sumado al poder de *The New York Times* para vetar o promocionar una película hace de este periódico una herramienta

---

[8] Si bien, como muchos estudiosos han mostrado, uno de los logros de la cultura de la postmodernidad radica en disolver la división entre alta y baja cultura, las obras que atraen la atención de los críticos adscritos a esta prensa de élite adquieren automáticamente un estatus privilegiado dentro del panorama de las artes.

imprescindible para aquilatar la presencia de Almodóvar en este país. Desde las primeras reseñas aparecidas en 1987 hasta hoy, críticos de la talla de Janet Maslin, Vincent Canby, Caryn James, Elvis Mitchell y A.O. Scott, entre otros, han seguido de cerca la trayectoria del director español, guiando en el proceso a un espectador en su mayoría ajeno a los parámetros de la cultura española y a la personal estética de Almodóvar. De la inicial desconexión con la crítica a los elogios generados por sus últimas películas, pasando por momentos de mayor o menor tibieza, *The New York Times* ha operado como hoja de ruta en la recepción de su cine, generando a su vez un efecto búmeran. Este periódico permite además trazar la peculiar relación del director español con Hollywood y las paradojas que encierra. Igualmente su amplia cobertura del Festival Internacional de Cine de Nueva York y la esmerada atención que ha dedicado a la obra de Almodóvar han impulsado su visibilidad tanto en este país como a nivel global.

En el tercer capítulo, "De Madrid a Hollywood: la crítica estadounidense durante la primera fase del cine de Almodóvar", selecciono artículos publicados en prensa y en internet en Estados Unidos desde el inicio de su carrera hasta la nominación de *Mujeres al borde de un ataque de nervios* para el Oscar a la Mejor Película Extranjera. Tomo como punto de partida la vocación universal del director, sin renunciar a su españolidad, y más en concreto la convergencia de su universo creador a nivel formal con las propuestas estéticas de Hollywood, sobre todo en lo que atañe a la hibridez genérica, manipulación formal e intertextualidad. A continuación hago un recorrido por cada una de las películas de esta primera etapa, subrayando su relativo rechazo sobre todo en función de la distancia entre el contexto cultural en el que se producen, la España de la movida, y en el que se consumen, la sociedad estadounidense, ajena a la convulsión que supuso el paso del franquismo a la democracia. Abordo además, entre otras cuestiones, las divergencias entre la crítica española y la estadounidense, la recaudación de taquilla y la difusión de estas películas por medio de industrias subsidiarias, video y DVD.

En el cuarto y último capítulo, "La prensa estadounidense frente al último Almodóvar: del éxito en Hollywood a la conquista del mercado global", reviso el afianzamiento del director en el mapa cinematográfico de Estados Unidos y la continua atención que le ha brindado la crítica. La positiva recepción de *Mujeres al borde de un ataque de nervios* y el consiguiente encasillamiento del cineasta en esta línea cómica dieron paso a un inevitable distanciamiento asociado al cambio genérico que exhiben sus siguientes películas. Habría que esperar hasta la concesión del primer Oscar con *Todo sobre mi madre* para restablecer la conexión con el espectador estadounidense. Al hilo de su desigual trayectoria analizo los factores que desde el punto de vista de la crítica justifican la oscilación entre la aceptación y el rechazo. Destaco también en este capítulo las estrategias publicitarias de las distribuidoras y su consiguiente efecto en este mercado, así como la controversia que ha acompañado el estreno de un buen número de sus películas.

La respuesta de la prensa estadounidense al cine de Almodóvar construye y refleja su sólida presencia en un mercado poco inclinado a comercializar el cine producido fuera de sus fronteras. Al margen de la valoración llevada a cabo desde las páginas de sus periódicos y revistas, su contribución al afianzamiento de este director en la 'pantalla global' es incuestionable.

CAPÍTULO 1

El cine español al otro lado del Atlántico: Almodóvar en USA/USA en Almodóvar

El limitado interés que el cine extranjero despierta en Estados Unidos ha suscitado una serie de reflexiones que ayudan a entender la compleja dinámica entre el espectador, la crítica y la industria cinematográfica. Si bien es cierto que nunca ha ocupado un lugar relevante en las carteleras de este país, ha pasado por breves períodos de auge vinculados a los avatares de la historia. Durante los años que precedieron a la Primera Guerra Mundial el cine europeo estaba más avanzado y mejor organizado que el norteamericano lo cual despertó cierto interés en la prensa del nuevo continente y, por extensión, en un limitado sector del público. Este momento de relativa prosperidad se vio truncado por el caos que acompañó dicha guerra y coincidió con una reestructuración de la industria cinematográfica norteamericana que organizó bajo un mismo conglomerado la producción, distribución y exhibición, minimizando, gracias a su control absoluto del gremio, la presencia de películas europeas. El mercado quedó así monopolizado por las productoras que, además de encargarse de la distribución, eran en numerosas ocasiones propietarias de las salas de exhibición, dejando con ello poco espacio a todo lo que no alimentara directamente sus intereses económicos. Además de esto, conscientes y a la vez temerosos de la posible competencia europea, los nuevos magnates del cine norteamericano de los años veinte no dudaron en comprar los servicios de los profesionales del cine europeo, en especial alemanes, garantizando con ello el progreso de su industria.

Unos años más tarde la situación política, ahora asociada a la Segunda Guerra Mundial, favorecerá de nuevo al cine norteamericano, en primer lugar porque el auge de los fascismos propulsó la inmigración de numerosos directores europeos a Hollywood, y en segundo, porque la destrucción de Europa frenó la producción de películas en el viejo continente. En este momento llegaron a Estados Unidos procedentes de Europa varios directores, actores y productores que lograrían controlar buena parte de la industria cinematográfica norteamericana. De Hungría llegaron William Fox y Adolph Zukor, de Polonia Samuel Goldwyn y Louis Mayer; de Alemania Carl Laemmle, Fritz Lang, Douglas Sirk, Otto Preminguer y Billy Wilder; de Inglaterra Charlie Chaplin y de Suecia Greta Garbo. Otros como Jean Renoir y René Clair se instalaron solo temporalmente en Hollywood y al acabar el conflicto bélico volvieron a Francia.[1] La llegada a la meca del cine de directores europeos, especialmente de la Europa del este, continuó durante la guerra fría y cineastas que veían sus libertades mermadas como Roman Polanski, polaco, y Milos Forman, checoslovaco, engrosaron la lista de los profesionales extranjeros emigrados a Estados Unidos, corroborando con ello el convencimiento por parte de la industria cinematográfica de que el mejor destino para un buen director era trabajar en Hollywood con guionistas, productores y actores locales.

Por otro lado después de la Segunda Guerra Mundial, Francia, Italia, Alemania y Gran Bretaña hicieron considerables esfuerzos para afianzar su presencia en Estados Unidos con un relativo éxito, dando paso a la llamada "edad de oro" del cine europeo que, con el fin de entrar en este mercado tan codiciado, no dudó en americanizar su producción para encajar en la estética de los compradores. Pero al margen de este momento glorioso para el cine europeo, lo cierto es que su presencia en Norteamérica ha ido disminuyendo paulatinamente hasta llegar a un presente en el que solo esporádicamente una película extranjera logra ser un éxito de taquilla.

En un artículo publicado en *The Philadelphia Enquirer*, titulado "Americans are seeing fewer and fewer foreign films" (9-5-2010), Carrie Rickey afirma que la proporción de películas extranjeras exhibidas en Filadelfia entre el 2004-09 ha disminuido drásticamente de un 20% a un 12%, reflejando con ello la tendencia del resto del país. En el 2004 se estrenaron en esta ciudad trecientas seis películas de las cuales sesenta y una eran extranjeras; en 2009 de un total de trescientos quince estrenos solo treinta y siete procedían de otros países. Apunta igualmente que en los años sesenta las películas importadas representaban en Filadelfia alrededor de un 10% de la recaudación de taquilla mientras que en el presente apenas llegan a

---

[1] No se agota aquí la lista de directores y demás figuras del mundo del cine de origen europeo relacionadas con la industria cinematográfica hollywoodiense. Para una visión completa del impacto de estos profesionales europeos ver Larry Langman. *Destination Hollywood: The Influence of Europeans on American Filmmaking.* London: McFarland, 2000.

un 0,75%. Esta tendencia a la baja la confirma Robert Koehler en un artículo titulado "Foreign films fade out at U.S box office", aparecido en *abc News Internet Ventures* (7-6-2009), al constatar que entre 2004 y 2009 los espectadores de películas extranjeras en Estados Unidos han disminuido entre un 30% y un 40%, a pesar que de la calidad de dichas películas es mucho mejor que en el pasado.

Según datos proporcionados por John Horn y Lewis Beale en *Los Angeles Times* (2-4-2010), de las aproximadamente mil películas extranjeras estrenadas en Estados Unidos entre 1980 y 2010, solo veintidós han recaudado más de diez millones de dólares y alrededor del 70% no han llegado a un millón de dólares, cantidad mínima para que la película sea rentable ya que la publicidad y la adquisición de la cinta acarrean un coste de unos setecientos mil dólares.

Ante un panorama tan poco halagüeño para el cine importado y dada la existencia de numerosas películas extranjeras de indudable calidad, cabe preguntarse a qué se debe su limitado éxito. Uno de los factores clave radica en la esencia misma del cine norteamericano: el hecho de estar basado en un sistema de estrellas y no de directores como es el caso del cine europeo. El público estadounidense acude a las salas sobre todo para ver a una estrella determinada y dado que no está familiarizado con los actores extranjeros, con la excepción de los que han triunfado en Hollywood —entre ellos los españoles Antonio Banderas, Penélope Cruz y Javier Bardem—, el atractivo inicial de estas películas es mínimo. Al margen de este hecho tan obvio, entre las múltiples razones aducidas desde Estados Unidos para explicar esta realidad destacan la baja calidad de las películas extranjeras, medida mayormente en términos de espectacularidad y en consecuencia de presupuesto; su complejidad, asociada al carácter reflexivo y filosófico de los textos fílmicos importados, excesivamente exigentes para un público poco inclinado a asociar el cine con el esfuerzo intelectual; el gusto único de los norteamericanos por sus propios productos fílmicos, ajeno a lo producido por otras culturas; el rechazo de las películas subtituladas, por el esfuerzo que requieren por parte del espectador; la falta de costumbre a la hora de ver películas dobladas con su inevitablemente imperfecta sincronización entre la voz y los labios; y por último, la inmoralidad y crudeza del cine importado. No olvidemos el efecto de la censura capitaneada por la organización católica National Legion of Decency —creada en 1933— y el Production Code Administration creado en 1934, así como por la propia industria cinematográfica norteamericana, Motion Picture Association of America (MPAA), organismos defensores de una rígida moral a la que no se ajustan las producciones extranjeras, hecho que, por otra parte, puso y sigue poniendo de manifiesto que el verdadero freno para la importación no era solo la moralidad sino también los intereses de la industria nacional. Si bien el impacto de estos mecanismos de censura se ha minimizado en el presente, es fundamental subrayar su legado a la hora de modelar las preferencias de los espectadores y su resistencia al modo de tratar temas más o menos escabrosos en las películas extranjeras.[2]

A estos factores hay que añadir el hecho de que las películas importadas generan un mínimo beneficio en las industrias subsidiarias —televisión y DVD— salidas ambas que sin duda redondean los beneficios del cine norteamericano. El porcentaje de películas extranjeras alquiladas en Netflix oscila entre un 5,3% y un 5,8%, y raramente se alquila una película importada más de diez mil veces, número insignificante comparado con las cifras que se manejan con las obras de Hollywood.

Más allá del innegable peso de estos factores técnicos, estéticos y culturales es fundamental contextualizar esta exclusión en la dinámica de mercado y en los mecanismos activados por la industria estadounidense para mantener su monopolio. La falta de canales de distribución eficaces para las películas no producidas en Estados Unidos y el poder de los sindicatos —responsables de que los productos no americanos y, por tanto, no ajustados a sus leyes internas no encuentren apoyo por parte de los grandes estudios— operan como el mecanismo más eficaz para limitar la competencia de otras cinematografías en el país. A este problema alude el cineasta francés Jean-Charles Taccella, director de *Cousin, cousine*, al preguntarse: "How can the American public appreciate our pictures if neither distributors nor exhibitors will offer them?" (Segrave, 167). En la misma línea A.O. Scott, desde *The New York Times* (20-1-2007), afirma: "The [foreign] movies are out there, more numerous and various than ever, but the audience, and therefore the box-office returns, and the willingness of distributors to risk even

---

[2] Si en un primer momento el poder del National Code of Decency era considerable en la industria cinematográfica estadounidense, a partir de los años sesenta se redujo a la órbita de poder de la iglesia católica. Para una revisión del impacto de esta organización consultar James Skinner. *The Cross and the Cinema: The Legion of Decency and the National Catholic Office for Motion Pictures: 1933-1970*. En el caso de la MPAA, aunque sigue incluyendo entre sus funciones la clasificación de películas, los distribuidores no están obligados a aceptar dicha clasificación y pueden estrenar las películas sin clasificar. Como veremos en el caso de la película *Átame* de Almodóvar, en ellos está decidir qué resulta más perjudicial, si estrenar la película con una clasificación negativa o estrenarla sin clasificar, situación que también condiciona su lanzamiento.

relatively small sums on North American distribution rights, seems to be dwindling and scattering". Esta ineficaz distribución da paso a un círculo vicioso en el que la ausencia de películas extranjeras en las carteleras norteamericanas genera una falta de interés y viceversa. El proceso de aprendizaje que requiere entrar en otra cultura y valorar sus registros se desvanece ante la limitada oferta cinematográfica extranjera, creando con ello un público ensimismado en sus propias obras y poco dispuesto a valorar lo ajeno. Richard Corliss sintetiza así la situación: "The sad fact is that foreign-language films no longer matter. Americans absorbed in their junk culture are shuttering a window to the rest of the movie world".[3]

Especialmente ilustrativo a la hora de dilucidar las razones de esta limitada presencia del cine importado en Estados Unidos es el estudio de Jonathan Rosenbaum *Movie Wars: How Hollywood and the Media Limit what Movies We Can See*. Rosenbaum denuncia el poder de Hollywood y de la prensa a la hora de determinar lo que llega a las pantallas norteamericanas. En su opinión, "We aren't seeing certain [movies] because the decision makers are only interested in short term investments and armed mainly with various forms of pseudo science and it becomes the standard business of the press, critics included, to ratify these practices while ignoring all other options".[4] La voluntad de maximizar los beneficios a corto plazo opera como freno para la importación de películas y tanto la prensa como la crítica, ambas mediadas por la inmediatez, refuerzan este modo de gestionar el mercado cinematográfico, cuyos mayores beneficios se generan en las primeras semanas del estreno.

Para que una película entre en este difícil mercado, además de ajustarse a la arquitectura interna de la industria cinematográfica norteamericana, ha de estrenarse en Nueva York, ciudad que exhibe junto con Los Ángeles, San Francisco, Boston y Seattle el mayor número de films importados. El 60% de las proyecciones de cine extranjero tiene lugar en Nueva York y entre el 20-40% de los beneficios de taquilla se generan solo en esta ciudad. En 2005 solo el 10% de las películas extranjeras alcanzaron una recaudación de más de un millón de dólares en Estados Unidos, del cual se destina aproximadamente medio millón a la publicidad, unos doscientos mil a la adquisición de la película y los distribuidores se quedan con el 50% de la recaudación. Sony Pictures Classics, líder en el

---

[3] Tomo el dato de Kerry Segrave, *Foreign Films in America*, Jefferson, NC: McFarland & Company, Inc., Publishers, 2004, pág. 161.
[4] La cita procede de Robert Koehler: *abc News Internet Ventures*, "Foreign Films Fade Out at the U.S Box Office" (7-9-2009).

mercado de importación y barómetro de la presencia del cine extranjero en Estados Unidos, ha reducido las películas subtituladas entre la mitad y la tercera parte de lo que suponían en el pasado, haciendo el proceso cada vez más selectivo. Ello conlleva que las películas de bajo presupuesto, entre las que figuran gran parte de las importadas, cuenten con pocas posibilidades de llegar a las pantallas norteamericanas. La estética que se impone y en la que se educa al espectador se asocia a las grandes producciones hollywoodienses.

Por otro lado, la proliferación de películas independientes en Estados Unidos supone una fuerte competencia para el cine extranjero ya que atraen a un público con un perfil similar y se proyectan en las mismas salas de cine alternativo. Este cine independiente, producido y distribuido por compañías adscritas a los grandes estudios de Hollywood, accede más fácilmente a las salas de proyección destinadas a estas producciones alternativas. A esto hay que añadir la progresiva reducción de salas especiales y su sustitución por multisalas, más interesadas en exhibir el cine comercial que el minoritario. En el presente varios de los grandes estudios de Hollywood cuentan con una sección dedicada a la producción y distribución de estos proyectos de menor presupuesto, susceptibles de reportar cuantiosos beneficios.[5] Buen ejemplo de ello es Focus Features, filial de NBC Universal, que distribuyó *Brokeback Mountain*, cuyo coste de producción se limitó a catorce millones y cuya recaudación en Estados Unidos ascendió a ochenta y tres millones de dólares (46,6%) y, fuera de este país, a noventa y cinco millones de dólares (53,4%). El mismo perfil exhibe Paramount Vintage, una filial de Paramount Pictures, responsable del lanzamiento de *Babel*, dirigida por Alejandro González Iñarritu, hablada en varios idiomas, subtitulada en inglés y con actores de reconocido prestigio en Hollywood, como Brad Pitt y Cate Blanchett.

Al margen de estos éxitos de taquilla puntuales, los cines nacionales cuentan con varias producciones que permiten contrastar su cosmopolitismo, tanto en lo que atañe a la esencia de los propios textos fílmicos como a la financiación, con el ensimismamiento del cine norteamericano. Es común incluir en la lista de productores de estos cines nacionales canales privados de televisión por cable, organismos con fines filantrópicos, la Unión Europea y aportaciones de gobiernos de varios países en forma de co-producción junto con subvenciones de las

---

[5] Anthony Kauffman en un artículo titulado "Is Foreign Film the New Endangered Species?" aparecido en *The New York Times* (22-1-2007) las denomina "mini-major pseudo-indie" sintetizando con este apelativo su peculiar naturaleza.

televisiones nacionales. El caso español ejemplifica bien este interés por entrar en la dinámica global con directores como Isabel Coixet, Alejandro Amenábar y Pedro Almodóvar, entre otros, los dos primeros filmando en inglés y eligiendo unas localizaciones, un reparto y una temática que trascienden los registros netamente españoles, y el último barajando unos contenidos y un estilo comunes a la estética global de la postmodernidad.

El propio Hollywood, consciente de la atracción que despierta en el espectador ver reflejada en la pantalla su propia cultura, ha comenzado a producir y/o financiar películas destinadas al público de otros países, con directores, actores e inversores oriundos del lugar al que va destinado el film. La película alemana *Keinohrhasen*, coproducida por Warner Brothers junto con el director y actor Til Schweiger, ha recaudado sesenta y un millones de dólares en taquilla, poniendo de manifiesto que esta fórmula reporta unos beneficios considerables. Según datos proporcionados por Eric Pfanner en un artículo aparecido en *The New York Times*, titulado "Foreign Films Get a Hand From Hollywood" (*NYT* 17-5-2009), Warner Brothers ha extendido su producción fuera de Estados Unidos y planea producir, co-producir o distribuir cuarenta películas en mercados locales frente a las aproximadamente veinticinco que salen anualmente de su estudio de Hollywood.

Una de las opciones propuestas para abrir espacio a películas extranjeras es filmar siguiendo las pautas del cine norteamericano al margen de cual sea el país de origen del productor y del director. Para ello muchos directores optan por imitar los modelos de Hollywood y ajustarse a sus géneros, además de filmar en inglés, recurrir a actores norteamericanos o instalarse ellos mismos en Estados Unidos. El caso de la película francesa *Taken* (2009), con una recaudación en Norteamérica de ciento cuarenta y cinco millones de dólares, corrobora la viabilidad de este modelo al filmar una historia de acción típicamente hollywoodiense, además de utilizar el inglés como idioma. Igualmente ilustrativo resulta el caso de los tres directores mexicanos más internacionales, los llamados 'tres amigos', Alfonso Cuarón, Guillermo del Toro y Alejandro González Iñárritu que, a raíz del éxito de sus películas y atraídos por las ventajas económicas de la meca del cine, firmaron en el 2007 un contrato con Universal Studios para filmar cinco películas. La consecuencia inmediata de esta realidad es el distanciamiento de estos directores de su propia cultura y el desdibujamiento de los cines nacionales, condición inherente a la era de la globalización y arma de doble filo ya que, si por un lado contribuye a fomentar los procesos de hibridación y a la disolución de barreras culturales, por otro atenta contra el valor de la otredad. Además, la noción de cine de autor, tan ligada al cine extranjero, pierde consistencia en la medida en que estos directores con un estilo tan marcado atenúan sus señas de identidad para llegar a un público más amplio. Conscientes de las reglas de juego del mercado global y de que el éxito de las películas importadas depende cada vez más de factores ajenos al director, eligen en varios casos el inglés como idioma, construyen unas historias atractivas fuera de su entorno y recurren a actores y actrices de prestigio internacional, inmersos en el "star system".

Si bien es indudable que la utilización de esta fórmula favorece la circulación de películas en un mercado global y aumenta las posibilidades de un alto rendimiento económico, los efectos de este modelo llevan a difuminar la identidad de las películas, limitando la empatía y la aceptación de otros registros culturales por parte del público norteamericano. De aquí la entrada en el círculo vicioso de no exhibir películas extranjeras porque no reportan beneficios y no despertar interés porque no se exhiben. Mientras que Hollywood opera como el mayor difusor de la cultura norteamericana a nivel mundial y contribuye enormemente con sus imágenes a articular la identidad americana, el público estadounidense se ve privado en gran medida de referentes que le permitan contrastar su cosmovisión con la generada desde otras realidades.

A los efectos de este distanciamiento del cine extranjero alude Steven Rothenberg, vicepresidente a cargo de la distribución en Samuel Goldwin Company, al declarar: "For the most part the young audience has been drifting away. There is a whole generation of college students that has not been weaned on top-noch foreign-language films the way people in the 60's and 70's were, and that affects the grossing potential of those films" (Segrave, 169). Un buen número de películas bien recibidas por la crítica no encuentra espectadores en Estados Unidos, ni siquiera los espectadores más sofisticados, abiertos a la estética y al desafío intelectual que presentan los cines nacionales. Una posible respuesta, apuntada por A.O. Scott (*NYT* 20-1-2007), es el cambio en el modo de entender la cultura. La valoración del cine extranjero que vivió Estados Unidos en los años 60 y 70 respondía quizá a una concepción más elitista del arte, heredada de la modernidad y apoyada en la conexión entre hermetismo y calidad. Los debates en torno al cine y a la literatura ocupaban un espacio social más amplio en el pasado, ya que en estas disciplinas se armonizaba el entretenimiento y el estímulo intelectual. Quizá en un momento como el actual, tan saturado de estímulos y tan falto de tiempo libre, el espectador prefiere la evasión sobre la reflexión de modo que el cine lúdico, espectacular y accesible que fabrica Hollywood se ajusta más a las prioridades de nuestro presente. La minoría selecta que acudía a las salas de arte y ensayo se ha diluido en la popularización/democratización de la cultura, y ha entrado también en las redes virtuales de comunicación y consumo que sin duda acaparan una buena porción del tiempo libre, antes destinado a actividades culturales más exigentes. A esta situación se refiere Mario Vargas Llosa en su último ensayo, *La civilización del espectáculo*, en el que lamenta la banalización de la cultura en una sociedad más inclinada a la diversión que a la reflexión. Junto a esto, el progresivo ensimismamiento del espectador norteamericano dentro de su propia órbita opera simultáneamente como causa y efecto de este paulatino desvanecimiento del cine importado en las pantallas estadounidenses. Esta tendencia no implica negar la existencia de un sector del público fiel al cine importado, abierto a otras propuestas estéticas ajenas a la norma y dispuesto a resignificar un texto fílmico en base a su proceso personal de apropiación, reelaboración e interpretación llevado a cabo desde el contexto socio-cultural estadounidense. Como bien señala Henry Jenkins, "We inhabited a world populated with other people's stories [...] The stories that enter in our lives thus need to be reworked so that they more fully satisfy our needs and fantasies" (175). El público actual, modelado en el cine de Hollywood, se ve forzado a activar otras claves interpretativas fuera de este marco dominante para llegar a captar el sentido del cine importado. Pamela Robertson Wojcik sintetiza esta realidad y explora "How the classic Hollywood cinema interpellates the film spectator, binding his or her desire with the dominant ideological positions, and above all, how it conceals this ideological process by providing the spectators with the comforting assurance that they are unified, transcendent, meaning making subjects" (537). Con ello pone de manifiesto la dificultad que encierra distanciarse de este marco interpretativo y la necesidad de mantener una postura abierta como espectador del cine importado desde la cual negociar la experiencia personal, ajena a los parámetros del público como grupo homogéneo, unitario, dispuesto a absorber la estética y la ideología dominantes.

Un factor clave a la hora de promocionar una película extranjera es la atención que le dedica la prensa ya que el cine importado, generalmente consumido por un público culto, inclinado a la lectura de reseñas, necesita buenas críticas para lograr una recaudación satisfactoria. Una de las publicaciones con más impacto para determinar el futuro de un film importado es *The New York Times*, ya que, como Segrave comenta, "because imports have to open en New York, *The New York Times* inadvertently had what *Los Angeles Times* film critic Michael Wilmington described as a "veto power" over foreign films' future in America" (179). Como veremos al analizar la recepción del cine de Almodóvar en Estados Unidos, el enorme impacto de este periódico radica en su prestigio, su amplia tirada y la calidad de sus críticos y reseñadores. Igualmente es determinante, según mostrará este estudio, la atención dedicada al cine extranjero por parte de diarios como *Los Angeles Times, San Francisco Chronicle, Chicago Tribune*, así como determinadas revistas especializadas, *The New Yorker, Variety, Vanity Fair*, entre otras, cuyos lectores responden al perfil del ciudadano culto y urbano, seguidor del debate abierto por estas publicaciones y parte de la comunidad cultural por ellas constituida.

Igualmente influyentes resultan las numerosas reseñas aparecidas en internet, muchas de ellas publicadas ya en los periódicos mencionados y otras inéditas, correspondientes tanto a reseñadores profesionales como aficionados. Buena muestra de ello son páginas web como http://www.rottentomatoes.com/, http://www.imdb.com/, y otras de reciente creación, tales como http://movie reviewintelligence.com/, cuyo detallado análisis de datos completa la información de un elevado número de reseñas. No obstante, al margen de los periódicos y revistas aquí mencionados, de la información de internet y de las publicaciones procedentes del medio académico, el cine extranjero no acaba de encontrar su espacio en los medios de comunicación. Mark Uman, responsable de los estrenos de la distribuidora Think Film, verbaliza en estos términos sus quejas: "Nobody is writing about them [foreign films] because nobody cares about them, and nobody cares because they don't penetrate the culture".[6] Es indudable que, sin una cobertura sólida en prensa antes del estreno, las películas extranjeras cuentan con unas posibilidades mínimas de alcanzar una recaudación satisfactoria, factor clave para conquistar un espacio en el panorama cinematográfico estadounidense. Varios críticos han relacionado el limitado éxito del cine importado con la inclinación a hacer 'remakes' de películas extranjeras que potencialmente pueden atraer al espectador norteamericano. En el proceso inevitablemente se metamorfosea el original para adaptarlo a las preferencias estéticas del público estadounidense y

---

[6] La cita procede del mismo artículo aparecido en *The New York Times* firmado por Anthony Kauffman, "Is Foreign Film the New Endangered Species? (22-1-2007).

para optimizar su rendimiento económico. A este respecto, Segrave se pregunta: "Why distribute a foreign film if one could buy the underlying rights and remake the feature with U.S starts, an American writer, a changed plot, and so on?" (Segrave,181).[7]

DEL GLAMOUR DE LOS FESTIVALES
AL PODER DE LOS PREMIOS

En opinión de los defensores del cine importado es fundamental evaluar lo que implica esta limitada disponibilidad de películas no americanas y tomar iniciativas que cambien el rumbo de esta tendencia. Proponen para ello potenciar el papel de los festivales de cine norteamericanos como promotores del cine extranjero, reforzando la idea de que existe un público ávido de ver otro cine y que es urgente encontrar el modo de llegar a él. Richard Lorber, presidente de Lorber Digital, considera que los festivales "can take a leadership position by exposing audiences to the great auteurs of the past and present. It requires the three C's: curatorship, criticism, and contextualization. Then you make a dent in audience awarness".[8] Su voluntad de no privar al espectador norteamericano de aquellos films globalmente aplaudidos le lleva además a proponer diversos lugares de exhibición, más allá de las convencionales salas comerciales, entre ellos centros de arte, museos, centros comunitarios, espacios todos ellos que, a pesar de tener un aforo limitado, contribuyen a mantener vivo el interés por este tipo de proyecciones no hollywoodienses. Desafortunadamente los festivales tienen una repercusión limitada en la difusión del cine extranjero en Estados Unidos y solo puntualmente alguna película importada llega al público por esta vía. Esto no supone negar la contribución a la difusión de películas internacionales del Sundance Film Festival, Telluride Film Festival, Seattle International Film Festival, New York Film Festival, Cucalorus Film Festival (North Carolina), Palm Springs International Film Festival, Portland International Film Festival, San Diego Film Festival,

---

[7] Esta tendencia a la recesión del mercado de películas importadas no impide que puntualmente haya años en los que aumenta su presencia debido al éxito de taquilla de una o varias películas extranjeras durante dicho año. Los datos del U.S Census de 2007 publicados en Census Bureau News (2-12-2007) señalan un aumento del 18,7% en la recaudación correspondiente a películas extranjeras debido al éxito de taquilla de *El laberinto de Pandora* y *La vida de los otros*.

[8] Ver Robert Koehler, "Foreign Films Fade Out at U.S. Box Office", *abc News* (7-6-2009).

Chicago International Film Festival, San Francisco International Film Festival, Tribeca Film Festival, Nashville Film Festival y Miami International Film Festival entre otros.[9]

Más sólido es el impacto de los Oscars como difusores del cine extranjero, ya que el prestigio y el amplio alcance de esta institución operan como garantía de calidad e impulso para la distribución de estos films a nivel internacional. No obstante, a pesar de la fuerza mediática de los Oscars, el beneficio que supone entrar en concurso no es suficiente como para llevar los cines nacionales a las pantallas norteamericanas, tal y como prueba su progresivo arrinconamiento en los circuitos comerciales. De las 91 películas extranjeras que se presentaron a los Oscars en el 2006, solo 7 encontraron distribuidor frente a 20 de las presentadas en el 2003. Un condicionante fundamental es el problema de la difusión, vinculado a la capacidad económica de la productora para promocionar su película y no a la calidad de las películas. El elevado coste que conlleva estrenar una película extranjera en Estados Unidos frena a los distribuidores que prefieren invertir en apuestas más seguras generando con ello un círculo vicioso alimentado por unos espectadores que no se han podido educar en la estética de los cines nacionales por no haber podido acceder a ella, y por unas distribuidoras que no están dispuestas a invertir en un producto con un mercado tan limitado. De ahí que pocas películas extranjeras en general y españolas en particular logren abrirse camino en Estados Unidos.

Este panorama tan poco halagüeño no impide el desarrollo de iniciativas puntuales abocadas a afianzar la presencia de cines minoritarios. Jonathan Sehring, presidente de IFC Entertainment, compañía que produce, distribuye y exhibe cine independiente y extranjero, ha adoptado una fórmula que consiste en estrenar en su propio Multiplex en Manhatan una película, conseguir reseñas en prensa y simultáneamente lanzar la película en televisión por cable haciéndola accesible a todo el país. Este modelo lo ha aplicado también a los festivales de cine, ofreciendo también por cable sus películas en el momento del estreno en dichos festivales. Esta sinergia abocada a beneficiar al cine importado no cambia sustancialmente la frágil salud de este en Estados Unidos. La fuerza de Hollywood hace que este país se perciba a sí mismo como el centro por excelencia del cine mundial, lo que

---

[9] Existe además un buen número de festivales locales dedicados al cine extranjero que contribuyen a afianzar su presencia en circuitos minoritarios, vinculados al ámbito universitario y a instituciones culturales, pero influyentes en la medida en que desempeñan una función educativa.

implica que para llevar al espectador a una proyección extranjera ha de darse una fortuita confluencia de factores —entre ellos la publicación de reseñas favorables firmadas por críticos prestigiosos, una promoción excepcional y un estreno exitoso—, confluencia raras veces lograda.

Al margen de esta coyuntura tan poco prometedora es indudable que existe un espacio para estos cines nacionales, cuya excepcionalidad cultural, celebrada y protegida en sus países de origen, apenas se atiende en Estados Unidos. Su público hay que buscarlo en círculos intelectuales, instituciones culturales, universidades, museos y otros tipos de proyecciones no comerciales que, si cuantitativamente cuentan con un peso específico limitado, cualitativamente dejan una serie de marcas en el discurso cultural que de algún modo garantizan su pervivencia. Aunque el espacio que ocupa el cine extranjero es limitado importa subrayar que la actual dialéctica entre Hollywood y los cines nacionales incentiva un debate en el que ambas producciones se enriquecen mutuamente al perfilar sus contornos por contraste y al entablar un diálogo entre estéticas dispares.

EL CINE ESPAÑOL EN ESTADOS UNIDOS

La innata curiosidad del ser humano hacia otras culturas alimenta un buen número de industrias, la más obvia el turismo. Este deseo de conocer otros lugares y experimentar de primera mano otros modos de vida que mueve al viajero, desde el intrépido aventurero del siglo XIX al sufrido turista del siglo XXI, conlleva una serie de obstáculos económicos y temporales que limitan el acceso a esta experiencia turística. El cine, por otro lado, con su capacidad para crear la ilusión de realidad, funciona como un eficaz paliativo para satisfacer esta curiosidad y pone en circulación una avalancha de imágenes que contribuyen a articular en el espectador vívidos archivos visuales sobre otras culturas. El mundo desarrollado, en un principio el único emisor y receptor de obras cinematográficas, dibujó así en el imaginario colectivo su propio retrato, creando un activo mercado para este producto cultural tan eficaz a la hora de pensarse a sí mismo. Pronto entró en escena el mundo no desarrollado como objeto de conocimiento y este "otro" habitante del tercer mundo, prácticamente desconocido y ajeno aún al circuito de la producción y el consumo, pasó a formar parte del archivo de imágenes del primer mundo. Europa y Estados Unidos pusieron así en movimiento un repertorio imaginístico susceptible de generar una ilusoria sensación de conocimiento de sí mismo y del "otro". La omnipresencia del cine de Hollywood a partir de los años cuarenta proporcionó a los espectadores europeos un amplio repertorio de datos para dibujar mentalmente Estados Unidos y activó un discurso sobre el nuevo mundo, marcado por la fascinación, en el que todo espectador era invitado a participar. Las ciudades americanas, los actores y las modas se convirtieron en objeto de deseo para los habitantes del viejo mundo. En la dirección inversa y en menor grado, el cine europeo durante los años sesenta conquistó en Estados Unidos un espacio ocupado por un espectador sofisticado, capaz de disfrutar un nuevo modo de filmar marcado por la complejidad, el intimismo y la reflexión. Si bien es cierto que la rápida circulación de imágenes en nuestro presente global y mediático ha contribuido a desvelar el enigma del otro, el cine sigue siendo una vía de acceso sumamente eficaz a la hora de imaginar otros contextos y articular imaginariamente otras identidades. Como bien muestra un crítico tan agudo como Carlos Monsivais en su estudio *A través del espejo: el cine mexicano y su público*, el cine funciona como instrumento clave para entender la transformación de las sociedades y para entender la velocidad a la que se producen los cambios actuales.

La radical transformación de España en los últimos treinta y cinco años ha encontrado en el séptimo arte su mejor difusor. El propio gobierno español, consciente del poder del cine como constructor y propagador de imágenes, ha realizado cuantiosas inversiones para promover y exportar este bien cultural que con tanta eficacia contribuyó a redibujar el mapa socio-cultural de España después del franquismo. Con la ayuda del Ministerio de Cultura, el cine español ha desempeñado un papel fundamental en la creación y diseminación de la imagen de un país democrático, moderno y liberal, miembro de pleno derecho de la comunidad europea, capaz de reinventarse a sí mismo después de la era de Franco y de pasar pacíficamente de la dictadura a la democracia. Si bien es cierto que resulta cada vez más problemático definir los cines nacionales como construcción conceptual debido a la transnacionalización del cine y a los procesos de hibridación —procesos bien estudiados por Ira Jaffe en *Hollywood Hybrids*—, es innegable que los tradicionales marcadores de la cultura española han operado con reclamo. Baste ver las películas centradas en el flamenco, dirigidas por Carlos Saura, relativamente exitosas en el mercado estadounidense o las de Almodóvar, locales y globales a la vez. En el polo opuesto de esta tendencia se sitúa el cine español de las dos últimas décadas, seguidor de las pautas marcadas por el cine de Hollywood en lo que atañe a recursos técnicos y perfección formal que, como bien apunta José Colmeiro, lo hace "más homologable y exportable fuera de sus fronteras, pero también conlleva el peligro de diluir su especificidad cultural" (103).

Uno de los escaparates más eficaces para este propósito ha resultado ser la mencionada presencia del cine español en los Oscars tanto por su visibilidad y prestigio como por las repercusiones a nivel de distribución. Desde la creación en 1956 de la categoría del Oscar a la mejor película extranjera, España ha enviado una película a concurso anualmente. Hasta el momento ha recibido este galardón en cuatro ocasiones: en 1982 con *Volver a empezar*, de José Luís Garci; en 1993 con *Belle Epoque*, de Fernando Trueba; en 1999 con *Todo sobre mi madre* de Pedro Almodóvar, y en 2004 con *Mar adentro* de Alejandro Amenábar. Nótese que durante los años del franquismo ninguna película española recibió el reconocimiento de Hollywood. Tanto la selección de las películas presentadas a concurso, a cargo de la Academia de las Artes y las Ciencias Cinematográficas de España, como la consecución del galardón reflejan el proyecto ideológico del gobierno y su voluntad de afianzar el nuevo perfil del país. El poder del cine como "aparato ideológico del estado", para utilizar la terminología de Althusser, y su "rol recuperador, socializante y culturizador", como bien indica Isolina Ballesteros (12), se hace patente sobre todo a raíz del triunfo del gobierno socialista en las elecciones de 1982, año que coincide con la entrega del Oscar a la Mejor Película Extranjera a *Volver a empezar*. Tanto el título como el contenido, el retorno a España de un profesor exiliado instalado en Estados Unidos, hacen explícito el mensaje de cambio. La concesión del Oscar conlleva así un reconocimiento universal de dicho cambio y un homenaje a la recién consolidada democracia. El mismo cariz político se detecta en la entrega del Oscar a *Belle Epoque*, homenaje también a una España republicana idealizada que hasta ese momento nadie había osado llevar a la pantalla de modo celebratorio. En el caso de Almodóvar, el Oscar responde no solo a la calidad de su film y a la provocadora temática del mismo, sino al carácter icónico de su director, a su popularidad en Estados Unidos y a su proyección universal. La carga transgresora que encierra *Todo sobre mi madre* y su habilidad para seducir al espectador con una historia ajena a los parámetros de la ética convencional, expanden el mérito de este cineasta capaz de llegar a un público desprovisto de los referentes culturales en los que se genera e inserta esta película. *Mar adentro*, la última película española en recibir el Oscar a la Mejor Película Extranjera, supone la superación de la excepcionalidad socio-política y cultural que había marcado el rumbo de España y conlleva un reconocimiento al incuestionable valor de la cinta y especialmente al acertado tratamiento de un problema tan universal como la eutanasia.[10] Hasta el momento los directores que con más frecuencia han representado a España en esta categoría son José Luis Garci —seis veces con *Volver a empezar* (1982), *Sesión continua* (1984), *Asignatura pendiente* (1987), *Canción de cuna* (1994), *El abuelo* (1998) y *You are the One* (2000)—, Carlos Saura —cinco veces con *La prima Angélica* (1974), *Cría cuervos* (1976), *Mamá cumple cien años* (1979), *Carmen* (1983) y *Ay Carmela* *(*1990)— y Pedro Almodóvar —con otras cinco, *Mujeres al borde de un ataque de nervios* (1988), *Tacones lejanos* (1991), *La flor de mi secreto* (1995), *Todo sobre mi madre* (1999), ganadora, y *Volver* (2006). Ya fuera de la categoría del cine extranjero, *Hable con ella* (2002) recibió el Oscar al Mejor Guión al año siguiente de su estreno.

Casi a la par con la visibilidad y el prestigio de los Oscars se posicionan los Globos de Oro. Concedidos por la Hollywood Foreign Press Association, creada en los años cuarenta a raíz de la entrada de Estados Unidos en la Segunda Guerra Mundial, cuentan con una de las mayores audiencias en televisión y constituyen una de las plataformas más eficaces para la difusión del cine norteamericano e importado.[11] Constituida por periodistas de cincuenta y cinco países y con un volumen de lectores cercano a los doscientos cincuenta millones, la capacidad de esta asociación para publicitar el cine fuera de Estados Unidos rebasa con mucho la de cualquier otra institución. Dado que, como se mencionó con anterioridad, el espectador atraído por el cine extranjero es también un lector atento de reseñas y críticas periodísticas, el impacto de esta asociación es especialmente determinante para dicho cine, el más necesitado de promoción. Históricamente en esta ceremonia las películas europeas han acaparado el mayor número de premios. A modo de

---

[10] Cada año la Academia de las Artes y las Ciencias Cinematográficas de España preselecciona tres películas para enviar una de ellas a Hollywood. España ocupa así el cuarto lugar entre los países que han obtenido con más frecuencia este reconocimiento después de Italia con diez Oscars, Francia con nueve y Japón, a la par de España, con cuatro y el tercer lugar en cuanto a nominaciones después de Francia con treinta y cuatro e Italia con veinte y siete. Antes de la consolidación de la categoría del Oscar a la Mejor Película Extranjera existió durante un período de ocho años, de 1947 a 1955, una categoría honorífica, fuera de concurso para películas no americanas.

[11] Además de organizar la concesión de los Globos de Oro, esta asociación declara como objetivo fomentar relaciones y vínculos culturales entre Estados Unidos y países extranjeros por medio de la difusión de la cultura americana según se presenta en el cine y en la televisión, contribuir a organizaciones filantrópicas y ofrecer becas para promover el estudio de las artes y de las industrias del entretenimiento.

ejemplo resulta significativo que entre las cinco películas nominadas en la ceremonia del 2009, cuatro de ellas procedieran de Francia, España, Italia y Alemania, y la quinta de Chile. España ha recibido hasta el momento varias nominaciones y tres premios en los Globos de Oro con las siguientes películas: *Los abrazos rotos* (2010), *Volver* (2007), *Mar adentro* (2005), ganadora, *Hable con ella* (2005), ganadora, *Todo sobre mi madre* (2000), ganadora, *Tacones lejanos* (1992), *Mujeres al borde de un ataque de nervios* (1989), *Carmen* (1984) y *CR* (1978). Esta conexión entre el sustrato ideológico de la Hollywood Foreign Press Association, su misión y el cine extranjero hace de ella un espacio privilegiado para poner en circulación los cines nacionales, entre los cuales el español ha recibido una atención considerable, con Pedro Almodóvar a la cabeza de las nominaciones.

Igualmente significativo es el impacto del Festival Internacional de Cine de Nueva York para la difusión y distribución del cine extranjero. Inaugurado en 1963 y compuesto por una selección de películas elegidas por la Film Society of Lincoln Center, este festival de carácter no competitivo, dirigido por Richard Peña hasta el 2011, se ha convertido en uno de los escenarios más prestigiosos del cine actual.[12] La posición central de Nueva York a escala mundial en el mapa de las artes y la cultura hace de esta ciudad un foro privilegiado para la entrada en el mercado global de obras cinematográficas. Una revisión de las obras presentadas en el festival desde su fundación revela la escasa presencia del cine español durante un buen número de años, sobre todo en relación al número de películas presentadas por el resto de los países de Europa occidental. Entre las pocas películas presentadas hasta la consagración de Almodóvar con *Mujeres al borde de un ataque de nervios* (1988) destacan *El jardín de las delicias* (1970) de Carlos Saura, *Tristana* (1970), coproducida por España, Francia e Italia, y dirigida por Luis Buñuel, *Ese obscuro objeto de deseo* (1970), también coproducida por Francia y España y dirigida por Buñuel, y *Los santos inocentes* (1984) de Mario Camus. A partir de 1988 Almodóvar se convierte en el emblema del cine español en este

---

[12] The Film Society of Lincoln Center, fundada en 1969, es una de las organizaciones más prestigiosas en el ámbito del cine, dedicada a promover el cine americano y extranjero, apoyar a nuevos directores y hacer accesible el cine a una amplia gama de espectadores. Su prestigio y su indiscutible popularidad atraen a esta institución más de doscientos mil aficionados al cine por año entre espectadores, directores, promotores y distribuidores. Además de esto lidera The New York Film Festival y el New Directors/New Films Festival, ambos piezas clave en el panorama cinematográfico de la ciudad y publica una de las revistas de divulgación más prestigiosas en crítica de cine, *Film Comment*.

festival como prueba la exhibición en él de *Todo sobre mi madre* (1999), presentada en la apertura del festival, *Hable con ella* (2002), en la clausura, *La mala educación* (2004), pieza central, y *Volver* (2006), *Los abrazos rotos* (2009), y por último *La piel que habito* (2011), también en la clausura. Completan la presentación de las películas entrevistas, ruedas de prensa y mesas redondas, además de todo tipo de celebraciones, fundamentales para la promoción.

Conscientes en España del positivo impacto del New York Film Festival a la hora de exportar el cine nacional, en agosto del 2010 el Consejo de Ministros, a propuesta de la Ministra del Cultura, Angeles González-Sinde, concedió al director de dicho festival, Richard Peña, la Orden de las Artes y de las Letras de España, en reconocimiento a su valiosa contribución a la difusión del cine español en Estados Unidos y a su esfuerzo por abrir un diálogo entre la producción cinematográfica de ambos países.[13]

Si los festivales organizados fuera de España operan como los difusores más eficaces del cine español, los celebrados en territorio nacional contribuyen igualmente a diseminarlo. El Festival de San Sebastián, cuya proyección internacional hace de él el escaparate más atractivo para nuestro cine, atrae a un buen número de figuras internacionales relacionadas con el mundo del cine y tiende un puente entre el cine español y la industria cinematográfica internacional, contribuyendo con ello a posicionar nuestra producción en el mercado global. Varias iniciativas asociadas a este festival operan en la misma dirección, entre ellas el Premio Donostia, premio honorífico, creado en 1986 por el entonces director de este festival, Diego Galán, con la intención de atraer a estrellas y directores internacionales. Desde esa fecha un buen número de Premios Donostia ha sido otorgado a actores y actrices americanos (Meryl Streep, Richard Gere, Sean Pean, Michael Caine, Warren Beatty y Dustin Hoffman, entre otros) incentivando con ello las relaciones profesionales entre España y la meca del cine.

En relación con el Festival de San Sebastián son dignas de mención las fiestas organizadas por Julian Schnabel para promocionar dicho festival en Nueva York. Buena muestra de la visibilidad de este festival en Estados Unidos es la concesión en 1996 de la medalla de oro a este certamen por su contribución a la difusión del cine internacional por parte de la Asociación de Prensa Extranjera de Hollywood.

---

[13] Richard Peña, descendiente de españoles y puertorriqueños, se graduó en Harvard University y realizó un máster en cinematografía en Massachusetts Institute of Technology. Desde 1988, año en el que comenzó a trabajar para la Film Society del Lincoln Center, ha dirigido el New York Film Festival hasta su retirada en el 2011.

Destaca también es este festival el premio FIPRESCI otorgado por la Federación Internacional de Prensa Cinematográfica a la mejor película en función de una votación de casi trescientos críticos de cine de todo el mundo. Este premio se otorga igualmente en los festivales de cine más prestigiosos del mundo, entre ellos Cannes, Berlín, Venecia. En menor escala los festivales de Sitges, Gijón, Valladolid y Lanzarote contribuyen a esta buscada difusión del cine español fuera de sus fronteras. Igualmente relevantes en esta labor divulgadora son las Semanas de Cine Español organizadas en Nueva York y en Los Angeles, en colaboración con el Instituto Cervantes y el Ministerio de Cultura, que si bien no alcanzan la visibilidad de los festivales mencionados, contribuyen indudablemente a familiarizar al espectador norteamericano con una estética ajena a la suya.

Fuera, y en ocasiones dentro, del circuito de los festivales, la fuerte presencia de actores españoles en las pantallas internacionales y en especial en Estados Unidos, conlleva igualmente una gran visibilidad del cine español en este país. Dado que la industria cinematográfica norteamericana, a diferencia de la europea, se articula más alrededor de los actores que de los directores, figuras como Penélope Cruz, Antonio Banderas y Javier Bardem añaden al cine español un enorme atractivo en el circuito de Hollywood. En el caso de Penélope Cruz, además de su elevado índice de popularidad, su reconocimiento por parte del Screen Actors Gild con la consiguiente concesión del premio a la mejor actriz en 2008 por *Vicky, Cristina, Barcelona* y su nominación en el 2009 por *Nine* y en el 2006 por *Volver* la han convertido en una de las actrices extranjeras más cotizadas en Hollywood. Ya que uno de los problemas del cine español radica en la inexistencia de un organismo encargado de comercializarlo fuera de sus fronteras, a diferencia por ejemplo de Francia con Unifrance, el papel de los actores resulta crucial para afianzar esta presencia internacional.

A los factores aquí mencionados como estímulos para el éxito del cine español en Estados Unidos cabe añadir el hecho de que los directores españoles se perciben como representantes del cine europeo. Refiriéndose a esta cuestión, Burkhard Pohl afirma: "Se supone que el director actúa como autor, enfrentándose a la tendencia trivial del cine americano al entretenimiento y a la correspondiente simplificación de la Historia en 'stories'", sin que ello implique borrar las identidades nacionales a favor de una identidad europea ilusoria. Si esto, como el mismo Burkhard apunta, supone enmarcar el cine español dentro del cine artístico, es imprescindible tener en cuenta que desde los años ochenta y a raíz de la movida y de Almodóvar en particular, se hace necesario explorar la calidad artística de las películas españolas en relación a las "transgresiones estéticas" ya que dichas transgresiones tornan borrosa la tradicional línea divisoria del cine europeo entre cine de autor y cine de masas.[14]

ALMODÓVAR EN USA, USA EN ALMODÓVAR

Antes de explorar la presencia de Almodóvar en Estados Unidos resulta ilustrativo rastrear la influencia de este país en su cine, concretamente en su primera etapa como director. La meca del cine opera como referente continuo a lo largo de su vida profesional, bien como creador de modelos estéticos afines a su sensibilidad, caso de su primera etapa, bien como catalizador de su proyección internacional, bien como imán que a la vez atrae y repele. Su relación con la crítica y con el público se ha visto marcada por la propia idiosincrasia estadounidense y por el momento de su carrera. En una de las conversaciones que Frédéric Straus mantiene con Almodóvar, éste alude a sus primeras incursiones en Estados Unidos como a "los primeros meses de noviazgo" y con gran lucidez disecciona su compleja relación con este país. El siguiente párrafo, parte también de dichas conversaciones, ilustra claramente este aspecto:

> Yo le interesaba a la gente más moderna, lo que tiene sus ventajas y sus inconvenientes. Es la gente más intelectual, un público muy caprichoso e infiel. Desde el momento que llegué a un público más amplio mis primeros admiradores empezaron a rechazarme porque prefieren disfrutar del placer en petit comité. Es una gente muy snob pero muy informada y muy interesante, y también muy cruel porque es la que crea la moda. Por otra parte hay que tener en cuenta el cambio global de la sociedad americana: la vuelta a una moral más reaccionaria no ha jugado a mi favor. Me ven como un fenómeno escandaloso y casi peligroso para el pueblo americano. Creo que para mí sería mejor seguir perteneciendo allí a las minorías; por lo menos así no tendría que soportar el juicio de la mayoría que siempre es conservadora. [...] Cuando viajo a Estados Unidos tengo la impresión de estar poniendo de manifiesto las contradicciones de este país. Sin pretenderlo mi libertad acusa la falta de libertad del cine americano y la ausencia de prejuicios de mis personajes pone en evidencia la enorme cantidad que tienen ellos. Mi cine tiene allí una capacidad revolucionaria que no tiene en otros países y que provoca muchos conflictos. Como no he sido muy complaciente con mi público moderno y no le he pagado tributo alguno, me encuentro como en tierra de nadie. Los modernos ya no

---

[14] Ver Pohl, Burkhard y Jörg Türschmann, "El cine español desde 1989: entre transgresión internacional y afirmación local, entre hibridez de géneros y estilismo clásico". http://ww.romanistik.uni-goettingen.de

me soportan porque hay algo en mí que critica a esa clase de público; soy una mezcla de varias cosas, mientras que en Estados Unidos solo hay que tener una faceta. Si eres underground tienes que ser solo eso; si eres homosexual, no puedes ser otra cosa y yo nunca he dejado que me encierren en un gueto ni he querido militar exacerbadamente por un solo aspecto de mi personalidad. Critico incluso la militancia de grupos de los que debería sentirme cerca. Por ejemplo, no participo en el movimiento gay americano, creo mucho más en el mestizaje generalizado. (108)

Condensa Almodóvar aquí los desencuentros que de forma constante afloran en su relación con Estados Unidos, desde su conservadurismo hasta la volubilidad del público, pasando por la tendencia al encasillamiento y a la falta de libertad creadora, lo cual no impide que su obra, sobre todo la más reciente, haya logrado seducir tanto a la crítica como al espectador y ocupe un lugar privilegiado en las pantallas norteamericanas. Al analizar individualmente la crítica de cada película, veremos las respuestas tan dispares que ha suscitado y la presencia, como motivo recurrente, de las quejas con anterioridad mencionadas. Si bien es cierto que dedica mayores elogios a los críticos y espectadores de otros países, en especial a los franceses, conviene recordar que en Francia no mostraron interés en su obra hasta que no triunfó en Estados Unidos.

Como es bien sabido, sus primeras películas exhiben una fuerte presencia del underground norteamericano. Él mismo, hablando de *Pepi, Luci, Bom y otras chicas del montón*, declara al respecto: "Aunque estaba abierto, en general, al estilo punk, que era uno de los requisitos del encargo, sentía una influencia más natural del underground americano, de las películas de Paul Morrissey y, sobre todo, de *Pink Flamingos*, de John Waters" (Strauss 28). Y añade: "Efectivamente, la primera parte de mi carrera tiene muchas influencias del underground americano, John Waters, Morissey, Russ Meyer, de todo lo que salía de la Warhol Factory" (Strauss 50). Además de su inclinación a la estética del underground y a las técnicas que lo caracterizan —bajo presupuesto, la utilización de actores amateurs, localizaciones naturales, fragmentariedad—, se dan numerosas semejanzas entre la obra cinematográfica de John Waters y la del director manchego, entre ellas su acercamiento tolerante y celebratorio a quienes viven en los márgenes del sistema, el desenmascaramiento de la disfuncionalidad en las familias convencionales y las consiguientes aberraciones que encarnan, todo ello presentado con un sesgo grotesco y burlón, las lacras de las parejas heterosexuales contrapuestas a la dinámica positiva de las parejas homosexuales, el reciclaje de los melodramas hollywoodienses, la omnipresencia de la parodia y la utilización de las canciones como eco de la crítica social que plasman sus películas.

Varios críticos han explorado el impacto de esta estética underground en las primeras películas de Almodóvar, en especial Alberto Mira. Para Mira, la cultura camp americana, tal y como se encarna en los cineastas underground aquí mencionados, y los motivos que comparte con la subcultura gay, están presentes tanto en los directores norteamericanos mencionados como en Almodóvar y crean una complicidad única entre los espectadores y los cineastas. Como bien sintetiza este crítico, "Se trata de creadores que hacen de la disidencia sexual un elemento espectacular, transgresor, raro, irreductible a la integración y normalización que se reclama para lo gay" (Mira 97). Dado que el cine es uno de los productos culturales que más influencia ejerció en la consolidación de la cultura gay en Estados Unidos, no es de extrañar que Almodóvar incorpore sus rasgos en su obra, en especial en sus primeras películas. De ahí que el mismo A. Mira afirme que "Almodóvar es una de las figuras centrales que introducen la visión reconociblemente gay del underground americano en un contexto español y probablemente la única que consuma el paso mainstream" (102). Aunque el director se desliga pronto de esta etiqueta gay por lo que tiene de reduccionista y marginalizadora, es indudable que sus primeras películas mantienen estrechos vínculos con esta estética.

En una entrevista con Juan Sardá publicada en *El Cultural* (13-11-2008) y con la distancia que da la experiencia, Almodóvar habla sobre su modo personal de fundir la influencia del underground con lo puramente español y castizo, dando con ello un sesgo único a su versión de la cultura pop. A la pregunta de Sardá sobre el papel que ha tenido en su vida Estados Unidos responde:

> Me he formado en la cultura del pop (segunda mitad de los 60) inglés y americano. Mi primera influencia fue Andy Warhol, pero sin olvidarme de Lola Flores. En mi vida también he compartido esos extremos, lo más moderno de fuera, junto a lo más castizo de dentro. A principios de los 80, junto a Carlos Berlanga, Fabio, Alaska, las Costus, Bernardo Bonezzi, Sigfrido Martin Begué, Blanca Sánchez... y muchos más, llevábamos un tipo de vida muy parecida a la de la Factory de Warhol. Drogas, drags, fiestas infinitas, y resacas tempranas, hedonismo y el presente como único horizonte, todos nos sentíamos estrellas, pero nadie pensaba en el mercado. Autenticidad exasperada, para lo bueno y para lo malo. En lo musical la mezcla era total, la Velvet, Bowie junto a Dolores Vargas la Terremoto y Bambino, la "beat generation", junto a Juan Marsé, el cine de Cassavetes, Morrissey y John Waters, junto a Ferreri, Berlanga y *La tía Tula* de Miguel Picazo. Más todos los clásicos americanos, desde la comedia disparatada, al thriller, los melodramas de los 50, el western, etc. Antes de tener éxito en Estados Unidos la cultura y el cine americano ya habían influido en mis películas, siempre desde un punto de vista manchego. Soy un admirador del cine americano de todas las épocas excepto digamos de los últimos 20 años (con excepciones, claro, Tarantino, Scorsese, Lynch, Eastwood, y los Coen).

Buena prueba de esta admiración son las frecuentes inserciones de películas norteamericanas dentro de sus textos fílmicos, bien como homenaje (el director no duda en calificar de "robos" estas referencias),[15] como duplicación de la trama o como anticipación del desenlace. Baste pensar en la conexión entre el asesinato del marido de Gloria con una pata de jamón en *¿Qué he hecho yo para merecer esto?* y el del marido de la protagonista de *Cordero para cenar* de Alfred Hitchcock (1958) con una pata de cordero; en la inserción de una escena de *Duelo al sol* de King Vidor (1946), como preludio de la muerte de los protagonistas de *Matador*; en el comienzo de *Todo sobre mi madre* con la proyección en televisión de *Eva al desnudo* (Joseph L. Mankiewicz, 1951); en la evocación de *El rock de la cárcel* de Richard Thorpe (1957) en *Tacones lejanos*; en el "homenaje" a *Johnny Guitar* de Nicholas Ray (1954), como lo llama Peter Evans (156), o en las escenas de terror de las que habla Antonio Holguín (104), inspiradas en *La matanza de Texas* (Tobe Hooper, 1974).

Igualmente marcada es la influencia del melodrama clásico americano en buena parte de su obra. Refiriéndose a esta cuestión, Paul Julian Smith (2009) analiza la dialéctica entre melodrama y neorrealismo en *¿Qué he hecho yo para merecer esto?*, y contrasta las pautas generales del melodrama con su utilización en esta película. La esencia netamente femenina del género melodramático, su intensa emotividad, la búsqueda de amor por parte del personaje femenino, el protagonismo de la música, la afectación y la estilización estética se proyectan claramente en no pocas películas de Almodóvar. P.J. Smith alude al melodrama *Alma en suplicio* de Michael Curtiz (1945), protagonizado por Joan Crawford, y a *Stella Dallas* de King Vidor (1937) como claros referentes de *¿Qué he hecho yo para merecer esto?* y de *Tacones lejanos*, aunque estos rasgos melodramáticos atraviesan buena parte de su filmografía.[16]

Pero por encima de las señaladas huellas de la cultura americana en la obra del español, uno de los determinantes de su posicionamiento en el panorama cinematográfico de este país es su continua presencia en los festivales de cine con anterioridad mencionados. Si bien sus primeros largometrajes apenas traspasaron

---

[15] Ver Correa Ulloa, pág. 100; Herrera, "El cine dentro del cine en la obra de Pedro Almodóvar: pasión cinéfila y tradición barroca"; Law, *La intertextualidad en el cine de Pedro Almodóvar*; Seguín, *Pedro Almodóvar o la deriva de los cuerpos*.

[16] Para una visión más completa de la dialéctica entre la obra de Almodóvar y el melodrama véanse también: Marvin D'Lugo, "Migration and melodrama" en *Pedro Almodóvar*, Champagne: University of Illinois, 2006 (29-44) y Kathleen Vernon, "Melodrama against itself: Pedro Almodóvar's *What Have I Done to Deserve This*". *Film Quarterly* 46.3 (1993): 28-40.

las fronteras españolas en el momento de su estreno, a partir de 1987 todas sus películas están presentes tanto en los principales eventos cinematográficos de Estados Unidos como del resto del mundo. Su primer reconocimiento oficial en este país llega en 1987 con la concesión a *La ley del deseo* (1987) del premio de la Asociación de Críticos de Los Angeles y del Premio del Público al Mejor Largometraje en el San Francisco International Lesbian and Gay Film Festival. Se presentó además al Festival de Cine de Miami y a la Muestra del Museo de Arte Moderno de Nueva York. *Con Mujeres al borde de un ataque de nervios* (1988) conquista un espacio sólido en las pantallas norteamericanas al ser, primero nominada la Mejor Película Extranjera en la ceremonia de los Globos de Oro, y recibir a continuación el mismo reconocimiento en los Oscars. Además de dichas nominaciones recibió el Premio a la Mejor Película Extranjera concedido por el Círculo de Críticos Cinematográficos de Nueva York, los Premios a la Mejor Película, al Mejor Director y a la Mejor Actriz (Carmen Maura) por parte de la Asociación de Cronistas de Espectáculos de Nueva York (A.C.E), el Premio D.W. Griffith a la Mejor Película en Lengua Extranjera de The National Board of Review of Motion Pictures (NBR), el mismo premio de la revista *Premiere* de Nueva York y el Special Award al director por parte de la National Society of Film Critics Awards. Fue además seleccionada por el Lincoln Center of the Performing Arts para la inauguración del 26 Festival Internacional de Cine de Nueva York.

Después del enorme éxito de este film, el siguiente, *Átame* (1989), fue bien recibido en España, como prueba la nominación para quince Goyas, pero obtuvo escasa atención a nivel internacional. En Estados Unidos su presencia se limitó al Festival del National Board of Review. Como veremos en el capítulo siguiente, la controversia que desencadenó el tema de la película y el tratamiento de la protagonista entre un amplio sector de la crítica y en especial entre las feministas, afectó sin duda a la difusión de este film.

En 1992 *Tacones lejanos* (1991) vuelve a ser nominada Mejor Película Extranjera en la ceremonia de los Globos de Oro. La siguiente película, *Kika* (1993), se presentó a cuatro festivales en Estados Unidos, Festival Internacional de Cine de Miami, Ciclo de Cine Español en Los Angeles, Festival Internacional de Cine de San Francisco y Houston International Film Festival, sin lograr recibir ningún galardón. La crítica en este caso, como veremos más adelante, tampoco fue favorable.

La flor de mi secreto (1995), en principio un film con gran potencial para las pantallas norteamericanas, no estuvo presente en los festivales estadounidenses. Aunque fue seleccionada para representar a España en los Oscars, solo Marisa Paredes obtuvo el Premio a la Mejor Actriz concedido por la Asociación de Cronistas Hispanos de Espectáculos de Nueva York. *Carne trémula* (1997), a pesar la tibia recepción que tuvo en este país, fue nominada Mejor Película Extranjera en los Golden Satellite Awards y recibió el Premio a la Mejor Película de la Asociación de Cronistas de Espectáculos de Nueva York. Fue además incluida por la revista *Time* en la lista de las diez mejores películas del año.

Todo sobre mi madre (1999) marca la consagración de Almodóvar como uno de los directores más emblemáticos del cine extranjero en Estados Unidos. Concebido como un proyecto de amplio alcance, con un presupuesto alto, este film se presentó en cinco de los festivales con mayor visibilidad en este país: el Festival Internacional de Cine de Nueva York, el Festival del American Film Institute de Los Angeles, el Palm Springs Festival, el Fort Lauderdale International Film Festival, en el cual el director recibió el "People Choice Award" y el Robert Festival en el que le otorgaron el Premio a la Mejor Película no Americana. Obtuvo además tres nominaciones en el Golden Satellite Awards, a la Mejor Película de Habla no Inglesa, a la MejorActriz Principal (Cecilia Roth) y a la Mejor Actriz Secundaria (Antonia San Juan). A esto se suma la nominación a la Mejor Película con Edición Limitada concedido por la Gay and Lesbian Alliance Against Defamation (GLAAD Media Awards, New York), la Mejor Película Extranjera por el Independent Spirit Awards, y la misma nominación por parte del Online Film Critics Society Awards (OFCS). Esta película fue hasta el 2002 la más galardonada de Almodóvar en Estados Unidos, país en el que además de ganar el Oscar a la Mejor Película Extranjera, obtuvo el premio en esta misma categoría otorgado por Boston Society of Film Critics Awards, Los Angeles Film Critics Association Awards, New York Film Critics Circle Award, National Board of Review, Broadcast Film Critics Association Awards, Golden Globe Awards, Chicago Film Critics Association Awards y Santa Fe Film Critics Association. Junto a esto las revistas *Time* y *Entertainment Weekly* la eligieron la mejor película del año.

Su siguiente película, *Hable con ella* (2002), disfrutó igualmente de una enorme visibilidad en Estados Unidos, país en el que se presentó a los siguientes festivales: Telluride, Festival Internacional de Cine de Nueva York, American Film Institute, Golden Globes y Golden Satellite Awards. Entre las nominaciones destacan:

Online Film Critics Society Awards (OFCS) y Chicago Film Critics Association (CFCA) a la Mejor Película Extranjera; Golden Satellite Awards a la Mejor Película Extranjera, el Mejor Guión Original y el Mejor Director; Oscar al Mejor Guión Original y al Mejor Director. El enorme éxito de esta película se hace patente en los premios que recibió, entre ellos el Golden Globe a la Mejor Película Extranjera, el Golden Satellite Award a la Mejor Película Extranjera y al Mejor Guión Original, el Oscar al Mejor Guión Original y la clasificación por la revista *Time* como la Mejor Película de la última década.

El estreno de *La mala educación* (2004) coincide con la celebración de un homenaje a Almodóvar, *Viva Pedro,* promovido por Sony Pictures Classics y celebrado durante la 42 edición del Festival Internacional de Cine de Nueva York. Esta compañía cinematográfica relanza una colección de ocho películas del director español (*Mujeres al borde de un ataque de nervios, Todo sobre mi madre, Hable con ella, La flor de mi secreto, Carne trémula, Matador, La ley del deseo* y *La mala educación*) que se proyectan en Nueva York y en Los Angeles en agosto del 2004, y con posterioridad se distribuyen por el resto del país. Todas ellas con la excepción de *Matador* y *La ley del deseo* habían aparecido en DVD. Como complemento de esta iniciativa Sony crea una página web titulada también *Viva Pedro*, en la que incluye una síntesis del argumento de cada película, una serie de fotografías, la página oficial y el tráiler de cada una de ellas, reforzando con ello la campaña publicitaria derivada de este homenaje. El reestreno de estas películas en Estados Unidos, acompañado de un excepcional lanzamiento por parte de Sony y de la accesibilidad de la mayor parte de su obra en DVD, marca un hito fundamental en el afianzamiento de Almodóvar en Estados Unidos. De hecho, a partir de este homenaje, Sony Pictures Classics adquiere todos los derechos en Estados Unidos sobre *Volver, Los abrazos rotos, La piel que habito* y *Los amantes pasajeros.*

La mala educación se presentó al Telluride Film Festival en Colorado y al mencionado Festival Internacional de Cine de Nueva York en el que fue exhibida como pieza central. Entre las nominaciones figuran la de Independent Spirit Awards a la Mejor Película Extranjera y la de Gay and Lesbian Alliance Against Defamation (GLAAD Media Awards, New York) y entre los premios el del New York Film Critics Circle (NYFCC) y las Glitter Awards a la Mejor Película, Mejor Actor, Mejor Película Extranjera y "Gay Press Award". Figura además en la lista de las diez mejores películas en *The New York Times,* con el puesto número uno,

Newsday, con el número tres, *Newsweek* con la quinta posición, y en el *New York Post*, *Premiere* y *New York Online Film Critics Award* sin ranking establecido.

Volver (2006) se presenta de nuevo en el Festival Internacional de Cine de Nueva York, del que el director se ha convertido en un asiduo, en el Festival de Cine de Hollywood, en el Festival Internacional de Cine de Los Angeles y en el Telluride Film Festival. Figuran entre sus nominaciones la del Annual Satellite Awards a la Mejor Actriz (Penélope Cruz), Mejor Película de Habla no Inglesa, Mejor Director (Pedro Almodóvar) y Mejor Guión Original, la del Broadcast Film Critics Association Awards a la Mejor Actriz (Penélope Cruz) y a la Mejor Película Extranjera, la del Screen Actors Guild Awards a la Mejor Actriz (Penélope Cruz), la del Golden Satellite Awards a la Mejor Película Extranjera y la del Golden Globe Awards a la Mejor Película de Habla no Inglesa y a la Mejor Actriz (Penélope Cruz). Esta película es hasta el momento la más galardonada de Almodóvar en Estados Unidos, donde ha recibido el Premio a la Mejor Actriz (Penélope Cruz) y a la Mejor Película Extranjera del Festival de Cine de Hollywood, del National Board of Review, de Satellite Awards y de la Asociación de Críticos Estadounidenses (National Board of Review). A esto se suma el premio de Latina Magazine a la Mejor Actriz (Penélope Cruz) y a la carrera de Almodóvar, y los premios de la Asociación de Cronistas de Espectáculos de Nueva York (ACE) al Mejor Director, Mejor Guionista, Mejor Actriz Principal (Penélope Cruz), Mejor Actriz Secundaria (Carmen Maura) y Mejor Banda Sonora (Alberto Iglesias).

La penúltima película, *Los abrazos rotos* (2009), clausuró el Festival Internacional de Cine de Nueva York y se presentó a Los Angeles Latino International Film Festival. Entre sus nominaciones figuran los Golden Globes a la Mejor Película Extranjera, la de los Golden Satellite Awards a la Mejor Actriz Dramática (Penélope Cruz) y a la Mejor Película de Habla no Inglesa, categoría en la que resultó premiada, la del Critics' Choice Awards a la Mejor Película de Habla Extranjera, en la cual fue igualmente premiada y la de Online Film Critics Society Awards en la misma categoría. Obtuvo además de los premios mencionados, el de Phoenix Critics Awards.

Su última obra, *La piel que habito* (2011), estrenada en el Festival de Cannes donde se consideró a Pedro Almodóvar para el premio al Mejor Director, ha sido nominada Mejor Película Extranjera por Chicago Film Critics, Cinema Writers Circle Award, Houston Film Society, Critics' Choice Movie Awards y South East

Film Critics Association Awards. Entre los premios recibidos en Estados Unidos destacan los de Indiana Film Critics, Dallas-Forth Worth Film Critics Association Awards, la Phoenix Film Critics Society, Florida Film Critics Circle Award, Washington DC Area Film Critics Association Awards (WAFCA) y Saturn Award a la Mejor Película Extranjera.

Al hilo de su renovado éxito a partir del 2002, algunas de sus primeras películas hasta entonces fuera del circuito estadounidense, entre ellas *Entre tinieblas* (1983), *¿Qué he hecho yo para merecer esto?* (1984) y *Matador* (1986), se exhibieron en un limitado número de festivales y homenajes. Por esta vía se presentó en el 2002 *Entre tinieblas* al OUTFEST Festival de Los Angeles y en el 2004 *¿Qué he hecho yo para merecer esto?* a la Muestra de Cine Español Reciente de la American Cinemateca de Hollywood.

A la luz de este recorrido y corroborando lo apuntado antes sobre el papel fundamental del Festival de Cine de Nueva York como promotor del cine importado, se hace necesario subrayar el impulso que dicho festival ha supuesto para la obra de Almodóvar tanto en esta ciudad como en el resto de Estados Unidos. Sus mayores éxitos —*Mujeres al borde de un ataque de nervios, Todo sobre mi madre, Hable con ella, La mala educación, Volver y Los abrazos rotos*— han sido exhibidos en este emblemático festival bien en la apertura o clausura, bien como piezas centrales. Figura clave en la consolidación del director manchego en Nueva York y en el panorama cinematográfico de esta ciudad es el mencionado Richard Peña, director de este festival entre los años 1988-2011 y a su vez director de programación del Film Society Lincoln Center. De su agudeza como crítico y de su profundo conocimiento de la obra de Almodóvar da buena muestra el DVD lanzado por Sony Classics Pictures para acompañar a la colección de las ocho películas por ellos distribuidas.[17] En dicho DVD Peña y varios miembros del círculo profesional de Almodóvar ofrecen una visión amplia y elogiosa del director, de su modo de entender el séptimo arte, de su relación con los actores y con el equipo de trabajo, en definitiva de su pasión por el cine y de su originalidad como creador. La autoridad y el alcance de Peña en este DVD promocional deriva no solo de su incuestionable experiencia y de su profundo conocimiento del cineasta español, sino también del hecho de ser el único, junto con Leonor Watling, que graba en inglés —el resto del equipo lo hace en español—, detalle fundamental

---

[17] *Mujeres al borde de un ataque de nervios, La flor de mi secreto, Carne trémula, Matador, La ley del deseo, Todo sobre mi madre, Hable con ella* y *La mala educación*.

en una pieza publicitaria destinada primordialmente al mercado estadounidense. En las dos secciones del DVD lideradas por Peña —"Deconstructing Almodóvar" y "Directed by Pedro Almodóvar"— se traza un detallado recorrido por el mapa profesional del director, desde su destreza como escritor de guiones, hasta su acierto a la hora de elegir a los actores y actrices para crear un clima propicio para el rodaje. Pero lo que transmite magistralmente Peña es la complicidad y la pasión que destila el modo de concebir el cine por parte de Almodóvar, y el entusiasmo contagioso del que se hacen eco el resto de las voces autorizadas del DVD, entre ellas la de Agustín Almodóvar, productor de El Deseo, Esther García, productora ejecutiva, José Salcedo, montador, Alberto Iglesias, músico y Penélope Cruz, Javier Cámara, Leonor Watling, actores. Junto a esto, el modo de filmar este disco promocional, con los protagonistas del mismo dirigiéndose directamente a la cámara sin mediador ni entrevistador, confiere al producto final un aire de autenticidad y de espontaneidad que acorta la distancia entre el público y Almodóvar.

Inseparable de la presencia de Almodóvar en los numerosos festivales de cine estadounidenses mencionados es el éxito de taquilla en este país. Las cifras del siguiente cuadro (fig.1) ilustran claramente los avatares de la recepción de su obra y los momentos de inflexión de la misma. A partir de *Todo sobre mi madre*, momento en el que Sony Pictures Classics se ocupa de la distribución, todas sus películas superan los cinco millones de dólares, con la excepción de su último estreno, *La piel que habito*, cantidad considerable para una película extranjera. Al éxito de *Mujeres al borde de un ataque de nervios* le sigue una pasajera desconexión con el espectador norteamericano, más receptivo a la vertiente cómica de Almodóvar que a las historias oscuras que dominan la fase siguiente de su producción —*Átame, Tacones lejanos* y *Kika*. Curiosamente la siguiente película, *La flor de mi secreto*, aplaudida por la crítica internacional, no conecta con el público de modo que obtiene la recaudación más baja en Estados Unidos desde el triunfo de *Mujeres al borde de un ataque de nervios*. Habría que esperar así hasta la concesión del Oscar a la mejor película extranjera con *Todo sobre mi madre* para que las cifras de taquilla superaran los ocho millones de dólares y se estabilizaran en cantidades superiores al promedio del cine extranjero.

Por otro lado las productoras y distribuidoras juegan un papel fundamental a la hora de determinar el éxito de estas películas en Estados Unidos. La productora de Almodóvar, El Deseo, dedica un enorme esfuerzo a la promoción de sus películas, en especial a la relación con los medios de comunicación y con las distribuidoras. Además de controlar entre otros muchos aspectos, todo el proceso a nivel nacional, desde los presbooks, carteles, relación con la prensa, etcétera, seleccionan las imágenes destinadas a publicidad, determinan las fiestas que hay que organizar y deciden a qué festivales van a presentar la película. Estas bien orquestadas campañas de promoción operan como pieza clave en el lanzamiento de sus películas. A este respecto, presentar una película que aún no se ha estrenado a un festival conlleva una serie de riesgos debido a la repercusión universal que alcanzan los festivales, ya que si una película triunfa se abren infinitas puertas pero si fracasa se puede hundir antes de llegar a las pantallas. Junto a esto El Deseo presta especial atención a las ventas internacionales de las películas y analiza minuciosamente el perfil del público al que van destinadas en cada país. Ello no supone desvincularse del proceso una vez que la película ha sido adquirida por las distribuidoras ya que desde la productora se revisan los presbooks presentados en otros países, los carteles anunciadores y los subtítulos, siempre que resulta posible. Una de las cuestiones que inquieta a Almodóvar remite a los carteles de sus películas. Dicha preocupación se transparenta en una entrevista con Frédéric Strauss en la que declara:

> Siempre he querido que los carteles de mis películas fueran los mismos en todos los países, pero las distribuidoras tienen la posibilidad de cambiarlos y lo hacen casi de manera sistemática por razones absurdas. He intentado comunicarme con mucha gente diferente a través de los carteles originales, y cuando no le he conseguido ha sido por culpa del mal gusto de la distribuidoras. Por suerte no cambiaron el de *Todo sobre mi madre*. (184)

Almodóvar expresa claramente su voluntad de llegar a un acuerdo sobre las imágenes elegidas con las distribuidoras de otros países, tema de debate en muchas de sus obras. El caso del cartel de *Carne trémula* presentado en Estados Unidos ilustra bien este compromiso entre las preferencias de El Deseo y las de la distribuidora MGM ya que, para anunciar la película en este país, aceptaron invertir la posición de los cuerpos desnudos que aparecen en el cartel original español, atenuando con ello lo que de provocador tiene esta imagen para el público estadounidense.[18]

---

[18] Ver la entrevista a Paz Sufrátegui, responsable en ese momento de promoción y prensa de El Deseo S.A, aparecida en "Cómo hacer cine" en 1998. <http://www.comohacercine.com/articulo.php?id_art=131&id_cat=>.

Las distribuidoras en Estados Unidos organizan a su vez todo tipo de eventos para promocionar las películas de Almodóvar en los que generalmente participa el director. Cinevista, a cargo de la distribución de *Matador* y *La ley del deseo*, celebró una fiesta el 28 de marzo de 1987 en la discoteca Tunnel de Manhattan a raíz del estreno de *La ley del deseo*. A su vez la presentación de esta película en la Semana del Cine Español se vio acompañada de una recepción patrocinada por el Ministerio de Cultura de España a la que asistieron el entonces Director General de Cinematografía, Fernando Méndez Leite, además de Almodóvar y Carmen Maura. Según la revista *Variety*, en la presentación de *La ley del deseo*, el cineasta protagonizó "the longest pre-screening preamble in the festival's story" (1-4-1987).[19] Este primer momento de la promoción de Almodóvar en Estados Unidos marca un hito fundamental en su carrera del que se hace eco *El País* (15-4-1989). En él se publica un artículo firmado por Hervé Hachuel, productor ejecutivo de *¿Qué he hecho yo para merecer esto?*, en el que responde indignado a otro artículo sobre la presencia de Almodóvar en Hollywood, aparecido en este mismo periódico unos días antes, el 29 de marzo, en el que se tachaba a René Fuentes de "personaje mal encarado, colombiano, portavoz de la distribuidora Orion Classics" (*El País* 29-3-1989). Hachuel rebate tales afirmaciones y declara que ni es colombiano, ni es portavoz de Orión, y que los comentarios por parte del corresponsal de *El País* en Estados Unidos le parecen malintencionados. Aclara que René Fuentes llevó la distribución de las películas de Almodóvar desde *¿Qué he hecho yo para merecer esto?* (*Entre tinieblas*, *La ley del deseo* y *Matador*), así como la negociación y posterior venta de *Mujeres al borde de un ataque de nervios* a Orion Classics y que el llamado "fenómeno Almodóvar" en Estados Unidos no hubiera ocurrido sin el enorme esfuerzo que Fuentes llevó a cabo durante cinco años para promocionar el cine del español en este país.

La siguiente película, *Átame,* desencadenó, como veremos en el siguiente capítulo, una gran polémica, al ser inicialmente clasificada X por la Motion Picture Association of America (MPAA), clasificación que la excluía de las salas comerciales y limitaba la publicación de reseñas en varios periódicos, afectando negativamente su distribución en Estados Unidos, esta vez a cargo de Miramax. Si bien es cierto que Miramax, al ser una distribuidora independiente hizo caso omiso

---

[19] Aparece en *Variety* una sección titulada Critics Opinions que permite tomar el pulso a la recepción de cada película. En el caso concreto de *La ley del deseo* señala una crítica favorable de David Lida, dos desfavorables, de Denby y de Wolf, y otra indiferente de Maslin.

de la clasificación de la MPAA y estrenó la película sin clasificar, es también indudable que este factor repercutió en la recaudación.[20] La enorme campaña publicitaria de Almodóvar en Estados Unidos que acompañó al estreno de la película en Los Angeles, Miami y Nueva York y las numerosas entrevistas que concedió en las que atacó el papel censor de la MPAA, paliaron en gran medida el efecto negativo de esta clasificación. A pesar de toda está polémica, la película recaudó en Estados Unidos 4.087.000 de dólares, cifra respetable para un film extranjero, lo que prueba que el escándalo funcionó como acicate para el público. El cartel anunciador de Miramax, a diferencia del esquemático lanzado por El Deseo, juega con las imágenes de Antonio Banderas y Victoria Abril, buenos reclamos a la hora de llevar al público a las salas.

Tacones lejanos, estrenada en Estados Unidos el 20 de diciembre de 1991, también distribuida por Miramax, obtuvo una recaudación mucho más baja, 1.530.941 de dóláres. *Vanity Fair* le dedicó un amplio reportaje a este estreno contribuyendo con ello a la recepción de la película. Si bien la crítica norteamericana no fue muy generosa con este film en el momento del estreno, las lecturas actuales son mucho más benévolas y el prestigio de la película no se refleja en las cifras de taquilla. Igualmente el cartel anunciador lanzado por Miramax busca llegar a un público educado en el 'star system' y sustituye la famosa imagen de un zapato con una pistola por tacón, lanzada en España, por una provocadora foto de Victoria Abril con las piernas hacia arriba mostrando también un tacón-pistola.

Su siguiente obra, *Kika,* llegó a Estados Unidos de la mano de la distribuidora October Films y de nuevo su clasificación como NC-17 fue motivo de polémica. Jeff Lipsky, distribuidor de October Films, clasificó tal decisión de "outrageous" y "obscene", y decidió estrenar la película sin clasificar debido al negativo impacto de la etiqueta NC-17 a la hora de anunciarla en la prensa, de comercializarla en video y de elegir las salas de proyección. La distribuidora invirtió dos millones de dólares en su lanzamiento.[21]

Figuras clave igualmente a la hora de consolidar la presencia de Almodóvar en las pantallas americanas son Tom Bernard y Michael Barker, a cargo de Orion Classics entre 1983-92 y desde 1992, co-presidentes y fundadores de Sony Pictures

---

[20] Ver en el capítulo 2 de este libro los numerosos artículos publicados por *The New York Times* sobre esta cuestión.
[21] Para un informe completo de la reacción de la distribuidora a dicha clasificación ver *Variety* del 19-3-1994.

Classics —filial independiente de Sony Pictures Entertainment—, dedicada a la distribución, producción y adquisición de películas independientes estadounidenses e internacionales. Un claro marcador de su peso dentro de la industria cinematográfica es la lista de directores cuyas películas han distribuido, entre los que figuran, además de Pedro Almodóvar, Woody Allen, Robert Altman, Allison Anders, Hector Babenco, Kenneth Branagh, Ingmar Bergman, John Boorman, Francis Ford Coppola, David Cronenberg, Luc Dardenne, Jonathan Demme, Guillermo del Toro, Atom Egoyan, R.W. Fassbinder, Mike Figgis, Hal Hartley, Agniezska Holland, James Ivory, Merchant Ivory, Jim Jarmusch, Norman Jewison, Neil Jordan, Charlie Kaufman, Akira Kurosawa, Neil LaBute, Ang Lee, Richard Linklater, Louis Malle, David Mamet, Errol Morris, Gary Oldman, Jean-Pierre, Sally Potter, Alan Rudolph, John Sayles, Paul Schrader, Fred Schepisi, Lily Tomlin, François Truffaut, Paul Verhoeven, Wong Kar Wai, Wim Wenders y Zhang Yimou.[22]

Su pericia en el ámbito de la distribución se plasma en las magníficas campañas de promoción de *La flor de mi secreto, Todo sobre mi madre, Hable con ella, La mala educación, Volver, Los abrazos rotos* y *La piel que habito*. En la primera película que distribuyeron, *La flor de mi secreto*, fusión de varios géneros al igual que la mayoría de las películas de Almodóvar, se detecta un cierto titubeo a la hora de elegir entre potenciar el ángulo melodramático o el cómico. De hecho los dos carteles anunciadores utilizados en Estados Unidos reflejan esta escisión. En la carátula del DVD se define la película como "funny and smart, but with a heart"; en el cartel cinematográfico se utiliza la misma imagen que en España.

Las seis últimas películas, distribuidas por Sony Pictures Classics, *Todo sobre mi madre, Hable con ella, La mala educación, Volver, Los abrazos rotos* y *La piel que habito*, acompañan el estreno con la creación de unas magníficas páginas web para cada una de ellas que sin duda atraen e informan a un buen número de potenciales espectadores. Además de incluir un clip de dichas películas, proporcionan información sobre los actores, el argumento, la génesis de la película y los créditos y añaden una galería de imágenes y una serie de entrevistas breves con el director que satisfacen el interés de todo internauta. A esto se suma el mencionado homenaje a Almodóvar, *Viva Pedro*, también acompañado por un clip promocional construido a base de imágenes de las ocho películas incluidas en

---

[22] La trayectoria profesional de Michael Barker y Tom Bernard y de los numerosos premios por ellos recibidos aparece detallada en http://www.sonyclassics.com/index.php

dicho homenaje. Del buen hacer de Sony da prueba el éxito comercial de estas últimas películas con una recaudación de taquilla, como muestra el cuadro aquí incluido, que oscila entre los cinco y los doce millones de dólares.[23] Refiriéndose a los hermanos Almodóvar, el co-presidente de Sony Pictures Classics, M. Barker, afirma: "You learn a lot over the years. Being with Pedro Almodóvar and his brother, Agustín Almodóvar, it's a meaningful relationship professionally and also we connect with them in friendship terms".[24]

US Released	Movie Name	Distribuidora en EE. UU.	US Gross	1st weekend	International Gross	% USA respecto Internacional	TOTAL
10/14/2011	La piel que habito	Sony Pictures Classics	$3,185,193.00	$223,119	$29,115,112.00	9.86	$32,300,305
11/20/2009	Los abrazos rotos	Sony Pictures Classics	$5,014,305	$107,111	$25,977,355.00	16.18	$30,991,660
3/11/06	Volver	Sony Pictures Classics	$12,899,867.00	$197,703	$72,700,000.00	15.07	$85,599,867
11/19/2004	La mala educación	Sony Pictures Classics	$5,211,842.00	$147,370	$35,100,000.00	12.93	$40,311,842
11/22/2002	Hable con ella	Sony Pictures Classics	$9,284,265.00	$184,396	$41,700,000.00	18.21	$50,984,265
5/21/99	Todo sobre mi madre	Sony Pictures Classics	$8,264,530.00	$50,362	$59,600,000.00	12.18	$67,864,530
1/16/1998	Carne trémula	MGM	$1,535,558.00	$59,558			
8/3/96	La flor de mi secreto	Sony Pictures Classics	$653,723.00				
1/1/94	Kika	October Films	$2,093,000.00				
12/20/1991	Tacones lejanos	Miramax	$1,530,941.00	$137,808			
1/5/90	¡Átame!	Miramax	$4,087,000.00				
11/11/88	Mujeres al borde de un ataque de nervios	Orion Classics	$7,179,000.00				
3/4/87	La ley del deseo	Cinevista	$245,530.00	$14,991	*		
09/16/1988 (en USA)	Matador	Cinevista/World Artists y New Yorker Films (fuente The New York Times)	$206,952.00	-			
		Sony Pictures Classics					
	Total US Grosses		$61,391,706				
	Average US Gross		$4,385,122				
Fuente general: http://www.the-numbers.com/people/directors/PALMO.php (10/4/2012)							
Fuente secundaria (para actualización de datos de Broken Embraces): http://boxofficemojo.com/movies/?id=brokenembraces.htm (10/4/2012)							
* La Ley del Deseo aparece solo en las listas de recaudación de la edición impresa de Variety (no en la versión digital de la que parece haber desaparecido). En Variety del 29 de abril de 1987, aparece Law of Desire con una recaudación de $30.474. En las listas de las semanas anteriores, es posible que la recaudación obtenida se incluya dentro de "Films from Spain Festival", que aparece en la lista de Box Office como grupo, sin distinguir las películas que formaron parte del Festival. En total, estas películas españolas, obtuvieron $48.000. (Ver documentos correspondientes de microfilm). La película logró quedarse 16 semanas en las listas. (hasta el 5 de agosto de 1987; de nuevo, ver documento microfilmado)							

Uno de los roles de Almodóvar de cara al cine español en Estados Unidos es el de "facilitador", para utilizar el adjetivo que le atribuye José Colmeiro (113). Como indica este crítico, de la mano del director español han consolidado su presencia en la escena de Hollywood Penélope Cruz y Antonio Banderas, y se han abierto paso en el panorama cinematográfico internacional actores y actrices de la talla de Victoria Abril, Marisa Paredes, Carmen Maura y Javier Bardem. Igualmente como

---

[23] Del buen hacer de Sony Pictures Classics da buena muestra su página web www.sonyclassics.com
[24] La historia de la relación profesional de Barker y Bernard se detalla en la entrevista aparecida en http://www.hollywoodreporter.com/blogs/risky-business/executive-suite-sony-pictures-classics-94695

co-productor del cine de Isabel Coixet ha posicionado a esta directora en un lugar privilegiado dentro del mercado estadounidense.

A un nivel más anecdótico, pero no por ello intrascendente, se dan una serie de eventos puntuales, algunos de ellos puramente sociales, que abren espacios poco convencionales a la cinematografía almodovariana. Uno de los más recientes y curiosos se corresponde con la iniciativa del New Center for Psychoanalysis de organizar una conferencia el 16 de abril del 2011 en la Universidad de California, Los Angeles, cuyo objeto de análisis son dos películas del director español, *Todo sobre mi madre* y *Mujeres al borde de un ataque de nervios*. La publicidad de dicho congreso incluye la siguiente declaración: "The films of Pedro Almodóvar entertain us with a dreamy, libidinous consciousness, opening hidden truths about the human heart. Almodóvar takes us to a parallel universe where autonomy trumps inhibition, and where in caring for his characters we enter into a surprising identification with them. If you go through the entire canon of Almodóvar you'll see all the perversions known to us". Según la información plasmada en este artículo el New Center for Psychoanalysis organizó el año pasado un curso similar centrado en el cine de Charlie Kaufman y en concreto en la distancia emocional que sus películas crean. Por el contrario, lo que les atrae de Almodóvar es su capacidad para atrapar emocionalmente al espectador ya que, según Peter Wolson, uno de los conferenciantes del curso, "He [Almodóvar] has psychological credibility because he is not trying to therapise these situations; he's just taking us into them" (guardian.co.uk 29-3-201). Sin duda el amplio abanico de emociones que abre Almodóvar y el insólito ángulo desde el que se abordan opera como acicate para todo tipo de acercamientos psicoanalíticos.[25]

Más frívolos pero no por ello menos mediáticos son los eventos celebrados en su honor, entre ellos las cenas patrocinadas por *Paper Magazine*, la primera a raíz del estreno de *Volver* y la segunda de *Los abrazos rotos*. La lista de invitados de esta última incluye estrellas tan mediáticas como Madonna y Penélope Cruz, fuertes reclamos para el espectador. Igualmente relevantes a nivel de publicidad son las entrevistas realizadas en programas televisivos de gran audiencia, entre ellos *Late Night Show* con Conan O'Brian, que entrevistó a Almodóvar en 1994, así como la conversación con Lynn Hirschberg en el Times Center en el espacio *Times Talks*, ésta junto con Penélope Cruz en 2009, quien en las numerosas

---

[25] Tomo el dato de un artículo firmado por Ian J. Griffiths, aparecido en Guardian.co.uk (29-3-2011).

entrevistas concedidas inevitablemente alude a Almodóvar.[26] Igualmente el considerable número de videos colgados en You Tube en los que aparece el director, entre ellos un clip compuesto de imágenes de sus diez últimas películas, una sesión fotográfica con Penélope Cruz realizada por Michael Grecco, junto con los trailers de sus películas, todos ellos espacios que contribuyen a mantener una presencia constante en el espacio virtual.

A la luz de este repertorio de festivales, nominaciones, premios, programas de televisión y demás herramientas publicitarias se puede afirmar que, aparte de los Oscars y los Golden Globes, el Festival Internacional de Cine de Nueva York ha sido el escaparate más efectivo para consolidar el prestigio del director en Estados Unidos. Nueva York, como veremos más adelante, opera con centro del cine importado ya que para que una película logre éxito de taquilla en el país ha de triunfar primero en esta ciudad. De ahí que Sony Pictures Classics eligiera esta ciudad como centro geográfico de su homenaje al director español y que la prensa haga un seguimiento tan cercano de sus visitas. De la calurosa acogida de Almodóvar en esta ciudad dan buena muestra las numerosas celebraciones organizadas en su honor, objeto de atención de la prensa ya desde las primeras fiestas de la distribuidora Cinevista con motivo del estreno en Nueva York de las dos películas que distribuyó en Estados Unidos, *Matador* y *La ley del deseo*. Según hemos visto en el artículo firmado por Hervé Hachuel (*El País* 15-4-1989), René Fuentes fue una figura clave a la hora de abrir paso al cine de Almodóvar al otro lado del Atlántico. Afiliado a Cinevista, distribuyó entre 1983 y 1988 *¿Qué he hecho yo para merecer esto?*, *Entre tinieblas*, *La ley del deseo* y *Matador*, y fue el artífice de la venta de *Mujeres al borde de un ataque de nervios* a Orión.

A nivel internacional y más allá de su presencia en Estados Unidos, el cine de Almodóvar, receptor de nominaciones en los cinco continentes junto con el considerable número de galardones recibidos, hace de este director la figura más global del cine español. El apéndice incluido al final de este volumen detalla los festivales, nominaciones y premios obtenidos por su obra a nivel internacional a la vez que pone de manifiesto la pericia de su productora, El Deseo, a la hora de globalizar su cine. La solidez de esta productora, debida en gran medida a la eficaz gestión de Agustín Almodóvar, abre una nueva vía al cine español, poco afortunado hasta ahora a la hora de abrirse paso fuera de sus fronteras. Una vez

---

[26] Las entrevistas a Penélope Cruz de David Letterman y Ellen Degeneres aparecen en YouTube (http://www.youtube.com/watch?v=F-HVguNzlrA y http://www.youtube.com/watch?v=TZ9UEIO5118)

logrado el objetivo clave —permitir a Pedro Almodóvar disfrutar de un control absoluto sobre su obra, sin tener que someterse a los intereses de productores y distribuidores—, la distribución internacional acapara gran parte de la atención y la inversión económica de El Deseo. Los logros de esta productora derivan no solo de la calidad y el prestigio del cine de Almodóvar y del resto de los directores por ella apoyados, entre ellos Isabel Coixet, Lucrecia Martel, Guillermo del Toro, sino también de sus estrategias de producción, entre ellas, mantener unos presupuestos relativamente bajos, entre dos y diez millones de dólares (*La piel que habito* ha disfrutado hasta ahora del presupuesto más alto, diez millones de euros, unos trece millones de dólares), probando que la calidad no está supeditada a la inversión económica. Más allá de su gestión interna, El Deseo ha trabajado con compañías de prestigio, entre ellas CIBY 2000, radicada en Francia, fomentando con ello la dimensión internacional de sus proyectos.[27]

Inseparables de dicha transnacionalidad resultan los debates que suscita el cine de Almodóvar fuera de las fronteras nacionales. De esta conexión entre el director y los espectadores de diversas culturas se hacen eco las numerosas publicaciones tanto académicas como de divulgación, entrevistas y demás intervenciones públicas que subrayan la sintonía entre su obra y sus receptores. Como excepción a esta realidad resulta curioso el desencuentro entre el director manchego y Paul Julian Smith, uno de sus críticos más agudos, gran defensor de la estética almodovariana. En uno de los artículos por él publicados en *The Guardian* (Reino Unido), titulado "The curse of Almodóvar", detalla la limitada distribución del cine español en el Reino Unido, con la excepción de Almodóvar, y la importancia de festivales como el London Spanish Film Festival para paliar este problema. En estos términos sintetiza el protagonismo del director manchego en el mercado internacional: "For the great majority of films that don't come trailing the seductive slogan 'Un film de Pedro Almodóvar', foreign distribution is a tough sell. Ironically, it seems, one super-sized name can capsize a national film industry by monopolizing international interest" (*The Guardian* 17-6-2008).

Si bien el tono de Paul Julian Smith se inclina más al elogio que al reproche, la interpretación de dicho artículo por parte de Almodóvar pone de manifiesto una lectura desviada, de la que deriva la indignación del director ante las afirmaciones

---

[27] Para un análisis de la trayectoria de El Deseo y de su vocación transnacional ver el artículo de Nuria Triana-Toribio, "Journeys of El Deseo between the nation and the transnational in Spanish Cinema".

del crítico. En su respuesta a dicho escrito, Almodóvar declara: "I am shocked and feel unjustly abused […] It is deeply unfair, and also rather silly, to blame me for an absence of Spanish films at UK cinemas […] You also say that I monopolize international interest. Interest cannot be monopolized. It can be attracted or generated. But it cannot be monopolized because it belongs to the person interested" (24-6-2008). Sorprende la negativa reacción del cineasta ante un artículo que se centra en constatar el enorme éxito de su cine en el Reino Unido y la clara preferencia del público inglés por su obra sobre la del resto de los cineastas españoles y europeos en general, que disponen de un espacio limitado a la hora de exhibir su cine en las pantallas internacionales. Más que una recriminación fundada, la reacción de Almodóvar al artículo de Paul Julian Smith parece responder a un "lost in translation", que poco tiene que ver con la intención del artículo. A esto alude la respuesta de Catherine Shoard, directora de *The Guardian*, cuya primera frase marca con sutil ironía tono el tono de su artículo: "We are flattered Mr. Almodóvar took the time to look at our site and sorry to have caused offence […] The only crime I believe the article accused Mr. Almodóvar of was excellence. If the piece had a target, it was intended to be the UK audiences for a degree of insularity and the UK distributors for a level of timidity". Efectivamente la crítica de Paul Julian Smith y la coda de Catherine Shoard no hacen sino constatar la clara preferencia del espectador inglés por el cine de Almodóvar cuando se trata de ver cine español.[28]

En un artículo publicado en *The New York Times* titulado "A Golden Age for Foreign Film, Mostly Unseen" (26-1-2011), A.O Scott se lamentaba de "the peculiar and growing irrelevance of world cinema in the American movie culture, which the Academy Awards help to perpetuate", y le reprochaba de paso a dicha academia su arbitrariedad a la hora de elegir las películas extranjeras y su inhabilidad para dar salida a un buen número films recientes de gran calidad —en su opinión se puede hablar de una "edad de oro" del cine extranjero en los últimos quince años—, que apenas llegan al espectador por falta de una promoción adecuada o por culpa de un "cultural protectionism: the impulse no to conquer the rest of the world but to tune it out", achacable a la industria norteamericana. Si bien

---

[28] La polémica entre el director, el crítico y la editora de *The Guardian* ha dado incluso paso a un blog en el que se debate la errónea interpretación de dicho artículo por parte de Almodóvar. No obstante y más allá de lo acertado o desviado de esta crítica el blog corrobora el protagonismo de Almodóvar dentro del panorama del cine europeo. http://www.guardian.co.uk/film/filmblog/2008/jun/24/isspanishcinemaavictimofalmodovarssuccess

sobran razones para lanzar estos reproches, Almodóvar parece haber escapado de este maleficio y sus películas, sin duda parte de esta "edad de oro", han logrado abrirse paso en este acorazado mercado. Dado el limitado espacio del que disfruta el cine extranjero es digna de alabanza su habilidad para demarcar un espacio propio en un ámbito tan hermético como el estadounidense. Al margen de su incuestionable valor como cineasta, Almódovar ha sabido encontrar un registro exportable y un lenguaje fílmico inteligible para una audiencia poco proclive a ser interpelada en otro idioma. Teniendo en cuenta la esencia transgresora del director español y el estrecho código moral del espectador estadounidense, sorprende su popularidad al otro lado del Atlántico, difícil de prever. En este contexto resulta imprescindible valorar el impulso recibido por parte del ámbito universitario. Pocos son los departamentos de español que no ofrecen cursos monográficos o generales sobre el cine de Almodóvar y pocos los estudiosos de cine español que no le han dedicado más de un estudio. Si a nivel numérico los estudiantes universitarios no llenan las salas de cine, operan como punta de lanza en la aceptación de cinematografías ajenas a los parámetros hollywoodienses y en la apertura a registros estéticos fuera de la norma. No cabe duda de que hubiera sido necesaria una bola de cristal para vaticinar la magnífica recepción actual del cineasta español en Estados Unidos y la seducción del espectador y de los medios de comunicación en la meca del cine.

CAPÍTULO 2

Almodóvar en *The New York Times*

Uno de los mayores triunfos de Almodóvar radica en haber logrado conjurar el localismo del cine español, quizás el maleficio que más ha lastrado su historia.[1] Lejos de ceñirse a unos registros nacionales en lo que atañe a la concepción del fenómeno cinematográfico, ha ido más lejos y ha conquistado un espacio propio en el panorama internacional que obliga a prestar atención a su excepcionalidad, a aquello que lo desvía de la norma. Su inmersión en la dinámica global a nivel de producción, localizaciones, distribución y reparto ha permitido al cine español abrirse paso fuera de sus fronteras sin renunciar por ello a su especificidad cultural, conjugando hábilmente lo local y lo global.[2] Hemos de recordar que ya desde el principio de su carrera el propio Almodóvar ha medido su éxito en base a su capacidad para atraer a un público internacional y que en numerosas ocasiones ha declarado que, para él, el éxito equivale a lograr vender sus películas fuera de España.

Más allá de orquestar una eficaz distribución, un cosmopolita elenco de actores y una positiva recepción, ha sabido reflejar una serie de sentimientos que escapan a todo límite geográfico y dotan a su cine de un aura universal. Sus personajes, generalmente instalados en espacios físicos y emocionales ajenos a la norma, encarnan deseos y pasiones que llegan a un amplio público, bien porque se

---

[1] Recordemos que dos de los proyectos de reforma más significativos del cine español, el Nuevo Cine Español en los años sesenta y la ley Miró en 1982, tenían como uno de sus objetivos principales abrir mercados internacionales.

[2] Refiriéndose a la dialéctica entre lo local y lo global, Marsha Kinder muestra cómo en nuestro presente "the concept of nation has been displaced by the local/global nexus" (85). Al hilo de esta cuestión se ha acuñado el término "glocal" que, aplicado al cine, se define como "el producto de la relación entre estrategias cinematográficas hegemónicas en expansión y las (re-)construcciones de lo local, regional y nacional" (Pohl 19).

reconoce en ellos, bien porque queda atrapado en la red de emociones que teje este director con tanta destreza. Pocos cineastas poseen esta habilidad para arrastrar al espectador a un universo emocional tan ajeno a su entorno que requiere traspasar la barrera de lo convencional para conectar con la historia.

Pero si bien la universalidad inherente a la globalización que rige nuestro presente conlleva un alto grado de homogeneidad, Almodóvar ha sabido reconciliar su diferencia, su españolidad, con una amplia difusión internacional. Encontrar un equilibrio entre unos marcadores de dicha españolidad suficientemente claros como para ser identificables y a la vez suficientemente sutiles como para no obstaculizar la lectura fuera de su contexto supone uno de los retos más complejos a la hora de llegar a un público universal. Como bien indicaba Jean Renoir, "La mejor forma de que una película interese a todo el mundo es que esté bien arraigada en su propio territorio de origen, pese a la aparente paradoja de que lo local pueda tener un atractivo universal".[3] El espectador que se siente atraído por la diferencia de los cines nacionales necesita encontrar un área de intersección con su propia cultura para poder entrar en la historia y no sentirse totalmente ajeno al universo que estos textos cinematográficos recrean. La imagen de España que Almodóvar promueve responde así a la de un país moderno y europeo, abierto a unos valores éticos poco convencionales, inmerso en el circuito del progreso, distante ya de aquel país conservador, atrasado y religioso que el franquismo forjó, todo ello sin renunciar a unas señas de identidad únicas que determinan su atractivo a nivel internacional.

De esta tensión entre la presencia de la españolidad y el cosmopolitismo deriva en cierta medida el éxito de la obra de Almodóvar. A diferencia de directores como Alejandro Amenábar o Isabel Coixet, más inclinados a difuminar los marcadores de la cultura española, el director manchego permanece anclado en los gestos que determinan lo español sin comprometer por ello su recepción fuera de las fronteras nacionales. Lejos de crear una división entre el cosmopolitismo y la españolidad, la postura de Almodóvar reconcilia los dos polos y permite afirmar con Jay Beck que "Spanish cinema is a product of local, regional, national and global forces operating in diverse contact zones inside and outside of geopolitical borders" (1).

A la luz de este diálogo entre lo nacional y lo global me propongo examinar la recepción del cine de Almodóvar en Estados Unidos, concretamente el papel que ha desempeñado *The New York Times* (*NYT*) a la hora de trazar el perfil del

---

[3] Tomo la cita del prólogo de Miguel Marías, titulado "Actualidad de *Bienvenido Mr. Marshall*", a *50 aniversario de Bienvenido Mr. Marshall*, de Agustín Tena.

cineasta español para el público norteamericano. Las 3.320 (*NYT* 6-10-2012) reseñas, menciones o artículos aparecidos entre 1981 y 2012 en los que se nombra o explora la figura de Pedro Almodóvar, sumados a la canonicidad de este periódico y a su amplia tirada (1.039.031 ejemplares diarios y 1.451.233 los domingos) justifican su impacto en la percepción del mismo en Estados Unidos. Como es bien sabido, para que una película extranjera entre en el mercado norteamericano, ha de estrenarse en Nueva York y, según vimos en el capítulo anterior, esto permite a *The New York Times* ejercer una especie de derecho de veto sobre las películas extranjeras aquí estrenadas. Recordemos también que el 60% de las proyecciones de cine extranjero tiene lugar en Nueva York y que entre el 20-40% de los beneficios de taquilla se genera única y exclusivamente en esta ciudad.

Pero si bien es innegable que la prensa, junto con la publicidad y los trailers, moldean en gran medida la recepción de una película, es necesario tener presente que la opinión de los críticos puede diferir de la del público en general ya que, como indica Henry Jenkins, "Journalist criticism operates within its own institutional contexts and interpretive rules, ensuring that critics often respond differently from casual viewers" (170). Esto no supone ignorar que tanto los críticos como los espectadores de Estados Unidos pertenecen a la misma comunidad interpretativa portadora de una serie de registros compartidos a la hora de determinar el sentido de un texto, sin que ello implique desatender el abanico de opciones dentro del público, entre ellas género, clase social, educación, ideología, orientación sexual y edad. Tampoco aquí se agotan las posturas espectatoriales ya que en última instancia la más significativa es la que más se resiste a ser clasificada: la experiencia personal del espectador. De ahí que Robert Stam afirme que "Spectatorial positions are multiform, fissured, schizophrenic, unevenly developed, culturally, discursively, and politically discontinuous, forming part of the shifting realm of ramifying differences and contradictions" (223). Al margen de estos factores que obligan a rechazar posturas reductivas al hablar del público, hemos de considerar el peso del texto en sí como condicionante de la respuesta del espectatorial ya que, como observa de nuevo Henry Jenkins, "texts play central roles in shaping the terms of their reception, even if they do not totally control their meanings. Audience members may appropriate textual materials as the basis for their own cultural creation, including those which represent 'very alternate' universes, but there is still a tremendous authority invested in the original text that withstands most grass-root challenges" (177). De ahí que, aunque todo texto contenga una serie de fisuras que posibilitan un amplio abanico de lecturas, haya un denominador común en lo que respecta a su sentido general dentro de un tiempo y un espacio concretos, Estados Unidos en nuestro caso.

A esta dialéctica entre las múltiples posiciones del espectador y la autoridad del texto ha de añadirse la influencia del contexto en el que se gesta una obra y su impacto en el creador para evaluar el desafío inherente a la recepción de un film generado en una cultura tan marcada por su especificidad como es la española. Al referirse a la recepción de textos, Stanley Fish (1980) titula una de sus obras *Is There a Text in the Class: The Authority of Interpretive Communities*, subrayando la relevancia de la interacción entre un grupo humano determinado y el contexto socio-histórico y cultural en el que se inscribe. De ahí que la lectura del cine de Almodóvar en España sea inseparable del momento histórico en el que se inició, el tardo franquismo y la transición de la dictadura a la democracia, y a su vez adquiera todo su sentido a partir de su inscripción en un presente marcado por la postmodernidad, la globalización y el poder de los medios de comunicación. Y de ahí también que la interpretación y difusión de su cine en Estados Unidos concuerde con los parámetros estéticos, ideológicos y económicos que rigen este país. Por otro lado, el hecho de que el cine español, al igual que el resto de cine europeo, entre en el mercado internacional bajo la etiqueta 'cine de autor' explica que la crítica periodística dedique tanta atención al director como a sus textos, con el peligro que esta fusión/confusión entre autor y obra conlleva. Si bien es innegable que la mejor publicidad para el cine de Almodóvar es él mismo, realidad de la que el director es plenamente consciente a juzgar por su omnipresencia y su implicación personal en la promoción de sus películas, se corre el riesgo de leer su obra en clave autobiográfica, lectura que a todas luces empobrece su significado.

Una de las primeras reseñas sobre Almodóvar aparecida en *The New York Times* se remonta a 1987, coincidiendo con el estreno el 27 de marzo de *La ley del deseo* en el Museum of Modern Art de Nueva York, dentro del espacio dedicado a nuevos directores. Su autora, Janet Maslin,[4] crítica de cine de este periódico de 1977 a 1999 y una de las voces más autorizadas sobre cine en Estados Unidos, subraya en su reseña, incluida en la sección "New Directors/New Films Spanish *Law of Desire*", por un lado la nacionalidad del film y por otro el carácter

---

[4] Janet Maslin cuenta con una larga experiencia como crítica en diversos campos. Empezó como crítica de música para *Boston Phoenix* y para *Rolling Stones* y pasó a trabajar en 1977 para *The New York Times* como crítica de cine. Después de dejar este puesto en 1999 se dedicó a reseñar libros también para *The New York Times*, trabajo que mantiene en el presente.

novedoso para el público norteamericano. Maslin, etiquetada como una crítica honesta, directa y carente de sentimentalismo, defensora de un espíritu independiente en el cine, aunque ocasionalmente tachada de ser demasiado amable para ser crítica, juega un papel fundamental a la hora de abrir un espacio para el cine de Almodóvar en Estados Unidos. Defensora del cine extranjero especialmente en momentos cíclicos en los que el cine norteamericano no produce en su opinión películas de calidad, refleja las barreras que el cine de este director ha de salvar para llegar al público estadounidense. Uno de los rasgos que atrae la atención de Maslin es el predominio de un registro ético ajeno a la norma, lo cual la lleva a calificar *La ley del deseo* como "a film devoid of moral opprobrium", y a subrayar el "anything-goes behavior" (*NYT* 27-7-1987). Su desconocimiento del director en esta fecha, patente al afirmar que, "On the evidence of the opening credits, Mr. Almodóvar is himself something of a celebrity in his native territory", muestra el considerable lapso de tiempo que le costó a este director llegar al público norteamericano, siete años desde el estreno de su primer largometraje en España en 1980. El tono positivo de la reseña y el elogio del modo de crear personajes —"Mr. Almodóvar works best when he is setting these lively characters in motion, and least well when the film's essentially conventional structure is revealed"— pone de manifiesto su voluntad de encontrar un ángulo que favorezca la aceptación de este film entre el público estadounidense.

A ello alude precisamente Maslin al afirmar, en una entrevista con Aaron Aradillas (http://rockcriticsarchives.com/interviews/janetmaslin/janetmaslin.html), que, "As a critic, I often saw good work in the midst of bad films and made sure I said so", mostrando una clara consciencia de su poder como crítica de *The New York Times* a la hora de decidir el destino de una película. Más entusiasta se muestra en su reseña de *Laberinto de pasiones* (1982), anterior a *La ley del deseo* (1987) pero reseñada en 1990, después del éxito en Estados Unidos de *Mujeres al borde de un ataque de nervios* (1988), a raíz de su nominación para el Oscar a la Mejor Película Extranjera. Este efecto búmeran, evidente en la atención que despiertan sus primeras películas, ignoradas hasta ese momento en Estados Unidos, a raíz de su reconocimiento en Hollywood, incide además en su valoración en España, ya que de algún modo la aceptación en la meca del cine de un director español opera como garantía de calidad. Lo que elogia Maslin en esta segunda reseña es la confianza en sí mismo de Almodóvar como director de comedias, elogio que quizá hubiera resultado un tanto hiperbólico de haber reseñado la película en el momento de su estreno, antes del triunfo de *Mujeres al borde de un ataque de nervios* (1988) en Hollywood. En estos términos formula su opinión:

> Pedro Almodóvar approaches comedy the way others approach nuclear fission: with confidence that if enough particles bombard one another with sufficient energy, sooner or later something is bound to explode […]. By the time of his 1988 hit 'Women on the Edge of a Nervous Breakdown' Mr. Almodóvar had synthesized his own mixture of tawdry chic, manic gaiety and staccato pacing into a broad and croad-pleasing comic style. (*NYT* 19-1-1990)

Al margen de este elogio a posteriori reconoce que "*Labyrinth of Passion* was made well before the director had his own sleaze factor under control, and so it includes lapses like the extended bathroom joke, really just an exercise in slapstick, that's allowed to go too far". Ello no le impide reconocer como virtudes del director manchego su "bright gaudy visual style, the breezy manner and the exuberant energy that are Mr. Almodóvar's particular virtues". Sorprende aquí la benevolencia de la reseña de Maslin al hilo del éxito en Hollywood, a la hora de evaluar una película como *Laberinto de pasiones* (1982), anclada aún en los parámetros del cine underground, de factura más burda que *La ley del deseo* (1987), reseñada por la misma crítica con más cautela a pesar de ser una película más acabada, entre otras razones porque Almodóvar había pulido considerablemente su cine en los cinco años que median entre estas dos películas. A los pocos días de haber publicado esta reseña, Maslin escribe un breve artículo titulado "Dark Visions Light Up the Movies" (*NYT* 28-1-1990) en el que incluye bajo este denominador común el cine de Michael Moore, Jane Champion, David Lynch y Almodóvar, contrastando en el caso de este último la "uninhibited sensibility" de *Laberinto de pasiones*, *¿Qué he hecho yo para merecer esto?* y *La ley del deseo* con la habilidad para crear en *Mujeres al borde de un ataque de nervios* "a calmer, sleeker, wittily fashion-conscious mood in which flashes of antic energy were invigorating, not exhausting, and in which sheer high-speed shallowness became fun".

Curiosamente no menciona en este artículo las otras tres películas aparecidas antes de su nominación para el Oscar en 1988, *Pepi, Luci, Bom y otras chicas del montón* (1980), su primer largometraje, *Entre tinieblas* (1983) y *Matador* (1986), anteriores a la película objeto de esta reseña. Sorprende esta omisión en la filmografía de Almodóvar, todavía abarcable en esta primera etapa de su carrera, y quizá responda a la voluntad de Maslin de pasar por alto aquellas películas que en su opinión no ayudan a consolidar el incipiente prestigio del director. Las dos primeras solo recibirán una atención marginal en este periódico varios años después de su estreno y tras una fama recién conquistada. De hecho, al escribir sobre *Pepi, Luci, Bom y otras chicas del montón* (1980) doce años después de su estreno, con Almodóvar ya consagrado como director, Maslin comenta que "It would have taken more than foresight, and not much less than X-ray vision to detect the promise of Pedro Almodóvar's subsequent success within *Pepi, Luci, Bom*, a rough, unfunny comedy made in 1980" (*NYT* 29-5-1992). Sorprende que en ningún momento aluda al cine underground neoyorquino como pariente cercano de este primer largometraje cuando incluso el propio director había hecho pública su admiración hacia directores norteamericanos con la misma vocación underground que él, entre ellos John Waters y Andy Wharhol. Además de etiquetar su opera prima como "a reputation-dimming mess", Maslin muestra su asombro ante la positiva recepción que tuvo en la prensa española. Los elogios de *El País* y *El Periódico*, claramente injustificados para esta reseñadora, solo cobran sentido a la luz del momento histórico-cultural por el que pasaba España y del clima artístico propiciado por la movida madrileña, datos que la reseñadora parece ignorar. En estos términos resume Maslin la lógica en la que se gesta esta primera película: "Only in the context of an exceptionally taboo-ridden culture could this film's scatological silliness be construed as bold". Quizá solo en el contexto de la movida madrileña quepa elogiar este primer trabajo que, además de alimentarse de un humor burdo, está plagado de deficiencias técnicas. El valor casi documental de este film para la generación de Almodóvar ayuda a entender su positiva acogida por la prensa de España.

Matador, la más pulida de las tres películas mencionadas en este breve artículo, fue reseñada en 1988, a los dos años de su estreno en España, por Vincent Canby, jefe de redacción en la sección de cine de *The New York Times* de 1969 a 1993. Hasta 1993 Janet Maslin y Vincent Canby trabajaron juntos como reseñadores de este periódico y si bien Maslin considera a Canby un excelente amigo y mentor, profesionalmente seguro de sí mismo, y dispuesto a ayudarla en su carrera, declara que a la hora de distribuir el trabajo, Canby elegía primero y, aunque no hubo muchas interferencias, en algunas ocasiones Maslin se sintió frustrada y decepcionada.[5] Quizá se explique así el hecho de que las dos películas con mejor

---

[5] Tomo estos datos de la mencionada entrevista de Aaron Aradillas con Janet Maslin aparecida en mayo del 2005 en http://rockcriticsarchives.com/interviews/janetmaslin/janetmaslin.html

recepción en Estados Unidos de la primera época de Almodóvar, *Matador* (1986) y *Mujeres al borde de un ataque de nervios* (1988), fueran reseñadas por el jefe de redacción de esta sección, Canby, y no por Maslin. En *Matador* este crítico alude a la comparación de Almodóvar con Buñuel y constata que la cinta supera la estética underground. Si bien considera dichas comparaciones prematuras, reconoce el talento del manchego y señala que "the movies themselves aren't as consistently funny or invigorating as the points of view they represent […] and are most memorable for their comically deadpan treatment of supposedly taboo subjects". Esto no le impide afirmar que "*Matador* is of most interest as another work in the career of a film maker who, possibly, is in the process of refining a singular talent" (*NYT* 16-9-1988). No olvidemos que en el momento de la publicación de esta reseña Almodóvar ya había dado claras muestras de este "talento singular" en *Mujeres al borde de un ataque de nervios*, estrenada en España el 23 de marzo de 1988, de modo que en realidad la profecía del reseñador no era tal puesto que ya se había cumplido antes de publicar esta crítica. La reseña de Canby, con motivo del estreno de la película en el New York Film Festival el 23 de septiembre de 1988, es solo relativamente positiva para el éxito que alcanzó en Estados Unidos. El limitado entusiasmo de este texto se explica quizá por el hecho de que la cinta no sería ampliamente elogiada hasta su nominación para el Oscar, un año más tarde, mostrando con ello, por un lado el poder de Hollywood como creador de mitos y, por otro, la distancia entre los criterios estéticos de este reseñador y los de Hollywood. Canby se limita aquí a resumir el argumento destacando el gran humor del director pero sin entrar a fondo en el análisis del estilo de Almodóvar. Concluye su acercamiento con un comentario ligeramente negativo, declarando que "The pace sometimes flags and there are scenes in which the comic potential appears to be lost only because the camera is in the wrong place. Farce isn't easy to pull of, but Mr. Almodóvar is well on his way to mastering this most difficult of all screen genres" (*NYT* 23-9-1988). Las dos reseñas de Canby, separadas apenas una semana, no reflejan aún la conexión entre el director español y el público estadounidense pero ponen en circulación su nombre en la medida en que el hecho de ser reseñadas en *The New York Times* por un crítico de la talla de Canby proporciona una carta de presentación excepcional para abrirse paso en el terreno del cine americano.

Habría que esperar hasta el estreno de *Átame* (1989) en Estados Unidos, un año después de su aparición en España, para que Almodóvar consolidara su presencia en el mercado norteamericano y para que la prensa le dedicara una considerable atención. El primer artículo sobre este film publicado en *The New York Times* por Alan Riding, corresponsal del periódico para América Latina, se centra en la contextualización de la película en un marco histórico ligeramente obsoleto y manido, anclado en el cliché de la España recién salida de la dictadura, en busca de una nueva identidad, cuando ya en los 90 el país había dejado atrás esta fase transitoria. En esta visión desde fuera, Riding considera que "What places the film in contemporary society, beyond its language and humor, is its focus on the individual caught in the swirl of a changing society. But it also shows how the anarchic individualism of the Spanish character is now bursting through the monolithic facade of society in recent decades" (*NYT* 11-2-1990). Alude además al mediático estreno de la película en Madrid y a la desigual acogida por parte de la crítica española (Fernández Santos desde *El País* la tacha de desequilibrada, Carlos Boyero desde *El Mundo* la considera "admirable y conmovedora"[6]). Lo que sí subraya Riding es la calidad del film en relación al relativamente generoso presupuesto —comparado con las producciones anteriores— del que disfrutó (2,5 millones de dólares) con motivo del éxito de *Mujeres al borde de un ataque de nervios*, lo que le permitió superar "the improvised almost amateur quality of [his] earlier films". A raíz de este éxito alude a un acuerdo nunca materializado entre Almodóvar y Jane Fonda, en el que la actriz se comprometía a co-producir y protagonizar una versión en inglés de *Mujeres al borde de un ataque de nervios*, que Almodóvar no dirigiría. Curiosamente habría que esperar veinte años, hasta 2010, para que se concretara este peculiar remake y se transformara en un musical dirigido por Barlett Sher estrenado en el Lincoln Theater de Nueva York el 8 de octubre. De la atención que le ha dedicado *The New York Times* a este musical, de los avatares de su estreno y de su relativo éxito daremos cuenta al final de este capítulo con el fin de seguir un orden cronológico y enmarcar su recepción en el presente.

Pero lo que verdaderamente contribuyó al éxito de *Átame* fue el escándalo derivado de su clasificación X. El 23 de abril, unos días antes del estreno en Los Angeles y en Nueva York, se publicó en *The New York Times* un artículo titulado "Almodóvar Appeals X Given to his New Film" (*NYT* 23-4-1990). En efecto, la Motion Pictures American Association (MPAA) había clasificado la película con

---

[6] Es digno de mención el contraste entre la favorable crítica de Carlos Boyero a *Átame* y los ataques a sus últimas películas, *Los abrazos rotos* y *La piel que habito*.

una X y Miramax, su distribuidora en Estados Unidos, junto con Almodóvar, decidieron recurrir dicha clasificación.[7] Dos días más tarde (*NYT* 25-4-1990), Glenn Collins publica otro artículo, indicando que la MPAA se niega a cambiar la clasificación. Ante esto deciden estrenar la película sin clasificar lo cual afecta negativamente su distribución ya que muchas salas en las que se iba a proyectar y varios periódicos en los que se planeaba anunciarla no aceptaban películas sin clasificar.

Un mes después del estreno Almodóvar y Miramax llevan a juicio a la MPAA, alegando que la calificación es arbitraria e ilógica, y que existe un prejuicio contra las películas extranjeras y contra las distribuidoras independientes. Varios artículos posteriores reavivan el debate extrapolando el caso de *Átame* al cuestionable modus operandi de la MPAA. De nuevo Glenn Collins detalla, en otro artículo aparecido el 20 de julio de 1990, el careo entre el juez del Tribunal del Estado en Manhattan, Charles Ramos, y el abogado de Miramax, William Kunster, concluyendo el juez que "Miramax had clearly failed to prove its case under the law. There has been no showing that the X rate afforded to *Tie Me Up* was without a rational basis or arbitrary and capricious". No solo esto sino que además C. Ramos declara en la prensa que "The court record leads to the inference that this proceeding may be just publicity for the film" (*NYT* 20-7-1990). Lo más significativo de esta polémica en opinión del abogado Kunsler es que "the courts inability to rein in the forces of censorship is an alarming abdication of the judiciary's role as protector and guarantor of free expression". Sin duda la película hiere en varios frentes la sensibilidad del público norteamericano y de la MPAA, a juzgar por los múltiples ataques que recibe. Si el pretexto oficial para la clasificación X es una escena de contenido sexual demasiado explícito (el juguete mecánico en la bañera que se dirige a la vagina de la protagonista, Victoria Abril), no existe un consenso sobre los motivos que mueven a censurar esta historia. Para la socióloga norteamericana Julia Bueno, dicha escena es trivial y lo verdaderamente inaceptable es la violencia subliminal contra las mujeres vinculada al hecho de que una mujer maltratada por su amante llegue a enamorarse y compartir su vida con él (*NYT* 23-3-1990).

---

[7] Quizás el precedente de *The Cook, the Thief, His Wife and Her Lover* y *Henry, Portrait of a Serial Killer*, que fueron también clasificadas X y, antes las protestas, lograron estrenarse sin clasificar, sirviera de modelo a Almodóvar.

Dos conclusiones son obvias: en primer lugar, el enorme poder mediático del escándalo —en apenas un par de meses *The New York Times* publicó al menos siete artículos sobre *Átame*—, sin duda la mejor propaganda intencionada o no sobre la película. En segundo lugar, las deficiencias del sistema de clasificación de la MPAA que a raíz de esta polémica modificó sus criterios para incluir una nueva clasificación, NC-17 (No childen under 17). La prensa española se hizo eco del escándalo generado por *Átame* en Estados Unidos, recreándose sobre todo en la veta puritana que atraviesa la sociedad norteamericana. Entre abril y septiembre de 1990 se publicaron casi una veintena de artículos sobre la clasificación X de *Átame* y sus secuelas. El mismo Almodóvar escribió un artículo para *El País*, titulado "Industria e hipocresía" (*El País* 22-4-1990) en el que arremetió contra la solapada censura que ejerce la MPAA en el cine de Estados Unidos. En estos términos formula el director su queja: "El otro día, en el colmo del cinismo, Jack Valenti, presidente o jefe máximo de la MPAA, afirmaba a *The New York Times*, y se quedaba tan ancho, que su calificación nunca significaba censura, que era simplemente una guía para evitar que los niños vieran películas fuertes". De mayor trascendencia para el cineasta resulta la activación de un sistema de autocensura fabricado por la MPAA, basado en el compromiso del director de respetar los contenidos explícitamente autorizados por esta organización en base a una clasificación determinada y al hecho de que la propia asociación le devuelva la película a su creador si considera que el producto final transgrede las normas, para que sea él mismo quien realice los cambios. No hay que olvidar la supeditación de la libertad creadora de los directores estadounidenses a los intereses de los estudios para los que trabajan. Dado el empeño con el que Almodóvar ha defendido siempre su libertad creadora es obvio que nunca consideró modificar su película para adaptarla a los parámetros de la solapada censura estadounidense.

Ajeno a esta polémica y más inclinado a centrarse en el texto que en el contexto, Vincent Canby pasó por alto la cuestión de la clasificación para comentar el contenido de la película, con poco entusiasmo por otro lado, debido al ritmo lento y al limitado humor. Aunque valora la brillantez cromática, la intensidad de la actuación de los protagonistas, Ricky (Antonio Banderas) y Marina (Victoria Abril) y las esporádicas bromas, considera que "Mr. Almodóvar's comic invention runs out too soon, leaving the audience to giggle weakly in anticipation of the big laughs and disorienting shocks that never arrive" (*NYT* 4-5-1990). Sorprende que un crítico tan agudo como Canby ciña su balance a la comicidad del film y eluda un análisis más complejo y totalizador, aunque quizá la frialdad de esta reseña se haga eco del limitado entusiasmo que este octavo film despertó en el público norteamericano.

La polémica que desató *Átame* dio paso a una fría recepción de su siguiente película, *Tacones lejanos* (1991). De nuevo Janet Maslin, como reseñadora de este film y bajo el lacónico título "A Mother, A Daughter and a Murder", publica una crítica parca en elogios. En estos términos sintetiza la obra: "*High Heels* has not real mirth and not even enough energy to keep it alive […] The film is not convincing […] Shapeless conversation about a mother, a daughter and the murder […] One of the problems of *High Heels* as a tough melodrama (in Mr. Almodóvar's own description) is that it isn't really tough, melodramatic o successfully diverting in any other way" (*NYT* 20-12-1991). El tono de la reseña pone de manifiesto la desconexión entre la lectura de Maslin y el universo creador de Almodóvar. A juzgar por sus comentarios parece interpretar literalmente las declaraciones del cineasta sobre la esencia melodramática de la película sin tener en cuenta la distancia que media entre este género y la personal interpretación que el director hace de él.

El mismo tono negativo reaparece en el artículo de Caryn James, cuyo título "Almodóvar, Adrift in Sexism" marca el desacuerdo por parte de esta reseñadora con el modo de tratar la condición femenina. Si bien celebra varios registros presentes en su filmografía —la mezcla de parodia, sátira y farsa de la que deriva su comicidad y su capacidad para crear un mundo absurdo a partir de conductas inexplicables pero comunes—, ataca el modo en que ese cineasta representa a las mujeres. Para ella, la construcción de personajes femeninos aparentemente fuertes degenera en conductas absurdas e irracionales, lo cual anula su supuesta destreza a la hora de trazar perfiles femeninos. En opinión de Caryn James, "He [Almodóvar] is like a sexist who thinks he treats women fairly, then clings tenaciously to his masculine authority. The undercurrent sexism is directly tied to the bludgeoning control that wrecks the endings of Mr. Almodóvar's films" (*NYT* 12-1-1991). A raíz de las negativas reacciones de las feministas norteamericanas ante *Átame*, la obra de Almodóvar es sometida a un profundo escrutinio por parte de este colectivo, que arremete contra el modo de delinear el ámbito de lo femenino por parte de este director. Más allá de la congruencia de sus premisas, se equivocan al evaluar al cine del director manchego a partir de unos parámetros convencionales que no resultan válidos para efectuar una lectura certera del registro en el que se instala su universo fílmico ni su peculiar dialéctica con la cultura española. Curiosamente esta misma reseñadora destaca como uno de sus aciertos "His eye for the perfect, crazy pop cultural detail", pero no conecta este trazo con la construcción de personajes femeninos. La crítica en España en raras ocasiones incide en este sexismo que con tanta frecuencia aflora en las reseñas publicadas en Estados Unidos. Puede que, a los ojos de la crítica española, la prodigada afinidad de Almodóvar con las mujeres y su rechazo visceral de la cultura patriarcal le eximan de este tipo de acusaciones. Este desencuentro entre los reseñadores españoles y los norteamericanos refleja el peso del contexto socio-histórico a la hora de perfilar el sentido del texto y la desigual trayectoria en ambos países en cuanto al tratamiento de cuestiones de género.

Kika (1993) activa, para Janet Maslin, los mismos ingredientes que las películas anteriores y peca también de los mismos defectos. El reproche de esta reseñadora radica en que *Kika*, al igual que otras películas de Almodóvar, se ahoga en sus propios excesos. "*Kika* is actually one of this film maker's more buoyant recent efforts, a sly, rambunctious satire that moves along merely until it collapses-as many Almodóvar films finally do—under its own clutter" (*NYT* 6-5-1994), afirma Maslin. El tono de esta reseña sugiere un cierto grado de saturación con la estética de Almodóvar que desemboca en una repetición de defectos con anterioridad detectados. Las constantes que Maslin registra en este director —voyeurismo, masoquismo, violaciones con giros cómicos y excesos sexuales— recurren en esta película con el agravante de ser un 'dejá vu' para ella. Mientras que para un sector de la crítica española y europea *Kika* supone un retroceso en la carrera del cineasta frente a películas más logradas, en especial *Mujeres al borde de un ataque de nervios*, *Átame* y *Tacones lejanos*, Maslin parece ver en esta película una continuidad con los defectos previamente detectados en las películas que preceden a *Kika*. La debilidad del guión, la superficialidad y la incapacidad para llegar al público que se le han reprochado a este film no son percibidas por esta reseñadora como fallos puntuales sino como defectos constantes, distanciándose con ello de las lecturas de los críticos españoles que ven *Kika* como un desacierto puntual y no como una prolongación de defectos previos. Sin negar estas deficiencias, la crítica anglosajona y, en concreto, Paul Julian Smith considera que, a pesar de que Almodóvar parece haber perdido "his sense of direction for the time being, it seems very likely, however, that the future journey will be well worth making" (Smith 2000: 170). Lo que se critica tanto en la reseña de Maslin como en la de Amy

Spibdler (*NYT* 13-3-1991) es el negativo efecto generado por una historia repetitiva y carente de densidad, enmascarada detrás de una serie de excesos visuales, siendo el más significativo el provocador vestuario diseñado por Jean Paul Gaultier, como modo de paliar las deficiencias del film.

Este agotamiento parece haber sido captado por el propio Almodóvar que en su siguiente película, *La flor de mi secreto* (1995), da un giro radical a su modo de construir una historia. Su estreno en el New York Film Festival da pie a una reseña de Caryn James más elogiosa sin llegar a ser abiertamente entusiasta. La sustitución del ambiente sombrío de obras como *Tacones lejanos, Átame* y *Kika* por un registro menos extremo, más optimista y más cercano al público lleva a esta crítica a exclamar: "What a relief that he has finally cheered up" (*NYT* 13-10-1995). El componente sentimental, la agudeza de los diálogos, la humanidad de la protagonista y los detalles cómicamente absurdos abren una nueva veta creadora más afín con el gusto del espectador estadounidense y más en consonancia con el gusto de los reseñadores de *The New York Times*. Después de los ataques de la crítica a *Kika*, su nueva película se estrena con unos resultados mejores en taquilla y con mayores elogios por parte de la prensa nacional e internacional, debidos en gran medida al "realismo" que permea el film. Realismo que, como el propio Almodóvar declara, se da siempre teñido con un toque de artificio, esencia de su concepción del cine. Críticos como Paul Julian Smith consideran esta película como bisagra de la filmografía almodovariana, como línea divisoria entre su primera época, marcada por la estética camp, plagada de excesos y traumas, y su segunda época, más contenida y pulida, y más afín a la sensibilidad del espectador. Este crítico va más lejos al afirmar que *La flor de mi secreto* resucita el cine de arte y ensayo, aletargado durante varios años. Con estas palabras resume su visión del cineasta a raíz del estreno de *La flor de mi secreto*: "Almodóvar's recent perfection and social commentary elevate his films, rendering them more culturally distinctive, and thus more available for critical consecration at home and abroad" (Smith 2003: 153).[8] Dado el radical cambio de estética de *La flor de mi secreto* sorprende leer una reseña como la de Caryn James que atribuye el éxito de esta película a detalles nimios, pasando por alto la madurez narrativa y visual que inaugura este texto fílmico. Para James, "Much of *The Flower of My Secret* relies on delicious small touches that convey a dark sense of the absurd" (*NYT* 13-10-

---

[8] El estudio de Paul Julian Smith sobre esta película publicado en *Contemporary Spanish Culture* ilumina certeramente este cambio de trayectoria.

1995). Lejos de captar lo novedoso de esta nueva estética, la crítica parece subrayar la continuidad, no la ruptura inherente a la cinta. Se detecta así una cierta tendencia por parte de *The New York Times* a preocuparse más por encasillar su filmografía en un estilo reconocible que por desvelar los riesgos que asume en cada película, dando pie a lecturas ligeramente lastradas por interpretaciones previas. A la luz de esta tibia reseña, que contrasta con el entusiasmo de otras publicadas en la prensa estadounidense como veremos más adelante, se puede apelar al mecionado poder de veto de *The New York Times* y de algún modo explicar la consecuente baja recaudación de taquilla en Estados Unidos, poco más de un millón de dólares. Sony Pictures Classics, la distribuidora en este país, esperó a que la película estuviera acabada antes de comprarla, a diferencia de otros países que la adquirieron antes de filmarse.[9]

Habría que esperar hasta el estreno de *Carne trémula* para que *The New York Times* y su reseñadora Janet Maslin publicaran una reseña verdaderamente entusiasta sobre el cine del director español. Si como hemos visto Maslin había presentado un buen número de objeciones a la estética almodovariana, basándose sobre todo en las deficiencias de sus primeros guiones, en la superficialidad de sus historias, solo paliada por sus insólitos personajes, en la presencia excesiva de lo escatológico y en su forzada comicidad, al reseñar esta película cambia radicalmente de tono. Con esta frase abre Maslin su crítica: "With solid success, Pedro Almodóvar leaves his taste for camp behind to direct a richly detailed tale of passion, perfidy and revenge adapted from a typically tricky Ruth Rendell novel" (*NYT* 10-10-1997). Además de elogiar la complejidad del guión, la intensidad de las pasiones y el vibrante estilo, conecta con este modo de contar una historia, cercano al cine negro. Sin aludir directamente al peso de la novela de Rendell en esta adaptación libre, parece atribuir la solidez de la fabula más a la destreza de la escritora para jugar con las pasiones que a la habilidad fabuladora del director. Uno de los obstáculos que ha dificultado la conexión de Maslin con este cineasta es su personal sentido del humor, sin duda difícil de captar para una espectadora de habla inglesa, ajena al contexto histórico-cultural español y a la euforia asociada a la movida madrileña. Paradójicamente quizá esto ayude a explicar el entusiasmo de la reseñadora ante un film que relega el componente cómico a un segundo plano para privilegiar el juego entre la pasión y la obsesión y que atenúa el peso de la estética camp que tan pocas simpatías despierta en Maslin. La admiración hacia *Carne*

---

[9] Tomo el dato de Paul Julian Smith, *Contemporaray Spanish Culture*, págs. 144-155.

trémula se confirma en la frase que cierra su crítica: "Mr. Almodóvar, whose work here has a newly sophisticated polish, appreciates the dark twists of this story along with the eroticism that bring heat to all the scheming. In *Live Flesh*, he finds steamy, imaginative ways to show why the film's characters love one another to death" (*NYT* 10-10-1997). Este giro radical en su visión de Almodóvar invita a reflexionar sobre su conciencia del poder de *The New York Times* como plataforma para lanzar una película en Estados Unidos y consolidar el prestigio de su director. Al ser interrogada sobre el impacto de este periódico en los espectadores estadounidenses, responde: "When I feel that the power of the *Times* was important it was usually because there was some film I hoped would connect with an audience, and I could try to make that happen".[10] Quizá esta afirmación sea especialmente significativa al aplicarse a una película extranjera que, como se ha dicho, para alcanzar un cierto éxito de taquilla en el país debe triunfar primero en Nueva York. Si a esto se suma la barrera estética y cultural que ha de salvar un cine tan poco convencional como el que nos ocupa para llegar al público, se entenderá el impacto de *The New York Times* a la hora de determinar el destino del cine de Almodóvar en Estados Unidos.

Con motivo del estreno de *Carne trémula,* Celestine Bohlen publica otro artículo en *The New York Times* titulado "Spain's Freest Spirit Gives Maturity a Try", subrayando cómo uno de los grandes protagonistas de la movida ha cambiado de estética y cómo la visión de Madrid que presenta dista mucho de las burdas imágenes celebratorias que plagaban sus primeras películas. Para ella, esta película es "a reflection of the adult on him [Almodóvar] with a more sober look at love and passion" (NYR 18-1-1998), y muestra a un director que ha aprendido a estructurar sus historias y sus emociones alejándose de sus viejas fórmulas. El propio Almodóvar reconoce haber entrado en una nueva etapa en la que se siente atraído por un modo de filmar más austero y sobrio, acorde con la historia que aquí narra. Con una buena carga de ironía confiesa en este mismo artículo: "It also may be that I am saturated by myself, by the things that I have done in the past". Al margen de este cambio lo que verdaderamente valora es su libertad creadora y afirma que nunca hubiera podido filmar sus películas en Francia, Inglaterra o Estados Unidos con esta total ausencia de restricciones. Pero si por un lado España potencia esta libertad, por otro le priva del reconocimiento que otros países le dan como bien prueba su irregular presencia en los premios Goya. Con cierto

---

[10] Esta afirmación procede de la misma entrevista de Aaron Aradillas mencionada en la nota 5.

resentimiento, pero plenamente consciente de su éxito declara: "There is a huge hostility against me that is demonstrated every year a this time [entrega de los Goyas]. I was too successful here and outside Spain. It is a question of envy". La cuestión de la envidia parece preocupar a Almodóvar que ya once años antes en la película *Matador* aparece en un cameo desempeñando el papel del diseñador Montesinos y subraya la división de España entre "envidiosos e intolerantes". Sin duda la resistencia que ha encontrado en ciertos sectores de la crítica española le lleva a lamentar el desigual apoyo en su propio país.

La inauguración del New York Film Festival de 1999 con *Todo sobre mi madre* (1999), ganadora del Oscar a la mejor película extranjera en el 2000, marca la consolidación de Almodóvar como "Spain's most reputable disreputable young filmmaker" (*NYT* 24-9-1999), en palabras de Vincent Canby. Por su parte, Janet Maslin, siguiendo la línea entusiasta que inició a raíz del estreno de *Carne trémula*, celebra el cambio de estética del director manchego con una reseña mucho más extensa que las dedicadas a las películas anteriores, y que a su vez coincide con su último año como crítica de cine de *The New York Times*. Para ella, "The antic fizz and bold theatrical exaggeration of his earlier work have blossomed (as was clear in the haunting 1997 *Life Flesh*) in a newly sophisticated style that is far more passionate, wise and deeply felt" (*NYT* 24-9-1999). Más allá de estos elogios, Maslin establece una comparación entre el cine de Almodóvar y el cine de Hollywood al asociar la empatía de este melodrama con el espectador a la obra de George Cukor y su intensidad con la de Douglas Sirk. Para apuntalar la densidad narrativa de este film recurre al diálogo que establece con el cine de Tennessee Wiliams, Truman Capote y Joseph L. Mankiewicz, obras todas ellas que al igual que *Todo sobre mi madre* entretejen "life and art into a rich tapestry of love, loss and compassion" (*NYT* 24-9-1999). Como complemento clave de esta historia tan bien armada, valora Maslin la seguridad con la que Almodóvar controla la cámara, elemento que para ella funciona como aglutinante de este film. A modo de despedida —esta será la última reseña que Maslin dedica al director manchego— cierra este entusiasta escrito afirmando que

> *All About my Mother*, his best film by far, is all about how tragedies of the flesh can yield renewal and hope despite the pain left behind, which is as clear an understanding of what makes movies tick as Mr. Almodóvar will ever need. It is the crossover moment in the career of a born four-hankie storyteller of ever-increasing stature. Look out Hollywood; here he comes. (*NYT* 24-9-1999)

A lo largo de los doce años durante los que Maslin reseña el cine de Almodóvar, se transparenta la progresiva conexión entre su obra cinematográfica, la crítica y el público norteamericano que cada vez asiste con más asiduidad y entusiasmo a los estrenos de director español en Estados Unidos. De la confianza que este éxito genera y de la popularidad conquistada en Nueva York dan buena prueba las numerosas fiestas, recepciones y demás intervenciones públicas que acompañan sus estrenos.[11] Dos meses después del New York Film Festival —el 19 de noviembre—, con motivo del estreno de la película en salas comerciales, vuelve a aparecer una reseña en este mismo periódico, compuesta de fragmentos de la publicada con anterioridad por Maslin, fomentando la positiva recepción por parte de los espectadores neoyorquinos.

De nuevo es el New York Film Festival el escaparate del cine de Almodóvar en Estados Unidos y la edición de 2002 se cierra con *Hable con ella*, ganadora como su anterior película de un Oscar, esta vez al Mejor Guión. Resurge aquí el desencuentro entre la Academia de Cine de España y el director como bien prueba el hecho de que no se eligiera esta película para representar a España en los Oscars, y que Hollywood la nominase y la premiase con el Oscar al Mejor Guión. Elvis Mitchell reseña esta película subrayando la perfección que ha alcanzado su director a la hora de construir una historia y de filmarla, y la sustitución de la estética del exceso, propia de su primera etapa por una compleja contención, compleja en la medida en que es capaz de dar otra vuelta de tuerca al guión y al propio espectador, logrando despertar su empatía con un personaje responsable de una violación, irónicamente llamado Benigno, protagonista de esta historia. De ahí su afirmación, "Everything falls into place with an almost surreal delicacy" (*NYT* 12-10-2002). Esta afortunada fusión entre lo transgresor de su cine y su madurez se refleja en la siguiente afirmación de E. Mitchell: "His movies have not lost their ability to startle, but the wayward ingenuity no longer gives vent to wild, delirious shocks. His metabolism has slowed; he doesn't cram in the lively excess for its own sake. Yet the slippery mischievous streak remains, and *Talk to Her* shows how reliable he has become at marrying suspense, comedy and tragedy" (*NYT* 12-10-2002). Al día siguiente de la aparición de esta reseña, Linda Lee publica un artículo relatando la presencia de Almodóvar y sus actores en hoteles y tiendas de Nueva York como

---

[11] Ejemplo de esta popularidad del director manchego entre el público neoyorquino son las fiestas organizadas en su honor por Julian Schnabel y las numerosas ruedas de prensa y demás apariciones en público asociadas a la presentación de sus películas especialmente durante las dos últimas décadas.

un "comedy posse" (*NYT* 13-10-2002), lo cual, al margen de su ligereza, contribuye a afianzar la presencia del cineasta en los medios de comunicación así como en la escena cultural y social neoyorquina.

Aparece aún un tercer artículo, titulado "The Track of a Teardrop, a Filmmaker's Path" (*NYT* 17-11-2002), sobre esta misma película, unos días más tarde, esta vez acompañado por una entrevista a Almodóvar, firmado por A.O. Scott, reseñador que sustituye a Janet Maslin en la sección de cine de *The New York Times*.[12] Dado que es el primer artículo de este crítico sobre el director español, incluye una revisión general de su filmografía como marco a la crítica de *Hable con ella*. Haciendo honor a su trabajo previo como crítico literario y a su sofisticación intelectual, subraya la presencia del arte dentro del arte en la carrera de Almodóvar atribuyéndole "a deep faith in the power of art", como muestra la estrecha conexión entre sus personajes y la literatura, el cine, el ballet, el teatro y la música. De su trasfondo literario dan buena muestra las numerosas alusiones a la literatura a la hora de evaluar la trayectoria del cineasta, bien mencionando las inclinaciones literarias de sus personajes —Djuna Barnes junto con otros muchos escritores para Leo, la protagonista de *La flor de mi secreto*, Tennessee Williams para Manuela en *Todo sobre mi madre*— o bien aludiendo al interés de Almodóvar en adaptar diversas novelas que nunca llegaron a concretarse, entre ellas *The Accidental Tourist*, *The Silence of the Lambs*, *The Human Stain* y *The Paper Boy*, que logró dar los primeros pasos hacia su producción sin llegar a materializarse.

Una de las preguntas recurrentes, vinculada al creciente éxito de Almodóvar, remite a su intención de filmar en Estados Unidos. David Leavitt propone esta reflexión en uno de sus artículos, "Why Amodóvar has resisted the siren call of Hollywood" (*NYT* 22-4-1990). Si bien es sabido que en ocasiones ha mostrado cierto interés en diversos proyectos de Hollywood, lo cierto es que hasta el momento ha preferido trabajar en España y mantener una absoluta libertad de creación y un control total de su obra, privilegio que le otorga filmar con El Deseo, su propia productora.[13] Entre los varios intentos fallidos de trabajar en Estados Unidos figura conseguir los derechos para filmar *Life and Love of a She Devil*

---

[12] A.O. Scott empezó a trabajar como crítico de cine para *The New York Times* en el año 2000 a raíz de la dimisión de Janet Maslin. Trabajó con anterioridad como reseñador de libros para el *Newsday* y colaboró también como reseñador para *The New York Review of Books* y *Slate Magazine*.

[13] Pedro y Agustín Almodóvar fundan El Deseo en 1985. La primera película producida por ellos fue *La ley del deseo* (1987). Además de producir todo el cine de Almodóvar a partir de este año, incluyen también en su catálogo películas dirigidas por directores jóvenes ya consolidados, entre ellos Isabel Coixet, Alex de la Iglesia, Guillermo del Toro, Daniel Calparsoro y Mónica Laguna.

(1983), escrita por la escritora británica feminista Fay Weldon. Habló también de hacer un corto para una cadena de televisión sobre el medio ambiente.[14] El mayor obstáculo para dirigir en este país radica en el modo de trabajar en Hollywood, donde los estudios mantienen un control total sobre las películas que filman, método que sin duda resulta incompatible con el modo de entender el proceso de creación por parte de Almodóvar. A.O. Scott se muestra bastante crítico con las desfasadas propuestas de los estudios de Hollywood a Almodóvar, entre ellas *Sister Act 2* y *To Wong Foo*, denunciando el anquilosamiento por parte de los productores norteamericanos en un primer Almodóvar instalado en la estética camp y su incapacidad para detectar y valorar su radical transformación.

En lo que atañe al análisis de *Hable con ella*, A.O. Scott acierta al subrayar la densidad de los sentimientos y la complejidad narrativa de la película que de algún modo, según el propio Almodóvar declara en su entrevista con este crítico, toca una fibra personal. Con estas palabras resume el director su experiencia con el film: "This movie represents something very intimate of myself, something that even I feel embarrassed to talk about, some part of myself that I don't even know how to verbalize" (*NYT* 17-9-2002). Explica además el reseñador su propia posición ante los deseos más oscuros que atraviesan en general la obra de Almodóvar, coincidiendo con buena parte de la crítica norteamericana (piénsese en Caryn James) por lo que respecta a sus reparos en el modo de tratar la sexualidad en *Átame* y en *Kika*, y a una cierta tensión que descubre en la actitud moral del director, alegando que "their light-hearted treatments of stalking, rape and sadomasochism are less bracing than abrasive" (*NYT* 17-11-2002). La habilidad con que se entretejen en esta reseña el certero análisis de su autor y la entrevista con el director ayudan al lector a captar los múltiples niveles de significación de esta película y el atípico universo ético de Almodóvar.

Coincidiendo con la proyección de *La mala educación* (2004) en el Festival de Cannes *The New York Times Magazine* (5-9-2004) dedica un número a Almodóvar, cuya foto, un primer plano con la mitad derecha de la cara iluminada y la mitad izquierda en sombra, monopoliza la portada, aludiendo metafóricamente a la tensión entre lo patente y lo oculto en su obra. Al margen de las numerosas lecturas que encierra esta imagen fotográfica, el amplio reportaje firmado por Lynn Hirschberg, editora de la revista, presenta un acertado recorrido por la trayectoria profesional y personal del director a partir de una entrevista realizada en Madrid

---

[14] Tomo el dato del artículo de David Leavitt, titulado "Almodóvar on the Verge" (*NYT* 22-4-1990).

por la propia Hirschberg. Tomando como hilo conductor los espacios geográficos cruciales para la carrera de este director, en concreto Cannes, Madrid y Hollywood, debate las claves de su cinematografía, la fuerza de los efectos visuales, la fluida sexualidad de sus personajes, el poder del deseo como motor de sus tramas, el diálogo entre su vida y su obra, y sobre todo la voluntad de asumir riesgos en todas sus películas. Con gran acierto desmonta algunos de los clichés que de algún modo lastran la estética de Almodóvar, entre ellos el supuesto sello gay que marca sus películas. Aflora aquí de nuevo el encasillamiento de Almodóvar a los ojos de Hollywood hasta el punto que él mismo verbaliza su queja en estos términos: "Hollywood always think that I specialize in gay people (7) […] Even my movies that are dominated by gay characters like *Bad Education* are not meant to have a homosexual sensibility" (27).

Se suma así a la lista de desencuentros, nunca trascendentes, entre Almodóvar y la meca del cine —control por parte de los estudios, proyectos ajenos a sus intereses— su encasillamiento en un cine gay que resulta a todas luces reduccionista, y que pone de manifiesto la tensión entre la voluntad del director de distanciarse de esta estética y la tendencia de Hollywood a crear clasificaciones reconocibles. Es especialmente ilustrativo a este respecto el mencionado artículo de Alberto Mira titulado "Camp y underground homosexual en *¿Qué he hecho yo para merecer esto?*", en el que rastrea la influencia de la estética camp y del cine underground norteamericano, en concreto de directores como John Waters, Andy Warhol y Paul Morrisey, en el director español. Si bien es cierto que Almodóvar reconoce y activa en su cine una serie de registros pertenecientes a la cultura homosexual y que dicha activación remite a la conjunción entre la disidencia sexual y las manifestaciones artísticas del la movida española, "prefiere evitar la etiqueta e insinuar que tales gustos no tienen por qué ser exclusivamente homosexuales (y ciertamente no lo son) y que, en todo caso, se trata de iconos y referentes individuales, personales, y no colectivos o identificables con una tradición determinada" (Mira 96). En varios momentos alude el artículo de Mira a la relación de Almodóvar con la industria cinematográfica hollywoodiense, primero enumerando los guiones por ellos enviados, archivados en su oficina y rechazados (*Memories of a Geisha, Catch Me if You Can, The Paper Boy*), y después puntuando la falta de libertad que para él conllevaría trabajar para la industria cinematográfica norteamericana. En estos términos expresa su postura frente a la meca del cine:

I am lucky. I never wanted to go to Hollywood. That was not my goal. I don't want
to be offensive, but I get the idea that Hollywood is not demanding about scripts.
And what concerns me is the value of scripts. I never trust that I am going to have
complete freedom in Hollywood. The stories that I tell are not the mainstream
stories that the American audiences are used to. I speak ideologically, of course. I
hope to be wrong. (*NYT Magazine* 5-9-2004)

Los proyectos que Hollywood le propone —entre ellos dirigir una película sobre Candy Daring, la musa de Andy Wharhol, protagonizada por Madonna— le llevan a afirmar en el mismo artículo con aparente ligereza que "Hollywood is funny" (70). Esta estudiada distancia no afecta al protagonismo del director en no pocas ceremonias de los Oscars ni a su complaciente inmersión en el juego mediático que ante él se despliega tanto en Nueva York como en Los Angeles. Estados Unidos parece interesarle más como escaparate que como fábrica de sueños, entre otras razones porque la materia de sus sueños activa unos componentes hasta cierto punto problemáticos para el público norteamericano. Un dato significativo en lo que respecta a la diferencia entre el modo de concebir el cine entre Almodóvar y Hollywood es el desdén de este último por los guiones trabajados, a diferencia del director que dedica un enorme esfuerzo a la escritura, patente en el hecho de estar trabajando en el momento de esta entrevista en cuatro guiones a la vez, uno de ellos, *The Ghostly Grandmother,* preludio de *Volver* y otro, *Double identity*, preludio de *Los abrazos rotos*, que se estrenaría cinco años más tarde.

Un comentario que atrae a la entrevistadora es el giro político que tomó el estreno de *La mala educación* debido al desencuentro entre el Partido Popular, la derecha española, y el director a raíz de las acusaciones de manipulación política del atentado terrorista de Madrid del 11 de marzo del 2004. Poco inclinados en Estados Unidos a mezclar la política con el cine, Lynn Hirschberg debate en este artículo la protesta explícita del director por los atentados de Madrid, poniendo de manifiesto la sorpresa que genera la conexión entre arte y compromiso político, en especial en un momento tan mediático como el estreno de una película de Almodóvar. El mismo giro político toma un artículo de Lizette Alvarez publicado en 18 de marzo también en *The New York Times*, coincidiendo con un pase de prensa de *La mala educación* en Madrid. Más que la película en sí, lo que atrae a esta periodista son las declaraciones de Almodóvar a raíz de la derrota del Partido Popular en las elecciones del 14 de marzo de 2004, celebradas a los tres días de los atentados terroristas. El sensacionalismo del título, "Spain's Losing Party Plans to

Sue Movie Director for Slander over a 'Coup' Accusation", evoca la escasa tendencia a mezclar la industria cinematográfica con la política como bien prueba la cita que incluye la reseñadora correspondiente a una entrevista de Almodóvar en Telecinco: "We have to understand something terrifying: The PP, Popular Party, was about to, at midnight Saturday, bring about a coup d'état. I don't want to be polite or delicate. I am not trying to throw stones, but you have to see how that PP has been operating" (*NYT* 18-3-2004). A esta abierta acusación de Almodóvar en un acontecimiento de enorme visibilidad como fue el pase de prensa de su nueva película, el Partido Popular respondió con una amenaza de denuncia que nunca progresó. Dada la atención que desatan estos comentarios en la prensa estadounidense se hace manifiesta la autoridad que se otorga a la voz de Almodóvar en una cuestión tan trascendente como unas elecciones generales teñidas por el terrorismo. Sorprende hasta cierto punto que la visión de este cineasta, en general poco visible en el campo de la política, focalice en la prensa estadounidense este momento tan problemático en la historia de España. Si bien dichas declaraciones politizadas han sido leídas como mecanismo publicitario, lo cierto es que aún a riesgo de alienar y perder a los espectadores políticamente más conservadores, Almodóvar eligió dirigir la atención de los ciudadanos hacia esta maniobra política que costó las elecciones a la derecha española.

El marco del 42 New York Film Festival sirve de nuevo como plataforma para el estreno de *La mala educación* (2004) en Estados Unidos, y su reseñador, Stephen Holden, celebra la originalidad con que esta película se acerca al cine negro, calificándola de "delirious, headlong immersion and re-invention of a style [film noir] that has lured countless filmmakers onto its treacherous shoals", pero a la vez subrayando lo que la aparta de las convenciones del género, "his refusal to moralize and his willingness to incorporate elements of comedy" (*NYT* 9-10-2004). Esta misma reseña vuelve a publicarse en *The New York Times* un mes más tarde (*NYT* 19-11-2004), en el momento de la proyección en salas comerciales. Un par de días antes de estreno sale una breve nota de Catherine Billey explicando que, a pesar de conocer el riesgo de ser calificada NC-17, debido a una brevísima escena de contenido sexual explícito, el director y los productores nunca pensaron en cortarla. Vuelve aquí el fantasma de la censura que tanta polémica desató y tanto espacio ocupó en este periódico con motivo del estreno de *Átame*.

El contenido sexual es de nuevo el eje de un artículo firmado por A.O. Scott titulado "The Season of Humane, Nuanced On-Screen Sex", en el que analiza en paralelo *Kinsey* de Bill Condon y *La mala educación* de Almodóvar. Como telón de fondo posiciona la polarización de Estados Unidos entre el puritanismo y la permisividad, y la amplia gama de opciones asociada al tratamiento cinematográfico de la sexualidad, cuestión que le lleva a afirmar que "To attack— or, for that matter, to applaud—their films for taking sides would be to slight the complexities of their work and to simplify its subject" (*NYT* 12-12-2004). Permisivo en lo que atañe a esta cuestión, A.O. Scott critica el papel censor que asume la MPAA que, además de reflejar su estrechez de miras, perjudica comercialmente la película de Almodóvar. A la voluntad de entender la fuerza del deseo y la dimensión ética que conlleva se suma, en opinión de este crítico, la tolerancia del director español con "human weakness, but this is not to say that in his world anything goes. On the contrary, *Bad Education* like *Kinsey*, tries to imagine sexual decency in the absence of taboos—as a matter of how we treat each other rather than of how external authorities require us to behave" (*NYT* 12-12-2004). Es significativa la protesta explícita por parte de este crítico de la censura que ejerce la MPAA, postura poco habitual en la prensa norteamericana. De nuevo la sofisticación intelectual de A.O. Scott, su formación literaria y su previa experiencia como reseñador de *The New York Review of Books*, le llevan a agudas reflexiones que trascienden los acercamientos impresionistas asociados a la crítica en prensa y corroboran la solidez de este medio.

El significativo título de la decimosexta obra de Almodóvar, *Volver* (2006), condensa, como apunta Paul Julian Smith, a raíz de la declaración de Almodóvar en el pressbook de la película, al menos seis retornos: "to comedy, to women, to his native La Mancha, to his actress-muses Carmen Maura and Penélope Cruz, to the theme of motherhood in general, and to his own much mourned mother in particular".[15] Pero lo que vuelve definitivamente es a seducir al público tanto dentro como fuera de España, sin que ello implique la existencia de un distanciamiento previo entre el director y sus seguidores. La fusión de su sofisticación como cineasta, sumada a la vuelta a los registros que consolidaron su fama, operan como acicates de su sonado éxito.

La proyección de *Volver* en el Festival de Cannes del 2006 da pie a la aparición de la primera reseña de esta película en *The New York Times* (*NYT* 22-5-2006), firmada también por A.O. Scott. El mismo crítico volverá a reseñar la película en

---

[15] Ver la reseña firmada por Paul Julian Smith en *Sight &Sound* publicada en el número de junio del 2006.

septiembre, como preludio del New York Film Festival, y en noviembre con motivo de su estreno en salas comerciales. Al margen de la aguda disección de este film, A.O. Scott articula sus elogios alrededor de la madurez de Penélope Cruz como actriz cuya actuación magistral se teje en un guión que, bajo su aparente simplicidad y linealidad, oculta una construcción admirable. Al subrayar el mérito de la impecable actuación de la actriz, el reseñador relega a segundo plano la pericia del director para dibujar el papel de su protagonista. En la primera de estas reseñas comenta: "*Volver* stars Penélope Cruz in a performance that may silence those who have doubted of her acting ability in the past (like, to pick an example at random, me)". Sin duda la sólida presencia de la actriz española tanto a nivel nacional como internacional ayuda a justificar la reevaluación de Cruz, que llega a la cota más alta de su interpretación en esta película. A la luz de la calurosa acogida del film en Cannes sorprende, como indica A.O. Scott, que solo recibiera dos premios, al Mejor Guión y al Mejor Reparto de actrices. Alaba igualmente en esta primera y breve incursión en la película su fuerza indicando que "*Volver* fuses powerful and delicate emotion with sly mischief, all of it presented in sensuous, immaculate visual compositions and with Alberto Iglesias's glorious music" (*NYT* 22-5-2006). El título de su segunda reseña, "From Everygirl to Everywoman: Penélope Cruz's Journey", incide de nuevo en el peso de la protagonista en el modo de articular sus comentarios. La actriz para A.O. Scott encarna la imagen de la mujer mediterránea por excelencia, en la línea de Anna Magnani, Sophia Loren, Claudia Cardinale y Melina Mercuri, mujeres "who loved, wept, sacrificed and survived with an earthiness and sensual candor rarely matched by their Hollywood counterparts" (10-9-2006). No obstante es bastante crítico con la trayectoria de esta actriz y con los mediocres resultados de su protagonismo en varias películas extranjeras rodadas entre su primer trabajo con Almodóvar, *Carne trémula*, en el que cuenta con un breve pero intenso papel al comienzo de la película y *Volver*, su consagración como actriz. Según Scott sus actuaciones en *All Pretty Horses* (Billy Bob Thornton, 2000), *Woman on Top* (Fina Torres, 2000), *Fanfan la tulipe* (Gérard Krawczyk, 2003) y *Blow* (Ted Demme, 2001) carecen de profundidad y no pasan de explotar su imagen sensual, llevándola a dar bandazos en cuatro idiomas sin llegar a encontrar su papel. Parte del problema, como bien señala este reseñador, es que, "once in Hollywood Ms. Cruz, quick-witted and natural in her native language, assumed an inevitable burden of exoticism". Además de exotismo, Cruz en ocasiones se ve encasillada en clichés asociados a la cultura hispana entendida en sentido laso, lo cual le obliga a llevar a la pantalla las ideas preconcebidas que cada director asocia a lo hispano. Es Almodóvar quien ha logrado transformar a la actriz "into a full-fleshed melodramatic heroine: a voluptuous, suffering, resilient embodiment of womanhood" (*NYT* 10-11-2006).

La habilidad de este crítico para dotar a los elogios de la actriz de una base sólida y bien documentada contribuye a afianzarla como estrella y a subrayar la ineptitud de Hollywood para aprovechar correctamente la capacidad dramática de Cruz. El prestigio y la solidez del cine norteamericano no logra compensar el valor añadido que supone para esta actriz trabajar en su propio contexto cultural y en especial con Almodóvar. El remake de *Abre los ojos* (Alejandro Amenábar, 1997), *Vanilla Sky* (Cameron Crowe, 2001) refleja claramente este abismo entre su trabajo en España y en Estados Unidos. La seductora y enigmática presencia en la película de Amenábar contrasta con su confuso e indefinido papel en la versión estadounidense. Con este elogio cierra el artículo Scott: "In *Volver*, animated by Mr. Almodóvar's characteristically perverse generosity, she is never in danger of losing it—which grants her the freedom to be mischievous, abrasive, sincere. She is—once again, once and for all, at long last—a movie star, and she can do whatever she wants" (*NYT* 10-11-2006). Si indudablemente todas estas alabanzas a la actriz resultan bien merecidas, omite el reseñador el resto de los ingredientes que hacen de esta película una obra de arte, entre ellos la pericia de Almodóvar como director y como guionista, y su destreza para lograr una adecuación entre los ambientes y los personajes, consiguiendo con ello que desarrollen en escena todo su potencial con éxito. A raíz del estreno en salas comerciales el mismo crítico publica su tercera reseña de esta película y de nuevo le brinda el éxito de la cinta a su protagonista, afirmando que "With this role Ms. Cruz inscribes her name in the top of any credible list of present-day flesh-and-blood screen goddesses, in no small part because she manages to be earthy, unpretentious and a little vulgar without shedding an ounce of her natural glamour" (*NYT* 3-11- 2004).

Los abrazos rotos (2009) clausura el 47 New York Film Festival y con tal motivo A.O. Scott publica una crítica general sobre el tono del festival calificándolo de "grim", debido al tono siniestro y cruel de un buen número de películas, incluida entre ellas la de Almodóvar. Abre además un debate sobre la tensión entre un cine elitista y un cine comercial que inevitablemente atraviesa todos los festivales y, por extensión, el séptimo arte. Esta polarización entre exoterismo y escapismo adquiere especial sentido en el cine de Almodóvar, tan rico en registros, como prueba la pluralidad de recursos con los que juega esta película. Ampliando estas primeras impresiones dicho crítico escribe una amplia y certera reseña que acompaña al estreno en salas comerciales y la titula significativamente "Almodóvar's Happy Agony, Swirling Amid Jealousy and Revenge" (*NYT* 20-11-2009). La confluencia de contradicciones "exuberant melancholy [...] grave and effervescent [...] tender and cruel" da pie a una estructura enigmática y a un texto emocionalmente austero, sello inusual en la obra del director manchego. Admirador fiel del último Almodóvar, el reseñador disecciona la película sin desvelar los enigmas de la historia y elogia el tratamiento del cine dentro del cine, más concretamente la autorreferencialidad almodovariana de *Los abrazos rotos*.[16] Lejos de la autocomplacencia, el director metaboliza su propia obra con gran destreza, rindiendo un agudo homenaje a su primer éxito internacional, *Mujeres al borde de un ataque de nervios* (1988). A ello alude A.O. Scott al afirmar que "Its appearance [*Mujeres al borde de un ataque de nervios/Chicas y maletas*, en *Los abrazos rotos*] is not vanity or clever self-quotation. Rather, the director's pastiche of his early, funny work becomes, in the context of this somber new film, a poignant reflection on aging and loss. To catch a glimpse of *Women* in the mirror of *Embraces* is to see how cinematic images can be both tangible and ghostly" (*NYT* 20-11-2009).

El grado de sofisticación de este juego metafílmico plasma la capacidad de Almodóvar para reinventarse, para dibujar un amplio arco desde su primer largometraje, *Pepi, Luci, Bom y otras chicas del montón*, hasta *La piel que habito* aglutinado por una constante reflexión sobre el medio fílmico y en especial sobre el acto de filmar y de mirar, repetidamente ficcionalizado en su cine. Baste pensar en la omnipresencia del cine dentro del cine o cuanto menos en la presencia del acto de filmar dentro de sus películas visible ya en su primer largometraje, *Pepi, Luci, Bom y otras chicas del montón*, y continuado en *Laberinto de pasiones, Matador, Átame, Kika, Todo sobre mi madre, La mala educación*, para nombrar solo las más obvias, para valorar esta constante reflexión sobre la esencia del séptimo arte que llega a su cima en *Los abrazos rotos* y se prolonga en *La piel que habito*. Junto a estas reseñas sale en octubre un artículo sobre Almodóvar y Penélope Cruz titulado "Cinematic Soul Mates", basado en una entrevista de Mark Harris con el director y

---

[16] Roger Ebert, en la reseña que publica en *Chicago Sun Times* (16-10-2009) señala que la película confiesa desde el principio su propia obsesión: mirar/ver. En torno a esta cuestión alude a la presencia de cuatro películas dentro de *Los abrazos rotos*, a los personajes obsesionados con la mirada y a la omnipresencia de diferentes cámaras dentro de esta historia.

su musa. Además de hacer un recorrido por la trayectoria de sus colaboraciones y de revelar la excelente química que existe entre ellos, pasa al terreno de las emociones y a la intensidad que rige su diálogo profesional. Ya ciñéndose a esta película el director declara que Lena, la protagonista, es "maybe the saddest character I ever wrote. She has a past she doesn't like at all, so when she finds she can impersonate someone it's like having a new life. She is hard—a fallen angel. And that is the biggest challenge I have given to Penélope" (*NYT* 29-10-2009). Desafío que sin duda acepta y sublima la actriz hasta el punto de declarar que es la película en la que más ha llorado entre toma y toma, lo cual le ha ayudado a entrar en este difícil personaje. Como mensaje dominante queda la complicidad entre ambos, Almodóvar y Cruz, la absoluta confianza en la profesionalidad del otro y el incondicional compromiso con el éxito de la película.

Otro artículo de A.O. Scott sobre la promoción de películas por parte de las productoras contribuye a mantener visible el nombre de Almodóvar en el panorama cinematográfico de Nueva York, esta vez con un giro trivial pero no por ello menos efectivo. Se refiere en él a una de las estrategias publicitarias de Sony Pictures Classics para promocionar *Los abrazos rotos*, la fabricación de una serie limitada de vasos de café para la compañía italiana Illy Caffè, diseñadas por el propio Almodóvar. Con una buena dosis de humor la directora ejecutiva de esta compañía italiana declara que ellos "didn't have the power to promote an Almodóvar film. It is more probably the Almodóvar film that promotes Illy Caffè" (*NYT* 6-12-2009). Al margen de la ligereza del dato se hace patente la plena consciencia de Almodóvar del valor de la publicidad y su interés en entrar en este juego por trivial que sea con el fin de mantener una constante presencia en los medios de comunicación.

Su última película hasta el momento, *La piel que habito* (2011), aparece reseñada en *The New York Times* por Manohla Dargis, quien empieza su escrito comparando la imagen de Vera (Elena Anaya) reclinada, proyectada en la pantalla de la habitación del doctor Ledgard (Antonio Banderas), con las odaliscas pintadas por Goya, Ingres y Manet, subyarando así la objetualización del cuerpo femenino. Objetualización que en este caso conlleva otra vuelta de tuerca ya que Vera ha intentado suicidarse y el doctor Ledgard mantiene una estrecha vigilancia sobre ella ya que no está dispuesto a perder su objeto de deseo/venganza. Subraya además Dargis la obsesión que subyace detrás de esta continua supervisión y el homenaje a la belleza de la protagonista y de las imágenes de ella que devuelven las pantallas desde las que se lleva a cabo el control visual. Entre los rasgos que apunta la autora destacan la hibridez genérica al etiquetar la película como "an existential mystery, a melodramatic thriller, a medical horror film o just a polymorphous extravaganza" (*NYT* 14-10-2011), la complejidad temática y perfección técnica, resumidas todas ellas en la siguiente afirmación: "lapidary technique, calculated perversity, intelligent wit". Aunque subraya que en ocasiones parece que la complicada trama va a perder cohesión, comenta que "Mr. Almodóvar's control remains virtuosic and the film hangs together completely, secured by Vera and Ledgard and a relationship that's Pandora's box from which identity, gender, sex and desire spring". A diferencia de otras críticas, como veremos más adelante, la de M. Dargis ignora los fallos que se le han reprochado y se instala en una sintonía absolutamente positiva, dando la impresión que su misión se limita a detectar los aciertos y omitir los errores. Este tono monocromático, absolutamente positivo, en una cinta que ha despertado numerosas controversias desconcierta al lector/espectador informado debido a la omisión de la polémica que rodea este último estreno. Incluso a la hora de evaluar la actuación de los protagonistas pasa por alto el criticado hieratismo del doctor Ledgard, poco coherente cuando se contrasta con la intensidad y la perversión del personaje. No obstante, el impacto de esta crítica abiertamente positiva en *The New York Times* neutraliza los reproches lanzados por otros críticos y refuerza la calurosa acogida de la que el director español ha disfrutado en Nueva York, sobre todo desde finales de los años noventa.

Más polémica que su última película ha resultado la adaptación a teatro de *Mujeres el borde de un ataque de nervios*, una producción del Lincoln Center, Theater estrenada en el Teatro Belasco de Nueva York el 4 de noviembre de 2010. Al día siguiente del estreno apareció una crítica corrosiva en *The New York Times* firmada por Ben Brantley. Ya el título anticipa el tono negativo de la reseña: "Here's Your Valium, What's Your Hurry?" (*NYT* 4-11-2010). Dirigido por Barlett Sheer, con un libreto de Jeffrey Lane y con quince canciones compuestas por David Yazbek este musical, en opinión de Brantley se pierde en su propio ritmo acelerado sin llegar a captar la atención del espectador. La fragmentación de la obra, la sensación de estar frente a una sucesión de segmentos desconectados y la mediocridad de las canciones llevan al crítico a afirmar que "The distractedness of 'Women' the musical mostly feels born of indecision and even boredom, as if it kept getting tired of whatever it was doing [...] If the performers can't seem to keep their minds on the show, why should we?", se pregunta el propio Brantley, equiparando esta sensación con el "attention deficit disorder" (*NYT* 4-11-2010), debido a la incapacidad para mantener al espectador centrado en la obra. Si bien el tono jocoso mina en cierto sentido el contenido de esta reseña, la exhaustiva revisión de fallos deja poco espacio para la redención. Ni el director, ni el compositor, ni los actores, todos ellos elogiados en numerosas ocasiones en este mismo periódico, están en esta obra a la altura de su prestigio, lo que impide encontrar un ángulo positivo en esta producción. Con esta frase se cierra la crítica: "Ms. Scott, Ms. LuPone and Mr. Mitchel, marvelous though they had been elsewhere, here seem to be preoccupied with other matters, like where they will be having dinner after the show. In that sense I identify with them completely".

Un mes antes del estreno Patrick Healy publicó otro artículo en *The New York Times* cuyo título aludía a los riesgos de esta producción: "Women on the Verge of a Big Broadway Gamble" (*NYT* 6-10-2010). Señala entre ellos el elevado presupuesto del musical —cinco millones de dólares—, lo inusual de adaptar al teatro una película extranjera estrenada dos décadas antes y desconocida para los turistas, que son los que llenan las salas de Broadway, y el hecho de no presentar la obra, según es costumbre, en otras ciudades antes del estreno en Nueva York. Un factor clave con el que juega esta producción es la participación, en teoría tangencial, del propio Almodóvar, ya todo un mito en el mundo del cine en Estados Unidos y en Nueva York en especial. Como indica Healy, "In his first creative foray on Broadway, Mr. Almodóvar ended up working deeply on the show, unusual in a movie-to-musical translation, as he helped the creative team try to strike a balance between the character's oversize emotions and seen-it-all fortitude that Ms. LuPone's Lucia conveys in the opener". En efecto, además de asistir a tres reuniones técnicas a lo largo de los dieciocho meses que duró la producción, el director invitó al equipo a su habitación en el Peninsula Hotel Midtown a ver la película con él, revisándola plano a plano con ayuda de un intérprete durante cuatro horas. Su intención, según él mismo declaró, no era cambiar el texto sino matizar la obra para intensificar la sensación de autenticidad, acercando a las actrices a la realidad de las mujeres españolas. La única modificación explícita que sugirió fue eliminar del guión las alusiones a Franco, consejo que sin duda apunta a respetar el espíritu creador del propio Almodóvar en lo que atañe a omitir referencias explícitas a la figura del dictador.

En unas declaraciones sobre su papel en el musical afirma: "My work is finished when the other person has given me the first draft and I talk to him, explaining my point of view and answering all his questions. After I give advise I try to give him complete freedom because this is the way I like to work".[17] Según este mismo artículo tardaron dos años en obtener los derechos de la película debido a que en ese momento Almodóvar estaba rodando *Volver* y tenía otros proyectos entre manos.[18] Si bien resultaría aventurado afirmar que el grado de participación del director español en este proyecto responde a la intención de garantizar su éxito, la plena consciencia de Almodóvar de su poder mediático y su voluntad de explotarlo no deja espacio para la duda. De hecho, el día del estreno acudió a Nueva York acompañado de su hermano Agustín y, a pesar de haber anunciado al equipo de prensa del Lincoln Theater que se limitaría a caminar sobre la alfombra roja sin hacer ningún tipo de comentario, quedó clara su aprobación al subir al escenario después de la función, al asistir a la fiesta organizada en el Millenium Hotel y al posar en varias fotografías. Pero a pesar del elevado presupuesto, del prestigio del director y los actores y de la participación de Almodóvar, el musical no alcanzó el triunfo esperado. Quizá la prueba más clara del limitado éxito del musical *Women at the Edge of a Nervous Breakdown* en su versión teatral sea la decisión de terminar sus funciones tres semanas antes de lo previsto, el 2 en lugar del 23 de enero del 2010.

La obra no logró convencer a los críticos neoyorquinos que insistieron en la enorme distancia entre la acertada película y el desacertado musical. Pero al margen del relativo fracaso Almodóvar logró mantener viva su presencia en los medios de comunicación estadounidenses durante el largo proceso de producción, si no para alabar la adaptación de su obra sí, para desvincularse de su relativo fracaso. La propaganda indirecta de la película almodovariana, halagada por los mismos reseñadores que condenaron el musical, sirvió en esta ocasión para afianzar el prestigio por él conquistado en el mapa cinematográfico estadounidense. El poder de veto de *The New York Times* con las películas extranjeras parece hacerse extensivo aquí a esta adaptación teatral ya que, a raíz de la dura crítica que publicó este periódico, aparecieron numerosas reseñas en otros

---

[17] La afirmación procede de un artículo firmado por Harry Haun, aparecido el 5 de noviembre del 2010 en Playbill.com.

[18] Según este mismo artículo Jeffrey Lane y David Yazbek habían oído que Elton John estaba interesado en adquirir los derechos de *Mujeres al borde de un ataque de nervios*.

diarios neoyorquinos, entre ellos *The Wall Street Journal* y *The New York Post*, haciéndose eco de los patentes defectos señalados por Ben Brantley.[19]

A lo largo de este recorrido por las reseñas que *The New York Times* ha dedicado a la obra de Almodóvar vemos claramente la trayectoria de su recepción a los ojos de la crítica estadounidense y el inmenso poder de dicho periódico a la hora de consagrar su obra. El poder de veto de *The New York Times* al que aludimos al comienzo de este capítulo parece confirmarse en el caso de las obras de limitado éxito, en concreto *Átame, Kika* y el reciente musical, poco elogiadas por parte de los reseñadores de este diario. Si bien, como veremos en los siguientes capítulos, hay ligeras variantes en los juicios de valor de este cineasta por parte de otros periódicos, se puede afirmar que *The New York Times* actúa como hoja de ruta de muchas de las reseñas aparecidas en prensa.

El arco que une el limitado entusiasmo hacia sus primeras obras con los elogios de sus últimas películas permite constatar, por un lado, el desarrollo profesional del director y, por otro, el proceso de seducción del espectador estadounidense. Si bien la voluntad transgresora del director en sus primeras obras, producto de la postura ética y estética propia de la movida madrileña, no logra captar al público estadounidense a pesar de las claras conexiones con creadores del underground de este país, en especial con Andy Warhol y John Waters, la superación de esta etapa tan provocadora le va acercando paulatinamente a un espectador poco inclinado a ver y a valorar películas extranjeras. Para cuando Almodóvar estrena sus primeros largometrajes en Nueva York en la década de los ochenta, la estética del underground neoyorquino de los años sesenta ya había sido superada, de modo que la alusión a sus artífices resultaba obsoleta. Por mucho que películas como *Chelsea Girls* (1966) de Andy Wharhol y *Pink Flamingos* (1972) de John Waters elevaran relativamente el valor cultural de este cine underground, quince años más tarde, cuando Almodóvar estrenó *Pepi, Luci, Bom y otras chicas del montón*, quedaba poco del puntual éxito de esta contracultura. La comunidad articulada en torno al underground de los años sesenta, bien estudiada por Janet Staiger en su libro *Perverse Spectators*, apenas era un recuerdo en los años ochenta y Warhol, su

---

[19] La reseña de Terry Teachout aparecida en *The Wall Street Journal* el 5 de noviembre del 2010 ejemplifica esta cuestión. En estos términos se lleva a cabo la comparación entre el original y su adaptación: "To turn so fully realized a work of cinematic art into an equally successful musical demands that it be subjected to a complete and thoroughgoing imaginative transformation. Otherwise the new version will seem superfluous—which is what's wrong with the stage version of *Women on the Verge*".

principal artífice y el más admirado por Almodóvar, vapuleado por la crítica más elitista por sucumbir a la cultura de mercado, fue progresivamente asimilado por el circuito de galerías y por los círculos de personajes adinerados entre los que se movía y para los que trabajaba. Para cuando se estrenaron en Nueva York las primeras películas de Almodóvar, el primer Warhol no era más que una sombra de lo que había sido y el espacio que había abierto a la transgresión se había ido fundiendo sutilmente con la cultura dominante. A su muerte en 1986 apenas quedaba el recuerdo de su voluntad provocadora, lo cual ayuda a entender la escasa atención de *The New York Times* hacia las primeras películas del director español y sus limitadas simpatías.

El cambio radical a partir de *Mujeres al borde de un ataque de nervios* marca un antes y un después en la carrera del cineasta español en Estados Unidos como bien hacen patente las reseñas de *The New York Times* y la nominación para el Oscar a la Mejor Película Extranjera, que le abre las puertas del mercado norteamericano e internacional. A pesar de la reticencia de la crítica ante *Átame,* *Tacones lejanos y Kika*, sus ocho últimas películas desde *La flor de mi secreto* hasta *La piel que habito,* han sido objeto de elogiosas reseñas.

Su triunfo en el mercado norteamericano en general y neoyorquino en particular debe mucho al patrón de publicación de reseñas por parte de *The New York Times*. En septiembre y coincidiendo con el New York Film Festival aparece la primera reseña y en noviembre, con motivo del estreno en salas comerciales, la segunda, logrando con ello mantener la atención del público durante un período de dos meses, plazo en el que se lleva a cabo la mayor parte de la recaudación de taquilla.

La entusiasta recepción de Pedro Almodóvar en Estados Unidos opera como el más claro exponente de su universalidad. Conquistar el mercado norteamericano es el reto más alto de todo cine nacional ya que el modo de entender el fenómeno cinematográfico en ambos casos parte de premisas diametralmente opuestas. A la unidad del cine hollywoodiense se opone la fragmentación común en los cines nacionales, a sus historias cerradas y fáciles de exportar, la ambigüedad; a la continuidad, la discontinuidad; al alto presupuesto, uno limitado; al predominio de la acción, el de la reflexión. Ante tal disparidad de premisas se entiende, por un lado, la dificultad que plantea para el cine extranjero triunfar en el mercado norteamericano y por otro, la admirable destreza de Almodóvar para conquistar un terreno tan poco propicio.

El papel fundamental de *The New York Times* de cara al cine del director manchego ha sido y sigue siendo funcionar como carta de presentación y afianzar su presencia en las pantallas neoyorquinas, y por extensión del resto del país. El prestigio y la profesionalidad de sus reseñadores avalan la calidad de su obra y abren las claves para unas lecturas en principio bastante herméticas para un espectador ajeno a los registros de la cultura española. La pericia de Almodóvar para armonizar la españolidad de su cine con su vocación universal le ha permitido conquistar el mercado de Estados Unidos en un momento en el que lo "hispano", entendido en sentido amplio disfruta de los caprichos de la moda.

La popularidad del New York International Latino Film Festival y del Hispanic New York Film Festival sumada a la del New York Film Festival, en gran medida apuntalada por la atención que les dedica *The New York Times*, contribuye a abrir un espacio para el cine español al otro lado del Atlántico ya que, a los ojos del público estadounidense, el cine español y el latino caben bajo la misma etiqueta. Buena prueba de esta fusión/confusión es la catalogación como estereotipos hispanos de los actores españoles mejor posicionados en la escena cinematográfica norteamericana, en concreto Antonio Banderas y Penélope Cruz, presentes en varias películas de Almodóvar y destinados por Hollywood, con mayor o menor fortuna, a desempeñar el papel convencional de hispanos. Al margen de la distorsión que esto conlleva, el beneficio de esta simbiosis es mutuo ya que si para Almodóvar el interés en lo hispano propicia la venta y la distribución de sus películas en el mercado norteamericano, para el cine hispano, la consagración de Almodóvar en Estados Unidos y su reconocimiento por parte de Hollywood, legitiman el valor y acrecientan el interés en las proyecciones de habla hispana.

El liderazgo y autoridad de *The New York Times* contribuyen a limar la distancia estética entre el cine de Almodóvar y las expectativas del público estadounidense ya que las reseñas publicadas en este periódico, siempre firmadas por agudos críticos, preparan al espectador para captar una serie de valores ajenos a su cultura, imprescindibles para calar en el sentido del texto. Una de las estrategias más eficaces de estos críticos consiste en aludir a las cuestiones que insertan sus films en el marco de los debates actuales más controvertidos como sexismo, feminismo, abuso sexual y violencia que, si bien en la obra de Almodóvar se abordan de modo poco convencional, sitúan a la audiencia en un terreno teóricamente reconocible. Los años que median entre las poco elogiosas reseñas de las primeras películas, firmadas por Maslin, la creciente celebración por parte de la misma crítica de la estética de Almodóvar y el entusiasmo de A.O. Scott ante los últimos estrenos ponen de manifiesto el progresivo encuentro del director con los reseñadores y con el público, a la vez que invitan a reflexionar sobre la globalización de la cultura y por extensión de la crítica. Como bien prueban las películas extranjeras que han triunfado en el mercado norteamericano, el valor de una estética universal, desprovista del hermetismo atribuido a lo local, se impone así como moneda de cambio a la hora de entender el cine desde nuestro presente. Esto no supone renunciar en el caso del director manchego a los marcadores de la especificidad cultural española sino reciclarlos, como bien estudia Alejandro Yarza en *Un caníbal en Madrid,* y otorgarles un nuevo significado, legible para un espectador inmerso en unos esquemas narrativos y estilísticos globalmente reconocibles. Almodóvar, emblema del cine postmoderno, ha difundido universalmente una visión celebratoria, a la vez crítica y complaciente, de la España democrática y ha articulado una imagen del país que, para bien o para mal, se ha grabado en la retina de los espectadores estadounidenses.

CAPÍTULO 3

De Madrid a Hollywood:
la crítica estadounidense durante la primera fase
del cine de Almodóvar

La radical transformación del cine de Almodóvar desde sus comienzos hasta el presente y la desigual respuesta por parte de la crítica sitúan al espectador/lector ante un amplio abanico de lecturas que dan buena prueba de la complejidad de su obra. Desde sus primeras incursiones en el mundo del cine, obra de un director amateur, hasta sus últimas películas, marcadas por una gran sofisticación técnica, temática y estilística, su trayectoria desvela el proceso de aprendizaje de un autodidacta cuya vocación como cineasta ha suplido con creces la falta de una formación académica convencional. Así, la enorme distancia que media entre el aficionado de finales de los setenta y principios de los ochenta, y el profesional del tercer milenio explica las plurales respuestas de la crítica, el debate entre sus defensores y sus detractores, el distanciamiento de quienes se sienten traicionados por su deslizamiento del underground al mainstream, el acercamiento de quienes celebran su pulida estética actual y las opiniones mixtas de los que siguen de cerca su evolución y los altibajos de su carrera. Pero lo que es indudable es que, al margen de esta dispar gama de opiniones, Almodóvar se ha abierto un espacio propio en el mapa de la cinematografía mundial y ha alcanzado un éxito que pocos hubieran intuido al observar sus comienzos.

Un barómetro eficaz para medir la carrera cinematográfica de este director es la respuesta de la crítica, en especial la crítica periodística y la crítica en internet, sin olvidar por ello que en determinadas ocasiones es el público y no los críticos quienes le consagran como director. España ejemplifica este modelo a diferencia del resto del mundo donde los reseñadores internacionales operan como artífices de su prestigio. Si bien el objetivo de todo cineasta es trasvasar los límites de sus fronteras y lograr una proyección internacional, este proceso de conquista del mercado global comienza en general por la seducción del mercado local, en el caso de Almodóvar, el Madrid de la recién estrenada democracia, abierto a la experimentación artística y especialmente propicio para todo aquello que supusiera una ruptura radical con la estética del pasado. Este Madrid en el que se gestó la famosa movida resultó ser terreno abonado para un cine rabiosamente novedoso pero no por ello carente de influencias.[1] Alimentado en la estética del underground, de la cultura pop, del punk, fascinado por todo lo que salía de la factoría Warhol de Nueva York, Almodóvar encontró en la movida madrileña el clima idóneo para metabolizar estos referentes y modelar sus inquietudes artísticas, tanto literarias como cinematográficas.

Si bien como indica Txetxu Aguado —aludiendo a Joan Ramon Resina y a Eduardo Subirats—, tanto la movida como la filmografía de Almodóvar carecieron de "consistencia teórica" y se manifestaron como un puro "espectáculo posmoderno caracterizado por su vacuidad, ajeno a las expectativas de crítica política y social reclamadas a la cultura durante la Transición" (35), se hace necesario revisar estos acercamientos que miden el valor de su obra en términos de compromiso político o de apoyo teórico. Al margen de estas carencias se puede objetar que barajar parámetros vinculados a la alta cultura o al compromiso político limita el alcance de la cinematografía de este director y resta valor a la dialéctica que él ha establecido con el panorama cultural de nuestro presente. La convulsión que su obra ha supuesto en la España democrática la sintetiza Txetxu Aguado en la siguiente afirmación:

> Su verdadero potencial reside en esa producción de subjetividad no necesitada tanto de grandes gestos de cambio —o de contenidos hasta ahora no vistos ni puestos en escena— como de producción de las metamorfosis de lo individual que acabarán *siendo* en lo social. Su valor consiste en haber removido radicalmente nuestras conciencias, desde los reclamos de la rabiosa individualidad de sus personajes, del polvo acumulado por frecuentar lugares comunes de la sexualidad, la política o la cultura que rara vez nos sacudimos de encima. Almodóvar ha sido capaz de aunar en la afirmación de la libertad de sus películas una misma crítica a la rigidez ideológica de cierta izquierda y a la mojigatería moral de todo un país. (37)

---

[1] Para una información detallada sobre la biografía de Almodóvar y las inclinaciones cinéfilas y literarias gestadas desde su infancia, ver el libro del periodista Juan David Correa Ulloa, *Pedro Almodóvar, alguien del montón*, en el que hace un recorrido desde la infancia del director hasta su llegada a Madrid.

A raíz de las inconsistencias teóricas, políticas e ideológicas que le reprochan estos analistas de la transición, la crítica, como veremos, fue poco benévola con sus primeras películas lo cual no impidió que algunos vislumbraran el potencial del director y celebraran su voluntad provocadora y su rabiosa originalidad. En ese momento, principios de los años ochenta, el cineasta manchego era solo conocido a nivel nacional y sus tres primeras películas, *Pepi, Luci, Bom y otras chicas del montón* (1980), *Laberinto de pasiones* (1982) y *Entre tinieblas* (1983), a pesar de ser vapuleadas por la crítica, le abrieron paso en la escena cinematográfica española y le permitieron hacer sus primeras incursiones en Europa. *Pepi, Luci, Bom y otras chicas del montón* se estrenó en los cines Alphaville en Madrid y se mantuvo en cartel en la programación de noche varios meses; *Laberinto de pasiones* llegó a estrenarse en el Festival de Cine de San Sebastián e igualmente se pasó en la sesión de noche de los Alphaville durante varios años, y *Entre tinieblas* fue seleccionada para presentarse en la Mostra de Venecia, pero aún así los expertos se resistían a refrendar este modo de entender el cine tan provocador.

A pesar de esta resistencia, la clase política española adoptó la movida como emblema de su proyecto de cambio y el entonces alcalde de Madrid, Enrique Tierno Galván, organizó una exposición titulada *Madrid, Madrid, Madrid*, que en cierto modo legitimaba esta cultura cuya efervescencia ya empezaba a exhibir signos de desgaste. Los estragos de las drogas y la saturación de sus propios excesos llevaron a Almodóvar y a otros miembros de su círculo a replantearse su relación con la movida y a buscar otros registros artísticos más personales no sometidos a las leyes internas del microcosmos de este movimiento. Esta "expansión extática de la movida, criada en alcohol, hachís, 'poppers', cocaína y caballo", en palabras de Teresa Vilarós (35), abocada a paliar "la pérdida del contenido utópico de la superestructura cultural de resistencia a la dictadura" (Vilarós 35) y en especial su agotamiento, sirven de marco a la primera fase de su obra.

La siguiente película, *¿Qué he hecho yo para merecer esto?* (1984), se distancia del ambiente camp de sus primeras obras para acercarse a la órbita del neorrealismo. En ella ahonda en una temática más convencional —siempre con un giro personal— y adopta unos referentes más familiares y exportables, los problemas económicos de la clase trabajadora española, la disfuncionalidad de la familia tradicional, la hipocresía de la sociedad, etcétera, todo ello con el tinte transgresor propio del director. La crítica celebró este giro, los espectadores aplaudieron el deslizamiento hacia un mundo reconocible y la película obtuvo el Premio de la Crítica Internacional y el Premio Palmera de Plata ambos en el Festival de Cine del Mediterráneo, así como el Premio Sant Jordi a la Mejor Película. Pero Almodóvar no tenía previsto instalarse en este terreno relativamente seguro y en su siguiente obra, *Matador* (1986), asumiría nuevos riesgos, abordando una temática netamente española, los toros, pero subvirtiendo radicalmente sus significados convencionales. El público reaccionó en este caso puntual con menos interés que la crítica que, sin ser demasiado entusiasta, alabó el modo de narrar del director y su capacidad para crear personajes complejos no solo femeninos, sino también masculinos. Esto le valió varios premios, entre ellos el Premio Nueva Generación otorgado por la Asociación de Críticos de Los Angeles y el Premio al Mejor Director en el Festival de Cine de Oporto. Pero fue con su sexta película, *La ley del deseo* (1987), con la que expandiría su presencia fuera de España (la película se presentó a más de veinte festivales y muestras)[2] y afianzaría su libertad absoluta como creador al fundar su propia productora, El Deseo.

Habría que esperar hasta 1988 para que Almodóvar se instalara de lleno en el mercado internacional con *Mujeres al borde de un ataque de nervios* (1988). Con ella entró en el circuito de los festivales más prestigiosos (Cannes, Venecia, Toronto, Nueva York entre otros), obtuvo la nominación para el Oscar a la mejor película extranjera, recibió el Tucán de Plata en el Festival de Río de Janeiro y el premio de la Asociación de Críticos de Los Angeles concedido a nuevos directores, galardones todos ellos que le valieron su reconocimiento a escala mundial.

A raíz de este afianzamiento internacional y en consonancia con los parámetros de este estudio cabe preguntarse qué papel ha desempeñado la crítica en este proceso y qué impacto ha tenido la globalización en su consagración como el director más internacional del cine español, junto con Luis Buñuel. La disolución de fronteras inherente al fenómeno de la globalización trasciende lo puramente geográfico para afectar a una multiplicidad de áreas que abarcan desde la circulación de personas y bienes a los productos culturales, pasando por lo económico y lo social. La rapidez y accesibilidad de los medios de transporte y la difusión de la tecnología han contraído el espacio y dislocado la idea de distancia, generando con ello un vertiginoso tráfico de seres humanos, bienes de consumo, capitales e ideas que contribuye a crear una ilusión de proximidad y a atenuar las

---

[2] Consultar el anexo incluido al final de este volumen para una referencia completa sobre los festivales a los que se han presentado las películas de Almodóvar.

diferencias. En el terreno de la cultura lo global, lo nacional y lo local entran en una dialéctica en la que, como bien indica Marcha Kinder en *Refiguring Spain*, "the concept of nation has been displaced by the local/global nexus" (1997:85), dando pie a una producción cultural con vocación universal a pesar de, o gracias a su localismo y a la articulación de un "postnational imaginary" (42), como lo denomina Charles Acland en *Screen Traffic*, que condiciona nuestro modo de pensar. El cine, arte por excelencia de la era global gracias a su universalidad, portabilidad, rápida difusión y carácter urbano y sobre todo a su intersección con la cultura de masas, opera como eficaz difusor de ideas y contribuye como ningún otro arte a articular identidades.[3] De aquí el poder del cine de Almodóvar a la hora de trazar y difundir la imagen de la España postfranquista y la controversia sobre el abanico de imágenes y registros que este pone en circulación e incorpora al imaginario colectivo.

La esencia transgresora de este director y su distanciamiento de los parámetros convencionales invita a reflexionar sobre las razones de su éxito a nivel internacional y en particular en Estados Unidos. A esta realidad aluden Brad Epps and Despina Kakoudaki al constatar que, "despite his status as a Hollywood outsider, Almodóvar has managed […] to take advantage of the opportunities of the so called new global order, using revitalized film festivals, national subsidies […] and new patterns of distribution to reach new audiences and to garner the attention and appreciation of Hollywood itself" (2).

Una de las razones que cabe argüir radica en la convergencia de su universo creador con las propuestas más novedosas de Hollywood, en concreto con la inclinación a la fusión/confusión de géneros cinematográficos. La claridad genérica que tradicionalmente ha caracterizado el cine de Hollywood se ha visto alterada por la presencia de nuevos directores, entre ellos Quentin Tarantino, David Lynch, Todd Haynes y los hermanos Coen, que han hecho de la imprecisión genérica su marcador. En sus films convergen trazos del cine de terror, del western, del melodrama, de la comedia, del cine negro, de la farsa, de lo realista y surrealista, dando paso a lo que Ira Jaffe etiqueta como "cine híbrido". Al cruce de géneros se añade el hecho de que este cine híbrido es "inherently subversive, since in mingling genres and styles instead of keeping them separate, these films choose

---

[3] El estudio de Ackbar Abbas "Cinema, the City and the Cinematic" ilustra esta dialéctica entre el cine, el fenómeno urbano y la era global. Para él, "not only does the cinematic image come out of urban experience; it also incorporates such experience in a new aesthetic principle, an aesthetic of movement where instability becomes paradoxically the principle of structure" (144).

heterogeneity over homogeneity, contamination over purity" (Jaffe 6). Películas como *Kill Bill* de Quentin Tarantino ejemplifican este tipo de posicionamientos estéticos y desestabilizan las tradicionales clasificaciones genéricas a las que nos ha acostumbrado el Hollywood clásico. Refiriéndose a este rasgo en la obra de Tarantino, el mismo Jaffe afirma: "He seeks not merely to quote and allude to an array of genres, but also subvert them and upend his audience's generic expectations" (5). Gracias al impacto de los directores aquí mencionados el espectador norteamericano ha ido absorbiendo paulatinamente unos modos de crear más abiertos, propiciando con ello la aceptación de opciones estéticas tan innovadoras como la del propio Almodóvar. Si bien es cierto que tanto a Tarantino como a Almodóvar se les ha criticado por su hermetismo e inclinación a crear situaciones extremas excluidas de la vida real, el público ha ido entrando en sus historias y valorando el artificio como elemento compositivo.

La mencionada cuestión del género y, en concreto, su repercusión en la internacionalización del cine de Almodóvar abre una reflexión sobre la engañosa estabilidad de los géneros cinematográficos y sobre el peso del contexto a la hora de dilucidar su impacto en la lectura de la obra de este cineasta a nivel global. Bajo unos marcadores genéricos universalmente reconocibles se oculta siempre una interpretación marcada por la cultura que los fagocita y por la metabolización que de ella hace el propio director. A esta cuestión se refiere Jay Beck al afirmar que

> When films travel from one culture into another, the role of generic categories and the function of films genres in selling a body of films to spectators typically change, building upon the cultural and social dominants of a particular mediascape. Consequently it is critical to understand genre as a discursive category that mutates in different cultural and media spaces, acquiring diverse sets of meanings. (13)

Esta es la razón por la que los directores actuales deban mantener un equilibrio de funambulistas entre la adscripción a su propia cultura y la legibilidad de la misma en otros contextos y deban manipular los marcadores de los géneros cinematográficos a su conveniencia para llegar simultáneamente a un público local y global. De ahí igualmente el interés por entender "how generic discourses are utilized both to advance and to hide markers of national identity" (Beck16). Dado que para las distribuidoras los géneros constituyen la etiqueta de venta más claramente reconocible, enfrentarse a la comercialización del cine de Almodóvar presenta ciertos desafíos, o los presentaba antes de afianzarse como director en el mercado global y de llegar él mismo a perfilar un estilo definible como "almodovariano". Refiriéndose al cineasta manchego, Vicente Rodríguez Ortega considera que "In the Almodovarian universe for US audiences, genres thus function as markers of both his distinctive cinematic oeuvre and the multiple layers of intertextuality through which he connects his work with a variety of artistic practices from around the globe" (45). A ello responde, como se ha visto en el primer capítulo, la diferencia entre las campañas publicitarias destinadas al publico español y las creadas por las distribuidoras internacionales (en concreto Sony Classics Pictures en Estados Unidos), supervisadas por el propio Almodóvar, que modifican el material publicitario para adaptarlo a la sensibilidad estética de los espectadores de cada país.

Otro rasgo que comparte este nuevo cine de Hollywood con Almodóvar y que afecta su recepción en Estados Unidos es el gusto por la manipulación formal, en especial la autorreflexividad y la ruptura de la linealidad temporal de la historia. Las constantes referencias al cine dentro del cine, bien como alusión directa, bien como representación especular, como anticipación de un suceso o como mero homenaje, hacen de la autorreflexividad uno de sus ejes estructurales más significativos. Si para un sector de la crítica este pastiche cinematográfico revela un agotamiento temático y estilístico, para otro ofrece un amplio repertorio de interpretaciones y apropiaciones en ningún modo falto de originalidad. En el caso de Almodóvar esta técnica va más lejos y en casi todas sus películas se ficcionaliza el proceso mismo de filmación, simulaciones, rodajes y doblajes que, como señala Silvia Colmenero, "parecen estarnos previniendo del espectáculo al que vamos a asistir, preparándonos para enfrentarnos a una especie de realismo enmarcado, paradójicamente, en el mundo de la ficción" (24). Pero si bien esta voluntad innovadora en lo que atañe al estilo y a la forma se da acompañada de un trasfondo ideológico convencional en el cine norteamericano, en el caso de Almodóvar acarrea posturas éticas más arriesgadas. Ello conlleva un doble efecto en apariencia contradictorio ya que la ambigüedad moral que atraviesa su obra genera una sensación de distancia en el espectador, en especial en el extranjero, abierto a los cambios formales pero poco inclinado a lo que desestabilice sus valores morales. Esto es substancialmente cierto entre el público estadounidense, receptivo a todo tipo de experimentaciones formales siempre y cuando se entretejan con una historia moralmente aceptable. Pero a su vez los registros comunes en lo que atañe a la experimentación formal atenúan la distancia entre el cine de Almodóvar y el de Hollywood, y acercan al espectador norteamericano a este universo tan atípico, más allá de la barrera creada por su provocador código moral. En este marco se puede además inferir que el uso de la autorreflexividad como técnica, en concreto su voluntad de recordar al espectador que se mueve en el terreno de la ficción, parece favorecer la tolerancia de posturas éticas e ideológicas más arriesgadas, amparadas por la distancia que la mencionada técnica conlleva.

A ello se ha de sumar la capacidad para generar una empatía entre espectadores y personajes, admirable cuando se trata de seres moralmente recriminables. A la empatía como factor determinante en el cine híbrido apela Ira Jaffe al subrayar

> The capacity to identify with the experience of others, to take in thoughts and feelings outside ourselves. Such identification entails a degree of reaching out, of merging or overlapping with others, that somewhat parallels the workings of hybrid form, in which ordinarily distinct genres, styles, and tones fuse o merge. According to this view, characters in hybrid films whose empathy takes them beyond the usual confines of their identity resemble the films they inhabit, even though films do not have feelings as people. (154)

De ahí que la empatía que despierta Almodóvar entre sus personajes y el espectador reduzca la resistencia en el público y ayude a aceptar conductas desviadas de la norma, factor especialmente significativo a la hora de seducir al espectador estadounidense, acostumbrado a historias cuyos finales tienden a restablecer el orden. En este contexto se entiende la cercanía del público con la protagonista de *Volver*, Raimunda, asesina de su marido, o con Benigno, protagonista de *Hable con ella* y violador de una mujer en coma, a la vez que se demuestra que los personajes almodovarianos reconcilian de modo admirable las conductas más nobles con las más aberrantes impidiendo la consolidación de un universo moral estable. Así a las transgresiones transitorias del cine de Hollywood y a los finales que tienden a restablecer el orden, se oponen las transgresiones permanentes en el cine de Almodóvar de una manera tan profunda que el cineasta logra desestabilizar los principios éticos imperantes y deslizar al espectador a un reducto moral ajeno a la norma. Con gran destreza el director español se instala en la difícil línea que separa lo insólito de lo imposible sin perder nunca pie en la realidad.

Esta cuestión de la experimentación formal en relación con la transgresión entre el nuevo cine de Hollywood y el europeo lleva a Brian Young a afirmar en su tesis doctoral *Cinematic Reflexivity: Postmodernism and the Contemporary Metafilm* (University of California, Davis, 2011) que

> While meta-elements are often highly stylized and overt, I argue that they function quite differently in the U.S. than they do abroad. American metafilms appear to hide a reliance on conservative morality and grand narratives. In contrast, self-reflexive movies created in Europe and Mexico offer viewers a less conventional depiction of ethics and ideology. This juxtaposition aims to illustrate an American audience's gravitation towards what is formally innovative yet ideologically conservative (iv) [...] Almodóvar and Haneke use meta-features in a way that often parallels directors like Tarantino, but they do so in a way that leaves audiences in a much more ambiguous moral state—a fact that leads to an unease about European directors that is clearly not present in Fincher and Tarantino, for example. (86)

La distancia entre el espectador norteamericano, acostumbrado a moverse en un universo moral estable y reconocible, y las historias de Almodóvar se atenúa así gracias a la familiarización con la innovación formal que comparten los directores del nuevo cine de Hollywood con los europeos. El hecho del que su cine se haya afianzado en el panorama cinematográfico estadounidense pone de manifiesto el proceso de seducción de este público junto con una nueva disposición a aceptar otros marcos de referencia. Como bien apunta Beck, "since *Todo sobre mi madre*, [Almodóvar] has become fully recognizable and, most importantly, *understandable for American audiences*" (Rodríguez Ortega 45).

La hibridez que permea estos textos fílmicos tanto en lo que atañe a la fusión de géneros como al trenzado de la realidad con la ficción y a la ambigüedad moral apela a un espectador flexible, dispuesto a entrar en historias ajenas a su marco referencial y a la vez conectadas a lo inmediato real.

Veremos a continuación la respuesta de la crítica estadounidense a la primera fase de la carrera de Almodóvar, desde el estreno de *Pepi, Luci, Bom y otras chicas del montón* hasta *Mujeres al borde de un ataque nervios,* momento que señala su entrada en la órbita de Hollywood.

PEPI, LUCI, BOM Y OTRAS CHICAS DEL MONTÓN

El primer largometraje de Pedro Almodóvar, *Pepi, Lucy, Bom y otras chicas del montón*, presentado en el Festival de San Sebastián el 19 de septiembre de 1980, no se estrenó en Estados Unidos, concretamente en el Angelika Film Center de Nueva York, hasta el 29 de mayo de 1992, cuando el manchego era ya un director consagrado a raíz de la nominación para el Oscar a la Mejor Película Extranjera con *Mujeres al borde de un ataque de nervios*, galardón que no obtuvo pero que le valió el reconocimiento oficial por parte de la crítica y del público estadounidenses.

A pesar del prestigio que el director había alcanzado en esta fecha, la reseña publicada en *The New York Times* por Janet Maslin detecta más defectos que aciertos en la película y manifiesta su sorpresa ante los comentarios que la prensa española publicó en el momento del estreno, 1980. Refiriéndose a esta cuestión, Maslin indica: "Spanish critics of the time described the film as being 'like a healthy, well intentioned sock in the nose' (*Tele-Express*) and praised Almodóvar as 'a stubbornly passionate defender of substandard movies' (*El Periódico*), maintaining that this one 'upturns with true daring the most respected taboos of our ridiculous society' (*El País*). Only in the context of an exceptionally taboo-ridden culture could this film's scatological silliness be construed as bold" (29-5-1992).

Además de afirmar que el supuesto atrevimiento del director "is limited to shock value of a very adolescent variety", destaca "the film's anything-for-attention", dejando claro el limitado espacio que una película de estas características tiene en el mercado de Estados Unidos, obviamente ajeno a los cuarenta años de represión franquista con los que dialoga esta historia. Conocedora ya de la filmografía de Almodóvar en el momento de publicar esta reseña, 1992, Maslin elogia tibiamente el papel de Carmen Maura, viendo en ella la única línea de continuidad, si bien tenue, con la futura carrera del director, en concreto con *Mujeres al borde de un ataque de nervios*. Pero aunque la crítica en general fue parca en aclamaciones con este primer largometraje, para Desson Howe, crítico de *The Washington Post*, no pasó desapercibida la frescura de esta primera cinta en contraste con lo que este crítico percibe como "casi convencional" en sus siguientes películas, sin que esto le impida ver sus defectos. En estos términos resume su punto de vista: "Initially a filmmaker of outrageous, taboo-tweaking fare, Pedro Almodóvar in recent work has become—of all things—fatuous and almost conventional. The Spanish director of 'Women at the Edge of a Nervous Breakdown' is now repeddling himself, with repetitious, campy tributes to the clara Hollywood fare of the 1950's" (24-7-1992). Además de etiquetar la película como "shoddy and amateurish", la considera "the sophomoric excess of a neophyte who loves to shock", defectos a los que suma la falta de argumento, el más problemático de todos para este crítico. Más dura es Rita Kempley, también desde *The Washington Post*, al afirmar que "Pedro Almodóvar showed no a whisker of promise in his amateurish directorial debut, a smutty sexual sideshow most safely viewed in a full body condom" (24-7-1992).

Entra aquí en juego la dificultad para aislar una película de las circunstancias que la rodean, dato que obviamente condiciona la opinión de los críticos españoles y escapa a un extranjero ajeno a la radical transformación que experimentó España en estos años. Si en principio su temática resulta atractiva —la independencia de las mujeres, su resistencia a todo tipo de adversidades, su solidaridad incondicional—, el modo de tratarla es excesivamente burdo y distancia al espectador. Su valor como testimonio de un movimiento cultural concreto, la movida, ajeno a todo compromiso explícito político o social, escapa a todo aquel que no haya vivido de cerca este momento, hecho que explica que su relevancia como testimonio de una época resulte absolutamente trivial para un extranjero.[4]

Paul Julian Smith sale al paso de estos reproches indicando que las críticas apoyadas en el carácter apolítico y ahistórico del cine de Almodóvar son producto de "an ignorance or indifference to the Spanish context in which that work has been produced. Foreigners cannot expect Almodóvar to subscribe to forms of resistance which evolved in response to the triumph of the British and North American right in the eighties; and if they are serious about respecting cultural difference they must pay more attention to a nation whose understanding of such issues as gender, nationality, and homosexuality may well be more sophisticated than their own" (2000: 2-3). Si bien esta defensa a ultranza está bien fundada falta añadir que los defectos formales como la factura imperfecta, débil argumento, humor tosco y vulgar, y el provocador contenido resultan difíciles de digerir para cualquier crítico o espectador ajeno al clima de los años ochenta en España.

Estas reseñas de distinto signo se hacen eco de la division de opiniones que suscitó esta primera película en España. Pedro Crespo desde *ABC* arremete contra lo que él considera como "una estética contraria o contraestética y cultivo del feísmo […] que alienta el cultivo de la obscenidad y de la grosería, escudándose en el absurdo, en la crítica social y en un pretendido naturalismo". Sin embargo, Diego Galán desde *El País* alaba lo que la obra tiene de "sorprendente y única", su grado de "corrosión, libertad, imaginación, frescura y humor", además de su capacidad para socavar "con auténtica osadía los más respetables tabúes de nuestra sociedad". Igualmente Francisco Marinero, de *Diario 16*, la califica como un

---

[4] No olvidemos la carga política de este engañoso apoliticismo que más bien responde a las declaraciones del director que al contenido de los textos ya que esta buscada ausencia de alusiones concretas a la realidad política de España opera en el fondo como una clara presencia.

"divertido disparate, jugoso y trasto".[5] Más allá del posicionamiento político de los periódicos que publican estas reseñas se hace patente el interés que este nuevo director despertó entre los críticos y su habilidad para no dejar a nadie indiferente. Dada la saturación de España con el tipo de cine que dominaba las pantallas en los años ochenta, marcado por el compromiso político y la voluntad de repensar la historia y caracterizado por una estética académica repetitiva, no sorprende la atención que recibió este primer largo. A ello alude Cesar Santos Fontenla desde *Sábado Gráfico* en el siguiente comentario: "El cine a veces tosco pero nunca torpe en el que se inscribe *Pepi...* resulta, en cualquier caso, más estimulante, en especial para las generaciones más jóvenes, que el pulidamente académico que con frecuencia nos ofrecen nuestros santones".[6] Si bien es cierto que la película mostraba numerosas deficiencias fue bien recibida por el público, poniendo de manifiesto, como indica Marvin D'Lugo, que había surgido un nuevo público en España, abierto a nuevas posturas estéticas, que no habían sido tenidas en cuenta por los cineastas anteriores.[7]

Hasta el 2006, año en que la distribuidora Optimum Releasing lanza en el Reino Unido un volumen con cuatro películas del cineasta con subtítulos en inglés — *Pepi, Lucy, Bom y otras chicas del montón, Entre tinieblas, ¿Qué he hecho yo para merecer esto?* y *Mujeres al borde de un ataque de nervios*—, el espectador de habla inglesa no había tenido acceso a estas primeras películas en DVD. Solo Tartan Video había sacado con anterioridad en VHS la cinta de *Pepi, Lucy, Bom y otras chicas del montón* en Estados Unidos, con una distribución limitada.[8] Este volumen que permite al espectador de habla inglesa acceder a la primera etapa de la carrera de Almodóvar, se complementa con la colección de DVDs *Viva Pedro*, lanzada en Estados Unidos en el 2007 por Sony Pictures Classics, también con subtítulos que incluye, como se mencionó con anterioridad, *Mujeres al borde de un ataque de nervios, Todo sobre mi madre, Hable con ella, La flor de mi secreto, Carne trémula, La ley del deseo, Matador* y *La mala educación.*

---

[5] Tomo estos datos sobre la respuesta de la crítica en España del libro de María Antonia García de León y Teresa Maldonado, *Pedro Almodóvar*, págs. 198-200, 241-242.
[6] Remito de nuevo al estudio de María Antonia García de León y Teresa Maldonado mencionado en la nota anterior, pág. 241.
[7] El libro de Marvin D'Lugo titulado *Pedro Almodóvar* lleva a cabo un ilustrativo recorrido, película a película, por la cinematografía del director.
[8] Tartan Video USA, filial de la compañía inglesa Tartan Films, creada en 1984 para distribuir películas de Asia así como películas de arte y ensayo del resto del mundo, desapareció como tal en el 2008 y fue vendida a Palisades, que continua distribuyendo películas independientes en ambos continentes.

Filmada en 16 mm y transferida a 35 mm para adaptarse el formato de salas comerciales esta primera película, rodada con un presupuesto total de 6.000.000 de pesetas, *Pepi, Luci, Bom y otras chicas del montón* recaudó en España 45.183.175 de pesetas, cantidad suficiente para legitimar su presencia en el panorama cinematográfico español de la época y conseguir financiación para su segunda película, *Laberinto de pasiones*.[9] El accidentado rodaje de este primer largometraje duró un año y medio a causa de la falta de presupuesto y de la inexperiencia del equipo, obstáculos que sirvieron para probar la determinación y la vocación del director.

La respuesta de la crítica ante este primer largometraje logró despertar la curiosidad del público y crear un clima idóneo para su siguiente estreno. A pesar de los inevitables defectos de una primera obra con un presupuesto ínfimo y de la voluntad provocadora de su autor se perfiló a raíz de este film un público dispuesto a seguir a un cineasta con un estilo tan personal y transgresor como el de Almodóvar.

LABERINTO DE PASIONES

Su segunda película, *Laberinto de pasiones* (1982), estrenada igualmente en el Festival de San Sebastián (29 de septiembre de 1982), producida por Alphaville, se proyectó intermitentemente en la sesión de noche durante varios años en los cines del mismo nombre de Madrid. Este apoyo por parte de Alphaville supuso un impulso valioso a la hora de afianzar el cine de Almodóvar en España. Los propietarios de estas salas, Mariel Guiot y Javier Garcillán, cuya intención era proyectar en el país un cine independiente de calidad en versión original, procedente de Europa y de Estados Unidos, abrieron paso a una alternativa a un supuesto cine de calidad que aburría al público y apenas daba beneficios. Llegada a Madrid desde Francia con el propósito de hacer una tesis sobre Carlos Saura, Mariel Guiot creó una pequeña revolución entre los cinéfilos madrileños al abrir el centro Alphaville, sus cuatro salas y su cafetería, ya que además de introducir en la España de fines de los setenta un cine extranjero de calidad hasta entonces ausente, inició sesiones de madrugada que aglutinaron a un círculo de cinéfilos con una

---

[9] Inicialmente Almodóvar y Carmen Maura recaudaron 500.000 pesetas para iniciar el rodaje, cantidad que completaron Pepón Coromina, Pastora Delgado y Ester Rambal.

sensibilidad diferente, impulsores de nuevos debates en torno al cine. El propio Almodóvar en un artículo publicado en *El País* (22-6-1991), titulado "Callejón con salida", afirma: "Cuando digo que Alphaville fue mi casa no empleo una metáfora. Todas mis películas encontraron su acomodo natural en alguna de sus cuatro salas. Incluso cuando existía una quinta puse alguna vez mis prehistóricos super ocho. *Pepi, Luci, Bom* fue recuperada por los chicos de Alphaville de los circuitos basura y se quedó cuatro años instalada en las sesiones de madrugada [...] Los independientes americanos y los supervivientes de la nueva ola francesa deberían hacerle un monumento a estas salas y naturalmente a Mariel".

Si bien *Laberinto de pasiones* muestra ciertos avances en su factura respecto a *Pepi, Luci, Bom y otras chicas del montón*, es acogida con mayor hostilidad por parte de la crítica. El carácter novedoso de su primera obra ya no opera como factor de atracción y el centro de atención se desplaza a los defectos. Como irónicamente indican María Antonia García de León y Teresa Maldonado, este segundo estreno "consiguió la proeza de aunar las opiniones: todas las críticas fueron malas" (201). Esta afirmación tan categórica, válida para España en el momento de su estreno, no refleja la reacción de la crítica en Estados Unidos, más tolerante con los defectos de este segundo largometraje, como muestra la reseña publicada por Janet Maslin en *The New York Times* a raíz del estreno en Nueva York el 19 de enero de 1990 en el Bleecker Street Cinema. Más inclinada ahora a evaluar esta cinta a la luz del ya notable éxito de Almodóvar en esta fecha, Maslin escribe una reseña relativamente benévola. El tono queda patente en los siguientes comentarios: "*Labyrinth of Passion* [is] a screwball sex comedy that is in some ways the blueprint for Mr. Almodóvar later hit [...] it is only Mr. Almodóvar's embrace of the outrageous and his dizzying energy level that gives otherwise standard comic setups the appearance of being bold [...] this film shows off the bright gaudy visual style, the breezy manner and the exuberant energy that are Mr. Almodóvar's particular virtues" (19-1-1990). Diez días más tarde y en el mismo periódico Maslin vuelve a aludir a la película en estos términos: "*Labyrinth of Passion* reveals a much coarser and more uninhibited sensibility than the one displayed in his biggest hit [*Women at the Edge of a Nervous Breakdown*] [...] Yet if Almodóvar in those days could let his glib, festive amorality get the best of him, he was subsequently able to turn it into an asset" (28-1-1990). De nuevo los ocho años que median entre la fecha del estreno en España y en Estados Unidos y a la luz del éxito que durante ellos logra, se explica el tono positivo de esta reseña. Igualmente celebratoria es la reseña de

Emanuel Levy (http://www.emanuellevy.com/review/labyrinth-of-passion-1982/), en la que afirma que "The film's text has many twists and turns, but on a more serious level, it offers a critic of mainstream culture a definition of love [...] As a satire, *Labyrinth of Passion* is sophisticated, and more importantly, upbeat and optimistic". En la misma tónica, la crítica de Desson Howe desde *The Washington Post* se abre declarando que "Pedro Almodóvar is in the middle of a entertainingly career in which he has been consistently bumping and gridding against taboos" (20-4-1990). Recurre en este caso el crítico al momento histórico por el que pasaba España para justificar el tono de la película y define a los personajes como seres "who are enjoying a tiny Golden period of sexual adventurousness between the dissolution of Franco's authoritarian regime and the onset of AIDS consciousness". El análisis en este caso es limitado y la reseña se reduce a un resumen del argumento y omite toda alusión a los defectos para concluir afirmando que "for the right crowd in the right frame of mind, this movie has more than its share of funny, even poignant moments" (20-4-1990). Menos generosa es Rita Kempley desde el mismo periódico, *The Washington Post,* al calificar la película de "vulgar satire [...] tosses a plot together like some kind of meat salad [...] *Labyrinth of Passion* is a mirror of Madrid's club scene, as tediously Dadaistic as the punk genre it so absurdously lampoons [...] Promiscuity, Almodóvar's muse, and the drugs it celebrates have proved poison indeed" (20-4-1990).

En contraste con la relativamente benévola crítica de algunos reseñadores de la película en Estados Unidos, la prensa española refleja el desinterés que genera la repetición de una historia inconexa y el burdo modo de contarla ya visto en su primera obra. *Informaciones* publica un texto firmado por Angel Pérez Gómez que sintetiza la opinión general de la crítica en España: "*Laberinto de pasiones* pretende ser graciosa y escandalosa. No es ni lo uno ni lo otro. Se nos narra confusa y arbitrariamente una débil historia paródica [...] una sarta de tonterías que se pretenden humorísticas" (30-9-1982). El tedio que genera entre los críticos españoles esta estética aflora también en la reseña de J.L. Guarner, publicada en *El Periódico.* Para él, "La realización ha dejado de ser feísta —como en *Pepi, Luci, Bom*— para hacerse simplemente chata: no es bonita ni fea, sino todo lo contrario. La narración se reduce a un desfile de cuadros, someramente pegados entre sí, sin que eso que hemos convenido en llamar cine tenga la mínima intervención" (22-10-1982). Los ataques a este segundo film se centran sobre todo en problemas de base: la falta de interés de la historia, la incapacidad para armarla de forma coherente, la dislocación del guión y el mal gusto. Lo que de provocador y novedoso encerraba su primer film ha dejado de hacer efecto y la crítica refleja un cansancio quizá excesivo dado que es solo su segundo largometraje. Incluso Diego Galán desde *El País*, uno de los críticos españoles que más ha apoyado al cineasta manchego, parece ver un retroceso en esta segunda cinta: "Aquella amoralidad de su primera película se prolonga en la nueva entrega, aunque Almodóvar pretenda ser más ambicioso. Pero la diversión del texto escrito no corresponde siempre a la gracia de la imagen, tan torpe como en su primera película" (1-10-1982). Ello no impide que alabe en la misma reseña "una frescura y una originalidad admirables que no deben pasar inadvertidas".

Dado que las primeras reseñas de esta película publicadas en Estados Unidos no aparecen hasta ocho años después de su estreno en España y que Almodóvar en este momento ya era un director internacionalmente reconocido, el contenido de las mismas no refleja una primera reacción al film sino una visión mediada por el éxito. De ahí que la benevolencia de estos críticos estadounidenses no deba ser interpretada fuera de contexto. Si la película se hubiera estrenado en Estados Unidos en el mismo momento que en España, 1982, probablemente el tono hubiera sido otro. Pero al margen de todas las críticas Almodóvar entró con esta segunda película en la órbita del cine de culto, con un público limitado pero extremadamente fiel. Tanto es así que Guillermo Schnuerer considera que *Laberinto de pasiones* fue "el primer equivalente español de un cultmovie" (17).

Tartan Video (Gran Bretaña) lanza primero la película en inglés en video (1993) y catorce años más tarde, en 2007, aparece en formato DVD. El lanzamiento viene acompañado de una entusiasta reseña de John White en la que afirma que

> Almodóvar wouldn't dare do something so simplistic these days but that is the cinema's loss as *Labyrinth of Passion* is great fun in the way that fine out there films can be. Like the work of Russ Meyer, John Waters and many others, Almodovar's early films have a quality of principled disposability that says enjoy the here and now and stop thinking so hard. It isn't deep but *Labyrinth of Passion* is certainly whimsical and entertaining with a rough edge to the film making that makes it an important document when considered with the much greater craft of Almodovar's films now. Witty, silly and full of itself.
> (http://homecinema.thedigitalfix.com/content.php?contentid=65579)

El DVD incluye además una discusión de la película de Miles Fielder en la que alaba la capacidad subversiva del director, admitiendo que éste estaba aún aprendiendo el oficio de cineasta, y justifica el contenido y el tono de la película en base al hecho de haber sido creada en el período que media entre el post-franquismo y la aparición del sida. El público norteamericano fue más duro que la crítica, como reflejan los datos de Internet Movie Database, y la película recibió aquí 6.5 estrellas de un total de 10, debido sobre todo a la debilidad del argumento, la excesiva complicación y la falta de coherencia, además de la abundancia de situaciones absurdas y de mal gusto. Es importante notar que, aunque la película se estrenó en Estados Unidos en 1990, estos comentarios no aparecen hasta 1999, momento como se indicó con anterioridad en el que Almodóvar ya era un director internacionalmente reconocido, de modo que su fama parece influir menos en el público que en los críticos, menos tolerante el primero con los defectos de esta primera época. Es imposible determinar en qué medida las reacciones negativas responden a la comparación de esta película con su obra reciente, o las respuestas positivas a una aceptación incondicional de su estética, producto de su fama.

ENTRE TINIEBLAS

Entre tinieblas (1983) fue estrenada en el Quad Cinema en Nueva York el 6 de mayo de 1988 con el poco acertado título de *Dark Habits*, ya que éste distorsiona el sentido del original en español. La idea de "tinieblas" asociada a la religión alude a la falta de luz para captar el sentido completo y recto de lo sagrado, cuestión que en la traducción al inglés se diluye en una referencia a costumbres depravadas. Paul Julian Smith lamenta que "There could not be more telling example of the impoverishment of meaning effected by the crossing of linguistic and cultural borderlines than this (literal) travesty of the original title" (2000: 37). Lo atípico del tema, la misión redentora de un convento de monjas cuyas vidas giran en torno al consumo de drogas, la escritura de novelas rosas, las prácticas masoquistas y la atracción hacia personajes del mismo sexo, junto con lo impreciso del género, a caballo entre la comedia y el melodrama, crean un cierto desconcierto entre los reseñadores tanto nacionales como extranjeros que parecen no encontrar un registro estable en el que anclar su crítica. A esta cuestión se refiere Mark Allinson al afirmar que "*Dark Habits*, Almodóvar's third film, is the first to combine a strong element of comedy with burgeoning melodrama, indicating a way forward for the director's work after the first two pop comedies. While the convent location and the individual eccentricities of the nuns constantly edge the film towards absurd comedy, if these elements were removed, the remaining drama of relationships has much melodramatic potential " (144). El cambio de la comedia pop con la que comenzó su filmografía a este género híbrido se refleja en la reseña de Walter Goodman publicada en *The New York Times* bajo el significativo título de "Steamy Nuns and Junkies". Según el reseñador,

> Mr. Almodóvar, who has built a reputation in Spain in recent years for a bizarre sort of comedy, shows a taste for melodramatic lighting and perspectives, portentous music and sometimes grotesque close-ups—techniques often attached to movies that take religion seriously but employed here, more or less effectively, for satire. This black comedy or light melodrama, does not go for belly laughs, but keeps you smiling at the innocence of the sinful nuns, as the appealingly carry on their appalling practices […] Mr. Almodóvar, who wrote as well as directed, does not quite bring the events together, but his wry attitude toward conventional morality is not lost, and the acting is sufficiently controlled to keep the characters from running away into farce. (*NYT* 6-5-1988)

Tres aspectos quedan patentes en esta reseña: lo que de desconcertante tiene para la crítica su atípico estilo, la imprecisión genérica y la pericia del director a la hora de dirigir a sus personajes, cuestión esta última considerada el mayor mérito de esta obra. En una nota publicada por la productora de la película, Tesauro, el propio Almodóvar declara: "No sé a qué género pertenece *Entre tinieblas*. A veces es una comedia, a veces un gran melodrama, a veces una película de terror".[10] Será a partir de esta tercera obra cuando Almodóvar adopte la hibridez genérica como modo de crear, dosificando los elementos de uno y otro género para lograr el efecto buscado. Su cuarto largometraje, *¿Qué he hecho yo para merecer esto?*, añade un componente más a esta fusión al amalgamar comedia y melodrama con matices del neorrealismo.

Pero lo que verdaderamente condicionó su recepción no fue esta hibridez genérica sino el tratamiento irreverente de la religión católica, razón por la que la película fue rechazada en el Festival de Cannes. El componente sacrílego provocó igualmente la exclusión de la película de la sección oficial del Festival de Venecia, a pesar de que había sido considerada para su presentación en dicho festival. Si en principio el tema de la religión abordado de un modo tan transgresor plantea problemas en países con una tradición católica fuerte, Italia y Francia entre ellos, su capacidad para tratarlo de un modo atípico y personal le exime de

---

[10] Ver los comentarios del director sobre la película en una nota publicada por la productora, Tesauro, titulada "Pedro Almodóvar habla de *Entre tinieblas*", Tesauro, S.A. Producciones cinematográficas. Documento de la Filmoteca de Madrid.

responsabilidad. De ahí que Alan Riding al referirse a *Entre tinieblas* considere que "Almodóvar insists that serious subjects are not to be taken too seriously" (*NYT* 11-2-1990). El propio Almodóvar alude a este tratamiento ligero de la religión y en la mencionada nota publicada por Tesauro declara: "Decidí: ya que Dios no está presente, a menos estará ausente. Es otro modo de estar. A pesar de todo creo que *Entre tinieblas* es una película piadosa. Aunque el objeto de esta piedad no sea Dios sino el ser humano en su abyección. Un sentimiento bastante cristiano, aunque sus manifestaciones puedan ser muy variadas". Junto a la voluntad de provocar subyace la de diluir la carga transgresora del film y el afán por encontrar un equilibrio entre lo que el tratamiento de la religión en esta película pueda tener de ofensivo y el interés en no dañar su recepción.

Pero este acercamiento paródico a la religión no siempre se ha interpretado correctamente y, bien por no haber comprendido la película o por no haberla visto, aparecen críticas como la de David Pitt, "Films Reflect a Brash New Spain" en *The New York Times*, que sintetiza la película con poco acierto. Para él, "*Dark Habits* […] concerns with a group of nuns who stage fake miracles to finance their cocaine addiction—although the Mother Superior's personal preference is for heroin" (*NYT* 18-9-1988). Esta simplificación de la historia quizá responda a la voluntad del autor del artículo, plasmada en el título, de subrayar la excesiva permisividad de la España de finales de los 80 caricaturizada en la 'normalización' del consumo de drogas en un convento.

Unos años más tarde y con motivo del estreno de la película "Sister Act" con Whoopi Goldberg como protagonista, vuelve a recibir atención *Entre tinieblas*. Bajo el título "Movies Turn Convent Life Upside Down", Caryn James compara esta "sugary nun joke" con la película de Almodóvar, etiquetándola como "amusing 1984 black comedy [where] a night club singer who has accidentally given her boyfriend an overdose finds sanctuary at a convent populated by Sister Rat of the Sewers, who happens to be pornographer; Sister Manure, an accid head, and other nuns happily dedicated to secret vices. No ice cream here" (*NYT* 7-6-1992).

La película sale en video en Estados Unidos 1995 con un precio altísimo, 79 dólares, lo cual hace pensar que su difusión por este canal fue mínima. Su productor, Jacques Hachuel, fundador de Tesauro e impulsor de varios eventos culturales durante los años de la movida, entre ellos la visita de Andy Wharhol a Madrid, puso como condición para la financiación de esta película la participación de su entonces novia, Cristina Sánchez Pascual, como protagonista. Dadas sus limitadas dotes de actriz, el director reescribió el guión para transferir el papel principal a Julieta Serrano, madre superiora de este peculiar convento en el que se desarrolla el film. La recaudación de taquilla en España fue baja, lo cual no impidió que Tesauro, ahora bajo la dirección de Hervé Hachuel, hijo del fundador, financiara también el siguiente largometraje de Almodóvar, *¿Qué he hecho yo para merecer esto?* El impacto de Jacques Hachuel en la entrada de Almodóvar en el mundo del cine ha sido mencionado en no pocas ocasiones a pesar de no haber desarrollado nunca un vínculo sólido con este productor.[11]

El tratamiento irreverente de la religión católica en *Entre tinieblas* condiciona la recepción de este tercer film y relega a segundo plano el resto de sus elementos como prueba el hecho de que apenas hable la crítica de la cinematografía, los actores, la dirección. La exclusión de la película del Festival de Cannes debido a su contenido afectó sin duda la comercialización y retrasó la entrada de Almodóvar en el circuito de los festivales internacionales.

¿QUÉ HE HECHO YO PARA MERECER ESTO?

Estrenada en España el 25 de octubre de 1984 y seleccionada por el Museo de Arte Contemporáneo de Nueva York como la mejor película española del año, *¿Qué he hecho yo para merecer esto?* es la primera película del director manchego que se exhibe comercialmente en Estados Unidos. La película fue presentada en Nueva York en New Directors/New Films lo que llevó a Almodóvar a declarar que "Thanks to New Directors/New Films, my work began to reach wide audiences across America. Being in that festival was crucial for the acceptance of my films in America" (http://newdirectors.org/). Entre el material promocional de dicho festival destaca una cita del *L.A. Weekly,* aparecida en la misma página web, que

---

[11] En una entrevista a Jacques Hachuel publicada en *El Mundo* el 18 de octubre del 2009, éste declara que sacó a Almodóvar de Telefónica y financió su cine a través de la productora Tesauro hasta que éste fundó su propia productora, El Deseo. De hecho el entrevistador alude a una posible inspiración del malvado director de cine de *Los abrazos rotos* en el propio Jacques Hachuel, a lo que el entrevistado responde: "No, no me siento retratado, pero hay una cosa extraña... Lo normal, cuando dos personas han hecho un camino de iniciación juntos, es que se cree alguna relación de amistad. Pero por alguna razón, él no quiso mantener ese nexo. Quizá prefirió permanecer aséptico ante su productor. La química entre él y yo no funcionó, y tampoco llegó a conectar con mi ex mujer. Admiro toda su trayectoria profesional, pero a nivel personal no hubo nunca ningún calor".

pone de manifiesto, por un lado, la empatía de la crítica con este giro en su carrera y por otro la voluntad de vincular su obra con la de cineastas reconocidos internacionalmente, conexión que sin duda le desplaza del cine underground al mainstream. En estos parámetros se encuadra la película: "[*What I have done to deserve this?* is] a superb, absolutely mad film! This is like Buñuel doing John Waters, but seasoned with Woody Allen. Pedro Almodóvar takes his place as one of the greatest comic filmmakers alive!". El film se instala en una nueva estética, la neorrealista, hasta entonces no abordada en su corta carrera cinematográfica, y se articula en torno a la crítica de las condiciones de vida de una mujer de clase baja, alienada por su trabajo como limpiadora, por el machismo de su marido, por la falta de espacio en su casa, por la marginalidad del barrio periférico en el que vive, por la falta de dinero, temas que le distancian del ambiente frívolo e irreverente en el que se anclan sus tres primeras películas. Esto no implica una adhesión incondicional a la voluntad de denuncia del neorrealismo ya que su tratamiento de esta problemática se da desprovisto del trasfondo ético que caracteriza dicha estética y teñido de un humor negro ajeno a dicho movimiento. El propio Almodóvar expone su posición respecto al género de la película al afirmar que "El neorrealismo italiano para mí es una de las subdivisiones del melodrama: se le añade al sentimiento una gran conciencia social. Además le quita al melodrama su parte más artificiosa y lo vincula con la realidad. En esta película le quito al neorrealismo sus elementos más melodramáticos y los sustituyo por humor negro" (Strauss, 60). Como apunta Paul Julian Smith, "Almodóvar thus rejects the ethical responsibility and commitment to social change of the neo-realists, but preserves and enhances their respectful attention to the everyday detail of human life" (2000: 59).

Y esto es precisamente lo que atrae y a la vez sorprende a la crítica tanto nacional como internacional, su decisión de no juzgar a los personajes por muy descabelladas que parezcan sus acciones. Richard Grenier desde *The New York Times* define la película como "a wonderful black comedy [...] funny, sad, realistic and touching all at the same time" (*NYT* 30-3-1985); Ken Hanke en *Xpress Mountain* la califica de "irresistible collection of weird characters and skewed values that almost make sense in context. It's all like early period John Waters—only better acted and set in Madrid [...] The key to this, I think, lies in Almodóvar's complete refusal to judge his characters" (20-8-2008). Emanuel Levy en su sección de *Internet Movie Reviews* afirma que "The acting is superb, especially Carmen Maura who holds the entire film together, making its shifting plot of Gloria's trial, tribulations and escapades both compelling and tightly motivated" (http://www.emanuellevy.com/review/what-have-i-done-to-deserve-this).

El mismo tono positivo domina la reseña de David Canby, a pesar de ser menos tolerante con las deficiencias técnicas de la película: "The movie looks awful— even cheap porno pix are better lit than this. I can't say however whether the schlock aesthetic is intentional or merely the result of careless and indifference. But intentional or not, the style works very well for this kind of material [...] his deadpan reporting on the outrageous has its own coolly funny effect—it makes the outrageous routine" (*The New York Magazine*, 29 de abril 1985, pág. 76). El lanzamiento del video en inglés por Cinevista en 1988 incluye en la carátula una selección de citas de reseñadores estadounidenses que subrayan y capitalizan esta positiva recepción: "An absolutely wonderful black comedy. It is quite simply a small master piece" (Richard Grenier, *The New York Times*); "A superb, absolutely mad film" (*Los Angeles Weekly*); "A totally wacked out laugh riot, Almodóvar's a deranged, demented and comic filmmaking genius" (*Miami News*).

Un factor clave en esta empatía de la crítica es, en mi opinión, la construcción de una realidad hasta cierto punto reconocible por el espectador, cercana a la problemática social de finales de siglo XX, que contrasta con las insólitas historias de sus primeros largometrajes. Sin renunciar a la estilización y al exceso, Almodóvar ancla sus personajes en un espacio concreto identificable y les somete a una serie de presiones que a nadie resultan desconocidas. Este cambio de estética, que podríamos etiquetar como "neosurrealista" utilizando un término acuñado por el propio cineasta, es interpretado favorablemente por la crítica extranjera, más receptiva a esta forma almodóvariana de acercarse a la realidad y menos lastrada por los prejuicios de quienes comparten la misma cultura. D'Lugo conecta la obra de Almodóvar con los directores del Nuevo Cine Español menos cercanos al régimen, Berlanga, Bardem, Picazo, Fernán Gómez, en quienes el propio Almodóvar afirma reconocerse.[12] Otro término vinculado a esta película, utilizado por Antonio Holguín, es el de "tragicomedia neorrealista" (Holguín 222), término que insiste en la hibridación de estéticas y géneros que atraviesa toda la producción del cineasta manchego.

---

[12] Para un estudio completo de la interpretación almodovariana del surrealismo, ver Marvin d'Lugo "Genealogía de las sórdidas comedias neosurrealistas almodovarianas", *Almodóvar: el cine como pasión*, coords. Fran A. Zurián y Carmen Vázquez Varela, Cuenca: Ediciones de la Universidad de Castilla-La Mancha, 2005, págs. 81-92.

Los críticos españoles, por el contrario, no dudan en atacar la película. Diego Galán, normalmente generoso con el director manchego, considera que Almodóvar "sigue siendo un director personal pero con un deficiente lenguaje cinematográfico". No obstante deja un amplio espacio para la superación al afirmar que "Una mejora de su capacidad narrativa [...] convertiría el cine de Almodóvar en el de un cineasta marginal muy necesario en una cinematografía tan variopinta como la española" (*El País* 26-10-1984). Más ácida es la crítica de Juan M. Company para quien "el último film de Almodóvar no conmueve pero tampoco divierte y, alejado del llanto o la risa, constituye una presencia tan inútil como fracasada" (*Liberación* 24-10-1984). Esto no impide que otros reseñadores, en concreto Marcos Ordóñez de *El Correo Catalán*, dé un voto de confianza al cineasta y alabe este cuarto estreno. En estas palabras formula su apoyo: "Pocos placeres pueden compararse al de ver crecer y desarrollarse a un creador que, por si fuera poco, quema etapas y profundiza en sus propuestas estéticas a la velocidad de la luz. Si *Entre tinieblas* es un soberbio melodrama, con mucha más emoción de la que los banalizadores de turno supieron ver en su momento, *¿Qué he hecho yo...* juega y gana a tantísimos niveles que difícil va a ser tratar de pormenorizarlos" (27-10-1984). El mayor elogio viene de Manuel Vázquez Montalbán para quien "Solo desde una retina controladamente fuera de juego se nos puede proponer el mejor sainete del siglo XX, *¿Qué he hecho yo para merecer esto?*" (*El País* 23-1-1990).

El relativo éxito de esta película, sobre todo entre los críticos extranjeros, no impide que Almodóvar dé otro giro radical a su cine y se aleje de esta estética, más cercana a la sensibilidad del espectador.

MATADOR

Matador, estrenada en España en 1986, desencadena una serie de reacciones adversas al peculiar código moral del director y que acompañarán a un considerable segmento de su obra. Su modo de tratar temas como la violación, la sexualidad, el género, la violencia y la objetualización de las mujeres genera las más dispares respuestas entre la crítica, especialmente entre la crítica feminista que reprocha a Almodóvar la trivialización de cuestiones tan problemáticas como las mencionadas. Si bien es cierto que sus cuatro primeros largometrajes ya habían revelado las inclinaciones éticas del director, la distribución de los mismos en circuitos minoritarios había limitado su repercusión. Con un presupuesto mucho más elevado que sus anteriores películas, 120 millones de pesetas (unos 723.000 euros) de los que la mitad procedía del Estado, gracias a la hábil gestión del productor Andrés Vicente Gómez, esta quinta película exhibe una mayor sofisticación técnica y estilística que sus cintas anteriores.[13] Dado el contenido de la historia y su provocadora traducción a imágenes, la crítica en el extranjero se sorprende de que el estado financie parcialmente la película.

El protagonismo que adquiere la fiesta de los toros, con su consiguiente carga semántica como marcador de la identidad nacional y la atrevida manipulación de su esencia, abre una serie de lecturas dispares entre los críticos españoles y extranjeros. Como afirma Ann Davies, "Internationally *Matador* also offered a subversion of clichés of Spanishness which allowed foreign audiences both to appreciate the subversion while simultaneously indulging in the pleasure of the familiar stereotypes that such subversion inevitably brings to mind" (38). Más allá de subrayar y cuestionar la españolidad, la esencia transgresora del film lleva a Vincent Canby, de *The New York Times*, a afirmar en un artículo titulado "Almodóvar's Matador: Surrealist Sex Comedy" que la película "It's also significant for the exuberant heedlessness with which it portraits a society breaking loose from decades of fascist repression" (16-9-1988).

No es solo la tauromaquia asociada a lo español sino también la cuestión de la religión lo que atrae la atención de la crítica extranjera. Estos elementos llevan a Charles Taylor a opinar, en una reseña titulada "Sex, Violence, Passion, and Death Come to a Raging Boil in Almodóvar's Paean to Romantic Kitsch", que *"Matador* makes a zingy connection between the repressed passion of Catholicism (with its images of ecstatic suffering) and the obsessions of its lovers" (http://salon.com/ent/movies/tayl/1998/07/14tayl.html). En la misma línea, Desson Howe, de *The Washington Post*, considera que "Almodóvar throws chuckles in with these tormented alliances between ecstasy, death and tauromachy" (29-4-1988). Uno de los reproches que se ha hecho a la película es la preponderancia de la idea de la muerte sobre la historia, que acaba por convertirse en un mero instrumento para mostrar una obsesión. De ello deriva que el protagonismo de la muerte devore la fábula, relegándola a un segundo plano y convirtiendo a los

---

[13] Tomo las cifras de Thomas Sotinel, *Pedro Almodóvar. Cahiers de Cinema*, Edición española, 2010, pág. 31.

personajes, como indica Frédéric Strauss, en símbolos de dicha idea (Strauss 1995:69). Si bien esta historia gira en torno a un solo tema, el estilo, el más rico y complejo de su primera época, fascina a la crítica que celebra este virtuosismo: "Beautifully shot throughout, is a keen visual wit and an insatiable appetite for opulence" (http://www.film4.com/reviews/1986/matador); "Physically gorgeous movie, Almodóvar's most professional-looking work to that time" (http://www.mountainx.com/movies/review/matador.php#.ToSVKuZGgaA); "There is also a becalmed quality to the film, a perfect match for the tone of dark voluptuousness" (http:www.salon.com/ent/movies/tayl/1998/07/14tayl.html).

Si bien un amplio sector de la crítica celebra su estilo, las opiniones difieren en lo que respecta al contenido. Mientras para unos el comienzo de la película con uno de los protagonistas, Diego, masturbándose frente a la televisión, resulta "shockinly funny" (Charles Taylor), para otros la película "skips cheerfully over the line marked 'good taste'" (http://www.film4.com/reviews/1986/matador).

Pero al margen de estas diferencias la crítica extranjera en general y estadounidense en particular detecta a raíz del estreno de *Matador* el singular talento del director, lo cual no deja de sorprender dada la especificidad española de sus referentes, el tratamiento lúdico de temas tabús —sexo-muerte-religión— y la complejidad que encierra el lenguaje, difícilmente reductible a los subtítulos. Canby en el artículo con anterioridad mencionado es el mejor exponente de este entusiasmo como prueba la conclusión de su reseña: "*Matador* is of most interest as another work in the career of a filmmaker who, possibly, is in the process of refining a singular talent" (*NYT* 16-9-1988).

A la positiva acogida de los críticos extranjeros se opone la menos favorable de los españoles. Es de sobra conocida la tensión entre el director manchego y los reseñadores españoles, poco generosos a la hora de opinar sobre sus películas desde el principio de su carrera hasta la fecha.[14] Ya en una entrevista publicada en *Fotogramas* en febrero de 1985 Almodóvar declaraba: "Odio el tedio y la tibieza, son mis grandes enemigos, mucho más que los críticos madrileños […] El trabajo de los críticos es muy deprimente, por eso solo pueden apreciar películas depresivas […] La función de los críticos es hablar mal de los otros pero si pudieran hablarían mal de sí mismos". No obstante y a la luz de varias reseñas

---

[14] El careo de Almodóvar con el reseñador de *El País*, Carlos Boyero, a raíz del estreno de *Los abrazos rotos* en el Festival de Cannes muestra persistencia de este desencuentro. Ver el artículo de este crítico, publicado en *El País* el 18-3-2009, "¿Qué he hecho yo para merecer esto?" y la consiguiente respuesta de Almodóvar en su blog http://www.pedroalmodovar.es/PAB_ES_13_T.asp.

publicadas en España, no deja de resultar hasta cierto punto injusta esta hostilidad de Almodóvar hacia los críticos nacionales, ya que si bien algunos atacaron la película otros no fueron parcos en elogios. Baste una revisión rápida de las respuestas publicadas a raíz del estreno de *Matador* para constatar que hubo también reacciones favorables a su quinto largometraje.

Pedro Crespo desde *ABC* afirma: "Liberado ya de buena parte de la ganga que lastraba sus películas anteriores, [Almodóvar] rueda con autoridad y originalidad; consciente de su oficio y de sus posibilidades expresivas, sin abjurar de la provocación, de lo agridulce, del melodrama negro" (8-3-1986). Vicente Molina Foix declara en *Cambio 16*: "*Matador* es, a mi juicio, lo mejor de Almodóvar, su película más controlada, más brillantemente narrada, y la que tiene un mayor equilibrio entre el yin y el yan genuinamente almodovarianos" (31-3-1986). El mismo tono aparece en la reseña de Octavi Martí en *El País* en la que considera que "*Matador* confirma que esta seriedad, para con el relato y las exigencias narrativas, no es una actitud pasajera, sino la expresión de una voluntad de aprender. *Matador* es un film tan cuidado como el anterior, pero más elegante [...] porque el cineasta se ha preocupado de estilizar determinados temas" (13-3-1986).

Es a raíz del éxito de *Mujeres al borde de un ataque de nervios* cuando la relación de Almodóvar con la crítica se hace menos tensa y el cineasta afirma, no sin un punto de ironía, que "la crítica en efecto ha cambiado, se ha dado cuenta de que soy un chico voluntarioso que se toma en serio la profesión, pero dentro de la profesión tampoco es que se vuelva loca conmigo".[15]

Al margen de la variada gama de opiniones de los críticos, la mayoría coinciden al elogiar la perfección técnica, el refinamiento de su estilo y la habilidad del director para fundir lo cómico con lo trágico. A su vez la superación de lo que fue el amateurismo de su primera estética y el generoso presupuesto en relación a los largos anteriores, con una mayor inversión en promoción y distribución, inserta esta película en circuitos comerciales más amplios, con la consiguiente repercusión en la popularidad del director. Predominan las observaciones relativas a la recién estrenada tolerancia de un país que hasta hacía poco había vivido bajo la represión franquista y al hecho concreto de que el gobierno financie una película tan provocadora como la que aquí nos ocupa, situación insólita en el marco de la industria norteamericana y eje diferenciador del funcionamiento de los cines

---

[15] Tomo los datos anteriores de María Antonia García de León y Teresa Maldonado, *Pedro Almodóvar*, págs. 204-205.

nacionales frente a Hollywood. No deja de resultar irónico que la película más
anclada en lo que de diferente tiene la cultura española abra paso a la
internacionalización director. Refiriéndose al impacto de *Matador* en la carrera de
Almodóvar, Marvin d'Lugo atribuye la internacionalización de Almodóvar al
impulso que Andrés Vicente Gómez y su productora Iberoamericana Films le
dieron con este film. Para él, dicha productora "reframed the local filmmaker as a
transnational auteur through the refiguring of Spanish culture itself. Further it gave
Almodóvar a decisive lesson in the international promotion of his films, planting
the seeds for his own production company, El Deseo S.A." (D'Lugo 2006:46).

LA LEY DEL DESEO

La ley del deseo (1987), primera película producida por El Deseo, la productora
creada por Pedro Almodóvar y su hermano Agustín, marca un antes y un después
en la cinematografía del director manchego en la medida en que logra a partir de
este momento una autonomía total a la hora de filmar. Con motivo de la
promulgación de la Ley Miró en 1983, que promovía la concesión de subvenciones
a nuevos cineastas y fomentaba la transformación del director en productor,
Almodóvar presenta una solicitud al Ministerio de Cultura que en principio le es
denegada y con posterioridad concedida, en parte gracias al apoyo del entonces
Director del Instituto de Cinematografía, Fernando Méndez Leite. Con esta
aportación (38 millones de pesetas), sumada a la del Ministerio de Industria (20
millones de pesetas), más un crédito personal inicia su andadura como productor de
este sexto largometraje con un presupuesto de unos 100 millones de pesetas
(D'Lugo, 54). Curiosamente esta fue la primera película que no recibió ningún
premio en España, a pesar de contar con un guión y una cinematografía mucho más
pulidos que su anterior trabajo. Esta indiferencia institucional hacia el film lleva a
Almodóvar a afirmar que, aunque "La censura oficial ya no existe en España
[1987] sí que hay naturalmente una censura económica y una censura moral, y con
La ley del deseo yo la he sentido" (Strauss, 78). El tratamiento que recibe el tema
de la homosexualidad parece incomodar a los responsables de cultura en la España
de los años 80 dificultando con ello tanto el proceso de producción como la
recepción de la película. Irónicamente en 1980 aparece un artículo publicado en el
Washington Blade, uno de los periódicos más prestigiosos dentro de la comunidad

lesbiana, gay y bisexual (LGBT), publicado en el área de Washington, que contradice esta afirmación del director.[16] En dicho artículo Almodóvar afirma: "La discriminación de películas porque el tema central sea el amor homosexual no ocurre en España. Y también la sociedad es así. Ser gay es algo más normal y están más integrados que en otros sitios. Uno nunca siente que un tipo de sexualidad es inaceptable".[17] Lo contradictorio de dichas afirmaciones quizás se pueda explicar como una voluntad de subrayar en un periódico estadounidense la diferencia entre el conservadurismo de este país y la liberalidad de la España de los ochenta. Junto a esto los ocho años que median entre ambas publicaciones y la distancia que dan el tiempo y la fama contribuyen de alguna manera a explicar esta contradicción.

A la fría acogida de la película en España —quedó fuera de los Goyas y de los premios otorgados por la Asociación Española de Directores de Cine— se opone la positiva reseña titulada "Manypeeplia Upsidownia" publicada en *The New Yorker* (20-4-1987) por una las voces más autorizadas en el panorama cinematográfico estadounidense, Pauline Kael.[18] Además de subrayar el papel estelar de Carmen Maura en este film —"Carmen Maura, the transexual here, is a powerful actress in the manner of the early Anna Magnani, with the trippiness and self mockery of Bette Midler […] She is overacting womanhood, which is the role of her life"—, Kael se refiere al director en estos términos:

> Almodóvar's tone is like anyone else's; the film has the exaggerated plot of an absurdist Hollywood romance and even when it looses its beat (after a murder), there is always something happening. The director manages to joke about the self-dramatizing that can go on at the movies, and at the same time reactivates it. The film is festive. It does not disguise its narcissism; it turns it into bright colored tragicomedy. Almodóvar is the director who may have brought off the sultry spirit of Manuel Puig's *Kiss of the Spider Woman*) […] This wild man has true talent.

---

[16] El *Washington Blade* tiene un perfil similar a *Gay City News*, el periódico más antiguo y prestigioso dirigido a también a la comunidad gay, publicado en Nueva York y centrado no solo en noticias locales, sino también nacionales e internacionales.

[17] La información procede igualmente del libro publicado por María Antonia García de León y Teresa Maldonado, *Pedro Almodóvar*.

[18] Louis Menard en una aguda reseña de *For Keeps* de Pauline Kael publicada en *The New York Review of Books* (23-3-1995) sintetiza la repercusión de Kael en la escena cinematográfica desde la plataforma por ella creada en *The New Yorker*. Desde su contratación por esta revista en 1967 hasta 1991, año en el que oficialmente se retiró, supo captar la psicología de sus lectores, igualmente reacios a lo culturalmente pretencioso y a lo excesivamente comercial, y dirigir su relación con el cine. Alrededor de su crítica flota la controversia, la agudeza, la pasión por el cine, hasta el punto que el director de *The New Yorker*, Robert Gottlieb, afirmó que "A whole generation of film critics has had to respond to her either by imitating her or resiting her". Tomo la cita de un artículo de Janet Maslin publicado en *The New York Times*, titulado "For Pauline Kael, Retirement as Critic Will Not Be a Fade-Out" (*NYT* 13-3-1991).

El prestigio de esta experta en cine, sumado a la reputación de la revista, hacen de esta reseña un hito en la recepción de Almodóvar en Estados Unidos. Además de acercar su cine a un público culto, elitista y selectivo al que difícilmente se puede llegar por otra vía, *The New Yorker* genera un sentido de comunidad susceptible de activar la circulación de los productos culturales representados en la revista. De aquí su valor a la hora de desplazar el cine de Almodóvar de la órbita del underground a la de la cultura de élite y de posicionarlo en el mercado.

Menos entusiasta pero igualmente elogioso es el tono de la reseña firmada por Janet Maslin en *The New York Times*. Dirigida a un lector más abierto y menos selectivo, la crítica de Maslim concluye con la siguiente afirmación: "*Law of Desire* is an entertaining jumble, though it hardly needs the standard thriller elements on which it finally relies. Mr. Almodóvar works best when is setting his lively characters in motion, and least well when the film's essentially conventional structure is revealed" (*NYT* 27-3-1987). Como se indicó en el capítulo anterior, Almodóvar era aún un desconocido para Maslin a juzgar por la siguiente afirmación: "On the evidence of the opening credits, Mr. Almodóvar is himself something of a celebrity in his native territory. Certainly he's capable of attention-getting forays into anything-goes behavior".

No sería esta su percepción entre los seguidores del cine gay como prueba la concesión del Premio del Público al mejor largometraje en el San Francisco International Lesbian & Gay Festival en 1987. Aunque Almodóvar se resiste a ser encasillado en el espacio del cine gay, la concesión de este premio supuso una publicidad tan poco deseada como eficaz en Estados Unidos, sobre todo en California. Sumado a esto, la comparación con Fassbinder y el empeño en comparar la historia filmada con la vida personal de Almodóvar inevitablemente favorecen el interés que despertará este film en el circuito del cine gay.

A raíz de la tendencia de la prensa española a fundir/confundir al director con su obra se repiten las asociaciones entre la homosexualidad del autor y la del personaje principal, Pablo (Eusebio Poncela), cineasta también, intensificando con ello el componente gay. Sumado a esto la creciente popularidad de Antonio Banderas tanto en Estados Unidos como en España, ahora en el papel de amante psicópata del protagonista, populariza el tema de la película y la acerca al espectador. En opinión de Paul Julian Smith, "There seems to be little doubt that one reason for *La ley del deseo*'s success abroad was the emergence of Antonio Banderas as a sex symbol" (Smith 2000: 88). Esto le lleva a preguntarse a Don

Willmott con motivo de la aparición de la película en DVD "What would have happened to Banderas's career if this had been his first American movie" (http://www.filmcritic.com/reviews/1987/law-of-desire). Al margen de las especulaciones, la entusiasta acogida de la película por la comunidad gay en San Francisco, en Castro Theater, queda probada con la descripción de la misma a raíz de su estreno: "[*Law of Desire*] burst onto the screen with a colorful and humane sexual anarchy that is unprecedented in the history of film, then keeps the audience on the edge of its seat from laughter with a roller-coaster story that is part fantasy, part murder mystery, part erotic comedy [...] That 1987 screening of *Law of Desire* turned Almodóvar into a household name in San Francisco. Don't miss this chance to relive that moment of discovery and see the great film on the Castro screen, where it belongs" (http://www.frameline.org/festival/film). Las repetidas reposiciones del film en este contexto y la politización del tema lo afianzan como un punto de referencia clave para la comunidad gay.

Uno de los reproches que se le ha hecho a la película es la convencionalidad de la historia. Para Kerry Walters "Almodóvar's *Law of Desire* is a good film but no a great film. The plot is formulaic in a Hollywood mold, not unlike *Fatal Attraction* and the knock-offs that have followed" (http://www.amazon.com/Ley-Del-Deseo-Law-Desire/product-reviews). Igualmente la reseña de Edwin Jahiel subraya la falta de originalidad de la historia al comentar que, "After Juan's murder the film shifts into a silly story of police detection, with black humor clues all over". No obstante este crítico, en contra de la opinión general, ve cierta originalidad en la segunda parte como prueba el siguiente comentario: "The critics have by and large decreed this second part weaker than the first but I find it, on the contrary, a funny reinforcement of the movie's campiness. It's handled Spanishly, yet also like one of those French thrillers that imitate US thrillers. The movie advances in a series of intended howlers, getting lurider and insaner by the minute" (http://edwinjahiel. com/lawofdes.htm).

Como contrapunto a estos comentarios varios críticos coinciden en alabar la fluidez de la identidad de los personajes, lo poco convencional de su sexualidad y la habilidad del director para tejer en la historia el tema del cine dentro del cine. Ernesto Acevedo-Muñoz, basándose en la escena de la última noche que pasan juntos Pablo (Eusebio Poncela) y Antonio (Antonio Banderas) en la que duermen en la misma cama sin tener relaciones sexuales, afirma que en esta película "Almodóvar introduces one of the land marks of the queer cinema aesthetics by treating homosexual relations without excess or reflexive rarefying effects, simply as romantic and/or sexual relations" (Acevedo-Muñoz, 81), dato que apunta al equilibrio entre la convencionalidad de la historia y lo no convencional tratamiento. Por encima de la controversia derivada de este acercamiento abierto a la homosexualidad y de los defectos narrativos señalados, el balance de la crítica es positivo tanto por la película en sí como por lo que representa en el conjunto de la obra de este director. Como bien apunta Don Willmott, "Law of Desire is a pivotal and unmissible piece of the Almodóvar's puzzle, a romp that is Pedro at his young and kinky best" (http://www.filmcritic.com/reviews/1987/law-of-desire).

En una relación de las cincuenta películas españolas de mayor recaudación desde su estreno hasta 1987 publicada por J.M. Caparrós Lera en *El cine español de la democracia, La ley del deseo* ocupa la posición número treinta con una recaudación de 201.931.187 de pesetas y 638.646 espectadores, cifras nada despreciables teniendo en cuenta el problemático tema del film y prueba clara de que el público español de finales de los ochenta era más abierto y receptivo que la crítica del momento (Caparros, 415). Curiosamente y en base a las respuestas del público aparecidas en internet —Rotten Tomatos e IMDB— se puede afirmar que mientras la crítica estadounidense fue mucho más positiva que la española, el público de habla inglesa juzgó la película de un modo menos duro. No obstante, no hemos de olvidar que Rotten Tomates se creó en 1999 y IMDB en 1990 (aunque no adquiere gran difusión hasta ser comprada por Amazon en 1998), años en los que Almodóvar ya había consolidado su fama a nivel global e, inevitablemente, los juicios sobre sus primeras películas aparecían mediados por su recién conquistada popularidad.[19]

---

[19] Los datos siguientes, tomados de Rotten Tomatos, ilustran el porcentaje de críticas positivas y las variadas respuestas por parte de la crítica y del público que suscitan las películas de Almodóvar.

Películas	Críticos/Espectadores			
Pepi, Lucy, Bom...	43%	68%	Laberinto de pasiones	100% 67%
Entre tinieblas	70%	67%	¿Qué he hecho yo...?	100% 79%
Matador	94%	75%	La ley del deseo	100% 79%
Mujeres al borde	89%	88%	Átame	74% 78%
Tacones lejanos	50%	84%	Kika	62% 71%
La flor de mi secreto	83%	75%	Carne trémula	79% 86%
Todo sobre mi madre	98%	92%	Hable con ella	92% 91%
La mala educación	88%	85%	Volver	92% 88%
Los abrazos rotos	81%	74%	La piel que habito	88% 75%

CAPÍTULO 4

La prensa estadounidense frente al último Almodóvar: del éxito en Hollywood a la conquista del mercado global

Mujeres al borde de un ataque de nervios (1988) marca un punto de inflexión en la carrera cinematográfica de Pedro Almodóvar al afianzar su presencia en el mercado cinematográfico estadounidense (e internacional, en general) y atraer la atención de la crítica y de los espectadores. Presentada en el New York Film Festival el 23 de septiembre de 1988 y estrenada en salas comerciales en Estados Unidos el 11 de noviembre del mismo año, unos seis meses después de su lanzamiento en España (25 de marzo), esta "comedia ligera" inaugura una sincronización con el público y con los críticos estadounidenses que, con altibajos, se ha mantenido hasta el presente. El éxito de esta película sumado al apoyo del gobierno español lleva a Brad Epps a afirmar que: "The internationalization of Almodóvar and of the critical writing on him is part and parcel of a complex dynamic that runs from Spanish state interventions in the form of subsidies to collaborative ventures in the European Union to the 'indie revolution' that rocked—and is some respects paradoxically reinvigorated—the hegemony of Hollywood" (Epps 13).

Esta película figura entre las cuarenta extranjeras con mayor recaudación en Estados Unidos y entre las seis películas españolas de mayor éxito en este país, cuatro de ellas dirigidas por Almodóvar: *Volver* $12.899.867 dólares (puesto 16), *Hable con ella* 9.285.469 dólares (puesto 26), *Todo sobre mi madre* 8.272.296 dólares (puesto 28) y *Mujeres al borde de un ataque de nervios* $7,179,298 (puesto 32).[1] Aparte de su nominación para el Oscar y para el Globo de Oro recibió en Estados Unidos el premio a la Mejor Película Extranjera de la National Society of

---

[1] Tomo el dato de http://www.amazon.com/Top-Grossing-Foreign-Films-US/lm/RE0CCL2BJTS2F.

Film Critics Awards (1989), del New York Film Critics Circle Awards (1988) y del National Board of Review (1988). Además la National Society of Film Critics Awards otorgó un premio especial a Pedro Almodóvar y el segundo premio a la Mejor Actriz a Carmen Maura.[2]

En una entrevista en *Empire* en septiembre de 2009, Damon Wise pregunta a Almodóvar cúando tomó conciencia de ser un director mundialmente famoso, a lo que el español responde: "The first signals came when *Law of Desire* screened at the Berlin Festival, in the Panorama section, and the reaction to that was absolutely amazing. And also the film was sold everywhere. It was the first time I realized that a film as personal as that could transcend the borders of language and culture. But the first time I felt international acceptance and acclaim was with *Women at the Edge of a Nervous Breakdown*, which had worldwide success and brought my first nomination to the Oscars" (http://damonwise.blogspot.com/2011/04/old-interview-with-pedro-almodovar.html).

Varios factores ayudan a explicar el éxito de esta película al otro lado del Atlántico y en general en el mercado internacional. Cabe señalar en primer lugar su contención temática y visual en relación a las películas anteriores, factores clave en especial en Estados Unidos, país poco inclinado a celebrar los excesos de sus primeros largometrajes. La casi total ausencia de drogas, sexo y homosexualidad entre otros temas arriesgados, la saca del circuito del underground y le abre paso al cine comercial. Desson Howe desde *The Washington Post* celebra este giro al apuntar que "The director of the disturbing, deeply affecting *Law of Desire* and *Matador* imbues everyone with dignity—from Pepa to the male, bleached-blond cab driver whose cab is more like a waiting room, with its hanging pendants, mambo music (Farfisa organ score), magazine racks and leopard skin décor" (23-12-1988). Similar impresión transmite un artículo de Ian Blair titulado "Almodóvar tries to get away from shock value", publicado en *Chicago Tribune* (25-12-1988). A la siguiente afirmación de Blair: "Pedro Almodóvar, l'enfant terrible of Spanish cinema, is busy defending himself against charges that his oeuvre is over-ripe with images of perverted sex, high melodrama, and low camp", el cineasta responde asegurando: "I am not outrageous, I am just honest about the way men and women really are". Añade además para minimizar el componente transgresor de sus historias que en esta película "Women have not time for sex and drugs because

---

[2] Para una lista completa de los premios y nominaciones recibidos por esta película ver el apéndice publicado al final del libro.

they are too busy dealing with everything that's is happening to them". La misma reacción aflora en las opiniones del público aparecidas en *imdb* en las que leemos el siguiente comentario:

> Inspired by Hollywood comedies of the 1950s, *Women on the Verge of a Nervous Breakdown* became the stepping-stone for Pedro Almodóvar's later work. This light comedy of rapid-fire dialogue and fast-paced action remains one of Almodóvar's most accessible films (with no drugs or sex, although there is a sequence in which a sleeping woman dreams that she is having sex, and we see only her reactions). The film received public and critical acclaim worldwide, and brought Almodóvar to the attention of American audiences. (http://www.imdb.com/title/tt0095675/)

Pero la atenuación del tinte escabroso que colorea su primera época, en buena medida responsable de la desconexión que genera en los espectadores ajenos al impulso liberador de la España de los años ochenta, no basta por sí misma para explicar el éxito de esta película.

Al mencionado giro temático y estilístico de este film alude indirectamente Vincent Canby desde *The New York Times* al afirmar que en esta película "Mr. Almodóvar sets out to charm rather than shock" (23-9-1988). Si indudablemente este encanto que subraya Canby deriva en gran medida del tono cómico que permea la obra, dicho rasgo conlleva también una serie de riegos inevitables en este género. Como es bien sabido, el humor difícilmente se trasvasa de una cultura y una lengua a otra y de un contexto a otro. Si bien este registro opera como una constante en la obra del director manchego, su presencia en las películas anteriores resulta en gran medida ilegible para el público estadounidense.

Una disección del humor en *Mujeres al borde de un ataque de nervios* ayudará a entender la distancia entre las dificultades que entraña conectar con la veta cómica de sus primeras películas, de cuya desconexión con el público dan buena cuenta las reseñas, y la sintonía que logra con este film. Cabe preguntarse entonces a qué responde esta sintonía con el público en *Mujeres al borde de un ataque de nervios*. Una posible respuesta remitiría a la inclusión dentro de la película de registros estéticos y humorísticos procedentes de la cultura norteamericana. El propio Almodóvar recurre conscientemente a imágenes que circulan en el imaginario del espectador, en concreto aquellas que proceden del cine de Hollywood y del mundo de la moda. Vinculado al universo cinematográfico hollywoodiense, el humor que atraviesa esta comedia, resulta reconocible para el público. A ello alude el mismo Canby al afirmar que "At its best, *Women on the Verge of a Nervous Breakdown* has much of the cheeringly mad intensity of animated shorts produced in Hollywood before the television era" (*NYT* 23-9-1988). Igualmente el mencionado artículo de Desson Howe (*Washington Post* 23-12-1988) encuentra una conexión directa con el cine americano como muestra el siguiente comentario: "Right from the opening—a gaudy red sequence of roses, lipstick, lingerie-catalog torsos and fingernails tearing across the screen—*Women* spirals deliciously into a Spanish version of Joan Crawford *Hell* (during one scene, in fact, Mommie Dearest herself can be seen in a rerun of *Johnny Guitar*)".

El repertorio imaginístico del mundo de la moda opera igualmente como referente reconocible. Al hablar de los títulos de crédito, ingeniosamente compuestos de imágenes sobre papel satinado, el director declara que "todo está basado en fotos de publicidad que encontramos en *Vogue* de los años cincuenta y sesenta. Hicimos un collage porque quería que los títulos fueran como páginas de revistas de moda. A su vez este tipo de títulos está inspirado en algunas comedias americanas como *Una cara de ángel* (1956) que habla del mundo de la moda. No solo establece la estética de la película, una estética pop y elegante, sino que también nos introduce en el universo femenino del que va a hablar la película" (Strauss 1995: 96). No olvidemos que *Vogue*, aparecida en Estados Unidos en 1892, ha marcado durante más de un siglo las pautas de la moda primero en Estados Unidos y después a nivel internacional y que sus imágenes flotan en el archivo mental del espectador femenino, como lector directo, y del masculino como observador indirecto. No olvidemos tampoco que Juan Gatti, responsable de los títulos, trabaja como diseñador y fotógrafo de moda, y que a raíz de este trabajo empezó a colaborar con la revista *Vogue Italia*.[3]

Esta convergencia de registros culturales remite en última instancia al modo en que se establecen las relaciones entre los textos y sus receptores, basadas en la negociación. Como bien observa Gledhill, "Meaning is neither imposed, nor passively imbibed, but arises out of a struggle or negotiation between competing frames of reference, motivation and experience" (Gledhill 101). Gracias a esta afinidad entre el humor de las comedias de la edad dorada del Hollywood y el cine del director español el espectador estadounidense se instala en un marco de referencia reconocible que propicia experiencias similares.

---

[3] A propósito del diseño de títulos y de carteles, Almodóvar reconoce su deuda con Saul Bass, diseñador que trabajó con Martin Scorsese y con Alfred Hitchcock, en el que además se inspiró directamente para la elaboración del cartel de *Átame* (Strauss 1995: 97).

Un dato significativo para analizar la conexión con el público procede del clip promocional utilizado por la distribuidora en Estados Unidos, Orion. La voz en off que acompaña la selección de imágenes, todas ellas con un tono tragicómico (caídas, desmayos, golpes…) acentúa lo inusual de la cinta: "It is a romance but it is not about love […] It is a comedy but no everyone laughs […] It is a place where the one thing you can expect is the unexpected". Además relega a segundo plano el hecho de estar filmada en una lengua extranjera ya que dicha voz acapara la atención del espectador dejando poco espacio para escuchar los diálogos en español de los personajes. No obstante y a pesar de enmascarar el extrañamiento que inevitablemente genera otra lengua, la voz en off subraya la originalidad que opera aquí como reclamo, si bien dentro de los parámetros de lo reconocible. Los términos "romance, comedy, unexpected" se combinan ágilmente con las imágenes para captar la atención del espectador. La misma idea de exceso controlado permea la reseña de Jay Carr en *Boston Globe*. Para él, "The women here aren't afraid to get extreme about love, but in the end, you sense that they are too sound to destroy themselves over the worthless man they have allowed to personify it. That's what lifts *Women on the Verge of a Nervous Breakdown* from the amusing to the sublime" (23-12-1988).

Hemos aludido en el primer capítulo de este estudio al obstáculo que supone filmar en un idioma extranjero a la hora de entrar en el mercado norteamericano, cuestión atendida por la crítica como ponen de manifiesto los numerosos artículos sobre el tema discutidos con anterioridad. Si bien es cierto, como apunta Anthony Kauffman en "Foreign Film is the New Endangered Species" (*NYT* 22-1-2007) que la traducción de una comedia cargada de giros y con un ritmo tan rápido resulta problemática para el espectador estadounidense, poco inclinado a ver películas subtituladas, estos factores apenas afectaron la excelente recepción de *Mujeres al borde de un ataque de nervios*. No obstante algunos comentarios del público en *imdb* (http://www.imdb.com/title/tt0095675/usecomments) aluden directa o indirectamente a esta cuestión. Para unos "The readings are flat and uninspired, and the translation is not always accurate; too literal in some cases, just missing the point in others", "There are some movies that, no matter how good the translation, are just impossible for a particular audience to get". Al margen de estas puntuales críticas negativas, las respuestas de los espectadores reflejan el entusiasmo que la película despertó en el público extranjero. Así leemos en la misma página web de *imdb* elogios como los aquí apuntados: "The film maintains an almost fantasy-like atmosphere, in which it feels like anything is possible, and this quality makes it an enjoyable, unique watch", "This is in my opinion the greatest Almodóvar film ever! Its funny and serious, but mainly farcical, but its brilliant", "Freed from conventional constraints, Almodóvar takes us into the frustrations and insecurities of the inner psyche", "If you are new to Almodóvar, then this is the best film to introduce you to him. *Women On The Verge Of A Nervous Breakdown* is undeniably a grand landmark in Spanish film", "Pedro Almodóvar is to Spain what Altman, Allen, Mamet, Levinson, Lynch, Scorsese, Stone, et al, are to the U.S., all rolled into one".

En general la crítica en España mostró menos entusiasmo por esta película que la crítica en Estados Unidos. Angel Luis Inurria desde *El País* evita emitir juicios sólidos sobre el film y se limita a escribir un artículo descriptivo en el que tímidamente elogia la "intencionalidad plástica, artificial y estilizada, la interpretación coral de sus actores […] con una acumulación de situaciones que persiguen el dinamismo, pero siempre con la brújula señalando hacia sus obsesiones habituales" (*El País* 25-3-1988). Pedro Crespo se muestra también cauto en las páginas de *ABC*, cerrando su escrito con el siguiente comentario: "Almodóvar ha confeccionado una comedia atractiva, en la que sus constantes permanecen integradas, eso sí, dentro de un conjunto más homogéneo y cuidado que en otros títulos anteriores, demostrando que puede evolucionar sin dejar de ser fiel a su singularidad" (*ABC* 26-4-1988). Irónicamente el crítico que muestra mayor entusiasmo ante esta película es Carlos Boyero, uno de los mayores detractores en el presente de Almodóvar dentro del microcosmos de la crítica. Si bien su artículo, aparecido en *El Independiente* (9-4-1988), dedica la primera mitad a criticar tanto su primer cine como la vacuidad del entorno en el que se movía, no duda en cerrar su escrito con generosos elogios, concluyendo que "el chico de moda se ha convertido en un director, en un comediante de primera clase".

Al margen de la cauta respuesta de los reseñadores en España, a partir de *Mujeres al borde de un ataque de nervios* se disipan todas las dudas que habían planteado los críticos sobre el talento y el futuro del director manchego. Su consagración como el director contemporáneo más internacional de cine español le erige en difusor de la imagen de España en el extranjero y en artífice de la articulación una nueva identidad española distanciada de los clichés forjados durante del franquismo. Si bien es cierto que España surge en su cinematografía como un país tolerante, irreverente, distanciado de una moral convencional, abierto a identidades sexuales fluidas y liberado en todo lo que atañe al tratamiento de la sexualidad, esta imagen tan progresista ha suscitado opiniones encontradas. Lo que para un sector de la crítica supone un claro signo de modernidad y un paso adelante en la reformulación de la identidad española, para otro, tal posicionamiento no se da exento de riesgos. A ello alude Barry Jordan al afirmar que "Almodóvar's legacy, in terms of the marginal filmic stereotypes he has used to construct 'Spanishness' may not have been altogether positive or beneficial, in the eyes of domestic or foreign audiences. Indeed the equating of 'Spanishness' with sex and sexual perversion (however playful and camp) may have reinforced some rather unhelpful, negatively stereotypical, perceptions of modern Spain and Spaniards" (73). De esta manera, lo que para Marsha Kinder supuso en los años 90 el afianzamiento de "a mobile sexuality as the new cultural stereotype for a hyperliberated Socialist Spain" (Kinder 1997: 3) y un paso adelante en la liberación de un país salido de un régimen antidemocrático, limitó la percepción de España empañando los logros de la recién estrenada democracia con una imagen excesivamente centrada en la transgresión. Pero de lo que no cabe duda es que a partir de *Mujeres al borde de un ataque de nervios* el cine español ha pasado a ser el escaparate internacional del país, con las ventajas y riegos que dicha exhibición conlleva.

ÁTAME

Estrenada en el cine Fuencarral de Madrid el 22 de enero de 1990, *Átame* congrega el día de su lanzamiento a una multitud de actores, políticos, críticos y periodistas dispuestos a celebrar la nueva película de Pedro Almodóvar y sobre todo su salto a la fama a raíz del éxito internacional de su anterior cinta. Tanto la crítica como el público en España recibieron bien la película, como prueba la nominación para quince premios Goya, en contraste con las negativas reacciones que suscitó en Alemania durante su presentación en el Festival de Berlín el 12 de febrero del mismo año y en Estados Unidos, en Nueva York y en Los Angeles simultáneamente, el 4 de mayo. La película, en opinión del propio Almodóvar, no se entendió bien en Berlín lo que dio pie a una rueda de prensa ajena al propio film y centrada alrededor de la orientación sexual del director y del uso de drogas en España. En el caso de Estados Unidos la controversia derivó por un lado de la incomprensión de la historia en parte debida a la incapacidad para distanciarse del contenido explícito de las imágenes y de entender el componente irónico y por otro de la clasificación del film con una X por parte de la Motion Pictures American Association (MPAA). Como se indicó en el capítulo dos de este volumen esta clasificación desencadenó una serie de reacciones tanto por parte del director como de la distribuidora, Miramax, cuyos intereses comerciales se vieron afectados por dicha X. La polémica en torno al caso, junto con las acusaciones por parte de Miramax a la MPAA y el consiguiente encuentro en los tribunales, todo ello reflejado en *The New York Times*, desvelan el desconcierto que produce en la cultura norteamericana el modo en que Almodóvar trata la sexualidad. La reacción de Almodóvar ante tal situación no se hizo esperar y el 22 de abril 1990 publicó un artículo en *El País* titulado "Industria e hipocresía" en el que expresaba su opinión sobre el sistema de censura estadounidense. Para él el problema fundamental radica en la arbitrariedad de las clasificaciones y sobre todo en los mecanismos desarrollados por la MPAA por los cuales el director se convierte en su propio censor debido a las condiciones que imponen las productoras en los contratos sobre el contenido de las películas con el fin de garantizar que no sean clasificadas con una X. La indignación del director manchego se hace patente en las siguientes declaraciones incluidas en el mencionado artículo:

> El otro día, en el colmo del cinismo, Jack Valenti, presidente o jefe máximo de la MPAA, afirmaba a *The New York Times,* y se quedaba tan ancho, que su calificación nunca significaba censura, que era simplemente una guía para evitar que los niños vieran películas fuertes. Y que esta información iba dirigida exclusivamente a sus padres. O sea, que aquí nadie censura; se trata solo de un consejo amistoso […] Yo no acepto la censura (debo estar muy mal acostumbrado) y desprecio la existencia de asociaciones como la MPAA; pero, en el caso de respetar la necesidad de una calificación orientadora para el público, el sistema adoptado por dicha asociación es confuso, escaso y perezoso […]A pesar de todos los problemas, El Deseo, SA, negocia en estos momentos la firma de cesión de derechos de *Átame* para su versión norteamericana. Espero que este enojoso asunto no influya demasiado en la comercialización de la película aquí. Pero tengo que defenderme, aunque mi ataque no sirva de nada. Afortunadamente, mi futuro no depende de Estados Unidos.

Queda patente aquí la dialéctica entre los desacuerdos con el sistema norteamericano de censura y los intereses comerciales, especialmente altos cuando se habla de Estados Unidos, por mucho que Almodóvar afirme que su carrera no depende de este país. A la luz de las campañas de promoción, de los esfuerzos por garantizar el éxito y sobre todo del lugar que ha conquistado en el panorama cinematográfico estadounidense actual, estas declaraciones no pasan de ser una respuesta colérica a una situación puntual ya que el interés del director en el mercado norteamericano resulta obvio.

Si para la MPAA las escenas de contenido sexual explícito justifican la X otorgada, para las feministas la repulsa procede de la violencia contra la protagonista, y para la crítica en general la objeción fundamental radica en las deficiencias de la historia. Curiosamente el público estadounidense recibió la película con mucho mayor entusiasmo que la crítica, mostrando el desencuentro entre la valoración por parte de organismos oficiales como la MPAA, la prensa y los espectadores. Si en teoría la adjudicación de una X a una película limita su publicidad en los medios de comunicación y excluye su proyección de un buen número de salas, en la práctica dicha clasificación operó como una magnífica publicidad gratuita. Tanto fue así que, a raíz del juicio de Miramax contra la MPAA, el juez dictaminó que "The court record leads to the inference that this proceeding may be just publicity for the film" (*NYT* 20-7-1990).

La indignación de Pedro Almodóvar y de su hermano Agustín quedaron claramente reflejadas en otro artículo de Miguel Bayón publicado en *El País* (19-4-1990) titulado "Pedro Almodóvar: Las escenas de sexo de *Átame* son muy limpias y naturales". El director ya intuía la posibilidad de que su película fuera censurada en Estados Unidos debido a la violencia pero lo que no preveía era que la clasificación se basara en las escena de sexo, lo cual le lleva a afirmar que, "Como toda censura, la que ha ejercido la MPAA es ridícula, irracional e hipócrita". La misma indignación se hace patente en las declaraciones de Agustín Almodóvar en este mismo artículo: "Es un atropello y Pedro no se ha cansado de atacar en entrevistas para las más importantes cadenas de televisión estadounidense ese tipo de censura". Este incidente no alteró los planes de estreno de la película en Estados Unidos y su distribuidora, Miramax, decidió presentarla sin clasificar y afianzar su estrategia publicitaria. Para ello en el estreno en Nueva York, el 4 de abril, tres días después del estreno en Miami (1-5-1990) y casi un mes antes de la presentación en Los Angeles (28-5-1990), se organizó una gala a beneficio de una fundación dedicada a la conservación de películas y Pedro Almodóvar presentó un espectáculo en el que participaron todas las actrices.

Pero al margen de la controversia, lo más significativo a nivel de la recepción de esta película es la distancia entre las objeciones de los críticos y la aprobación del público. Alan Riding desde *The New York Times* articula su crítica en torno a la excepcionalidad cultural de España justificando con ello el tono y el contenido, y desentendiéndose de la polémica sobre la clasificación X. En consonancia con la visión de Judith Mayne para quien "The cinema is not just a product of a particular culture, but rather a projection of its most fundamental needs, desires and beliefs" (20), A. Riding interpreta la película como un producto propio del momento histórico que en la década de los noventa atravesaba España y afirma que "What places de film in contemporary Spain, beyond its language and humor, is its focus on the individual caught in the swirl of a changing society. But it also shows how the anarchic individualism of the Spanish character is now bursting through the monolithic facade of society in recent decades" (*NYT* 11-2-1990).

Esta tendencia por parte de la crítica extranjera a interpretar el cine de Almodóvar en base a la transformación operada en la sociedad española a partir de la muerte de Franco, si bien no carece de base, desestima la capacidad creadora de Almodóvar y ancla la lectura explícitamente en lo que el propio director solo toca implícitamente, la realidad de la España postfranquista. Curiosamente este crítico arma su lectura en torno al mediático estreno en España, al contexto histórico, a la elección de los actores y a los comentarios de Almodóvar, y apenas da su opinión sobre el film, limitándose a apuntar que "Where *Tie Me Up, Tie Me Down* truly looks different, though, is in the absence of the improvised, almost amateur quality of Almodóvar's earlier films [...] a well-shot and well-edited production this time round" (*NYT* 11-2-1990). La clara omisión de su opinión sobre el film en un crítico de la talla de A. Riding y sus repetidas alusiones al protagonismo del director en el mapa de la cinematografía española permite especular sobre el limitado valor que la película tuvo para él y sobre la deliberada intención de mantener una imagen positiva del director en la escena neoyorquina. Lo que sí alaba en este mismo artículo es la habilidad de Almodóvar para proyectar un aire de normalidad en una situación poco común como bien prueba la siguiente afirmación: "While the story line hints at sadomasochism, Mr. Almodóvar steers clear of this by keeping well within the bounds of romantic melodrama [...] If anything, it all seems shockingly normal".

Contraria a esta opinión pero igualmente contenida es la crítica de Peter Reiner, aparecida en *Los Angeles Times*, para quien la esencia del cine de Almodóvar es la provocación. Para él, "If he [Almodóvar] is not offending his audience he is not succeeding as an artist. He's a director who pulls his art out of the outrageous" (4-5-1990). Junto al contenido P. Rainer critica la forma afirmando que, aunque "The cast is fine and full of familiar faces [...] *Tie Me Up* is essentially a two character piece and so the large cast never gets a chance to jungle together; parts of the film seem crypt-like uninhabited". La distancia entre estas dos interpretaciones —la primera elogiando la habilidad del director para presentar como "normal" una situación insólita y la segunda la voluntad de escándalo— revela el desconcierto de la crítica ante un film diametralmente opuesto a la comedia que le hizo popular en Estados Unidos y la dificultad que entraña reseñar un film que desafía los parámetros éticos de la cultura en la que se inserta. A esta cuestión alude directamente Desmond Ryan en *Philadelphia Inquiree* al considerar que "*Tie Me Up*—a sickly made and often wickedly funny movie—is bound to outrage those who come to it in expectation a moral statement. The problem is that Almodóvar is amoralist, and satire is essentially a moral idiom" (27-6-90). Para este crítico el fallo de la película radica en la pseudo restauración del orden como eje del desenlace ya que de algún modo niega las premisas en las que se apoya este film. En estos términos formula su reproche: "The filmmaker takes aim to the hypocrisy of those who try to impose rules on behavior that is ungovernable. But the intrusion of sentiment at the end of a movie that has derided such feelings for most of its running time has *Tie Me Up* tripping over one of its own ropes". La incapacidad para resolver la historia centra también la queja de Terrence Rafferty que desde *The New Yorker* afirma: "This Pedro Almodóvar's movie gets of to a fast start, like a windup toy, but it runs out of momentum early, and Almodóvar can't figure out how to start it up again".[4] Más dura es la reseña de Roger Ebert, un crítico con un alto número de seguidores, ya que hace patente su absoluto rechazo no solo de *Átame* sino también de su anterior éxito, *Mujeres al borde de un ataque de nervios*. En su opinión, "The story has been told before and better [...] The movie is too flighty and uncentered [...] Almodóvar is a director with an enormous following around the world, but movies like *Tie Me Up, Tie Me Down* leave me feeling increasingly left out. His previous film was the widely-praised *Women on the Verge of a Nervous Breakdown;* it did not engage my attention for even a scene, and at the end I had trouble even remembering it".[5]

Dos revistas, *Rolling Stone* y *The Hollywood Reporter*, publican críticas abiertamente positivas, celebrando la capacidad del director para seducir al

---

[4] Esta reseña aparece en http://newyorker.com/arts/reviews/film/tie_me_up_tie_me_down
[5] Ver http://rogerebert.suntime.com/apps/pbcs.dll/article?AID=/

espectador con un repertorio de sentimientos atípicos. *Rolling Stone* en una reseña sin firmar formula su elogio con estas palabras:

> Spain's hell raising Pedro Almodóvar has fashioned a passionate and boldly hilarious follow-up to his smash, *Women at the Edge of a Nervous Breakdown*. The writer and director again uses sex and violence to grab our attention and then speaks directly to the heart [...] Her protagonist's [Marina] divided feelings are at the heart of Almodóvar's disturbing and invigorating film, another masterwork from Spain's most explosive talent. (17-5-1990)

The Hollywood Reporter lo hace en estos términos: "[*Tie Me Up*] is appealing, gorgeously mounted and goes down smooth as honey [...] The film's sheer beauty stems from its willingness to confront contradictions, to ask questions, to promote not order but meaning out of chaos [...] Almodóvar is able to handle perversity with dignity and charm (3-5-1990). Lo que distingue a estos dos críticos del resto es su predisposición para instalarse en un registro moral ajeno a la norma y desde él, no desde los parámetros de una supuesta normalidad, evaluar esta insólita "historia de amor", un "amour fou" en palabras de David Noh (*Film Journal*, junio 1990), difícil de celebrar si no se supeditan las convenciones de nuestra cultura a la valoración del artificio. Para Marsha Kinder, también es un "amour fou" cuya consumación le lleva a afirmar: "No wonder this sex act helped spawn the NC 17 rating in a puritanical culture like the US" (Kinder 2009: 207).

La publicidad derivada del escándalo que acompañó a la película en Estados Unidos, el eco que se hizo de él la prensa, en especial *The New York Times* que siguió de cerca los incidentes de la clasificación X, el juicio de Miramax a la MPAA y la consiguiente aparición de una nueva etiqueta en la censura (NC-17) dio pie nada menos que a ocho artículos sobre el tema contrarrestando con ello el daño de la censura. Esto se tradujo en una recaudación de 4.087.361 de dólares, cifra nada despreciable para una película extranjera en Estados Unidos.[6]

En contraste con el poco entusiamo que *Átame* suscitó en la crítica, la recepción por parte del público resultó mucho más calurosa. Los usuarios de *imdb* dan buena prueba de esta positiva acogida como muestran los siguientes comentarios aparecidos en esta página web http://www.imdb.com/title/tt0101026/usercommets: "This is one of the most commonly misunderstood movies ever. It is not a comedy.

---

[6] Vicente Rodríguez Ortega da una recaudación de taquilla en Estados Unidos muy elevada, 8.264.530 de dólares, pero no indica la fuente. En España la película recaudó 3.100.000 euros cantidad que la posicionó como la más taquillera del año, con 1.300.000 espectadores (http://www.elblogdecineespañol.com).

It is not a glorification of violence. It not about S/M or bondage. Its message is not that if you tie and beat up a women, she will love you in return. This is about two people that are unable to master life on their own", "I found *Átame* to be a fascinating and remarkable movie. Watch it open-minded and try to look beneath the pure surface of the plot, and you will be moved and captivated by its beauty", "I love every aspect of this movie. The acting by both Victoria Abril and Antonio Banderas is superb", "Artsy film with both heads functioning at full capacity", "The story is delightfully funny, the actors build and deliver sexual tension quite well. This is a definite must see though you can't be too prude or offended by sexually explicit material".

Las respuestas de los espectadores aluden a las objeciones plasmadas por la crítica pero invierten su lectura, a la vez que hacen patente la dificultad que entraña captar el sentido de una historia que se desvía de los parámetros de la 'normalidad'. El riesgo de centrar la atención en la insólita conducta sexual de los protagonistas y perder el sentido final de la historia aparece mencionado directa o indirectamente en varios reflejando los reproches de los críticos. Ya los títulos de los comentarios del público en *imdb* marcan la tónica positiva de los contenidos: "A blissful blend of twisted humor, erotic tension and low-brow sexual dilemmas", "Wild, energetic, sexually-charged comic fantasy; great fun", "Definitely worth seeing!", "Great film but not Almodóvar's best", "Provocative power-play Almodóvar's most unconventional romance to date", "Wonderfully zany", "Daring and different". Junto a estas alabanzas aparecen también opiniones esporádicas que califican el film como "A sexist piece of garbage" mostrando con ello la práctica inexistencia de respuestas tibias entre los no profesionales ante una película cuyo contenido extremo suscita respuestas extremas.

Este variado abanico de críticas dispares lleva a Paul Julian Smith a afirmar que "*Átame* is the most extreme case of Almodóvar's inability to control press coverage even as he devoted ever more time to promotion strategies" (Smith 2000: 116). Lo que no pudo neutralizar durante la promoción fue la incapacidad de la crítica extranjera para desplazar la lectura de la película del plano real al metafórico y para distanciarse de los detalles más escabrosos cuya indudable presencia limitó la capacidad de abrir el texto a otras interpretaciones menos ceñidas al plano moral. A juzgar por la reacción de estos profesionales extranjeros las claves de interpretación que Almodóvar proporcionó en el pressbook publicado por El Deseo cayeron en saco roto. Su visión de *Átame* como "una película dura y romántica […]

siempre con humor [...] una película urbana, con personajes muy marginales y muy vivos que luchan por sobrevivir y se refugian en el amor como principal terapia", no logró desplazar el puritanismo de los críticos estadounidenses ni evitar que el contenido transgresor y provocador que monopolizara sus lecturas.[7]

TACONES LEJANOS

Si bien la ambigüedad moral opera como una de las constantes en el cine de Almodóvar, *Tacones lejanos* (1991) funciona como ejemplo paradigmático de esta premisa. La compleja relación entre madre e hija, Becky Páramo y Rebeca, distorsiona la convencional dicotomía entre una "buena madre" y una "mala madre". El narcisismo de la madre, el abandono de su hija en pro de su éxito artístico fuera de España y el peculiar complejo de Edipo de la hija, ponen en marcha una historia por medio de la cual, como indica Ernesto Acevedo-Muñoz, "Almodóvar pays direct tribute to his formative influences in Hollywood and European melodrama, and in the process reiterates his interest in the allegory of the reconstruction of the family as the reconciliation of the Spanish nation" (135). Esta amalgama de temas y géneros cinematográficos, sumada al giro metafórico de los mismos, sitúa al espectador ante una narración insólita y compleja cuya interpretación le exige instalarse en un terreno poco familiar y aceptar unas convenciones poco comunes.

En el pressbook publicado por El Deseo aparecen tres monólogos, el del director, el de Becky y el de Rebeca, que desvelan las claves de lectura de esta película. En el primero de ellos Almodóvar analiza el proceso de construcción de los personajes y subraya su intención de evitar que Rebeca fuera percibida como "un monstruo o una psicópata", y de lograr que "el espectador se emocionara con ella, que la entendiera y no la juzgara, y por supuesto que no la condenara". Este esfuerzo por no juzgar a sus personajes lo hace suyo el director al permitir que sean "ellos mismos los que se juzguen, se castiguen o se perdonen". Y esta premisa incomoda a la crítica atrapada entre la inclinación a emitir un juicio y la voluntad de impedirlo por parte del director. A la mencionada inestabilidad ética se suma la hibridez genérica de un texto que condensa, en palabras del director, "el

---

[7] Para una información completa de la visión de Almodóvar sobre esta película, ver el pressbook de *Átame* publicado por El Deseo.

melodrama duro, por momentos cercano al terror o a la serie negra (y por qué no la comedia musical)".[8] Esta amalgama de sentimientos y géneros se traduce en una incomprensión por parte de Janet Maslin que ya en el lacónico título de su reseña "A Mother, a Daughter and a Murder" deja clara la falta de cohesión que en su opinión marca esta historia. Para ella, "*High Heels* has not real mirth and not even enough energy to keep it alive [...] the film is not convincing" y aparece lastrado por "endless, shapeless conversations about the mother, the daughter and the murder". Como agravante destaca además que "One of the problems with *High Heels* as a 'tough melodrama' (in Mr. Almodóvar's own description) is that it isn't really tough, melodramatic o succesfully diverting in any other way" (*NYT* 20-12-1991). La combinación de lo melodramático y lo cómico, sumado al toque frívolo, distancia en este caso a la crítica que en ningún momento acepta las convenciones del juego propuesto por Almodóvar, un juego que en mi opinión tiene más valor del que le han concedido los expertos. En una película cuyos referentes se ciñen al propio universo por ella creado queda poco espacio para el diálogo con la realidad, lo cual dificulta su lectura.

John Hoberman, en una reseña en *Voice* (24-12-1991), considera que "*High Heels* stops short on a note of genuine pathos. This is a movie where the parody of desperation dissolves into the thing itself. The movie ends midbounce". Quizás el problema radique en que lo que considera "genuine pathos" difiere de lo que este sentimiento implica para el director, y en que la teatralidad activada por el creador no llega al espectador. Similar opinión merece el film para Terrence Rafferty, quien desde *The New Yorker* considera que "Almodóvar's filmmaking audacity isn't as bracing as it used to be: it feels trivial. There's is no urgency in his perversity here, no challenge of dissonant effects, no real tension in his wildly intricate plot" (http://newyorker.com/arts/reviews/film/high_heels_almodovar). El referente en Estados Unidos sigue siendo *Mujeres al borde de un ataque de nervios* y el deslizamiento de la alta comedia que lo internacionalizó a los melodramas con tintes cómicos distancia a los reseñadores. Esto no impide que la misma revista dedique a Almodóvar un artículo ligero cargado de elogios en la sección "The talk of the town" con motivo de la publicación de su libro *Patty Diphusa y otros textos*, celebrando el carácter polifacético del director, escritor y cantante que en esta obra escrita intenta "to shock with a smile" (*The New Yorker* 5-10-1992).

---

[8] El pressbook de *Tacones lejanos* amplía esta cuestión.

El mismo tono negativo domina la crítica en España. Quim Casas publica un artículo en *El Periódico* titulado "Un cóctel con sabor a folletín" en el que considera *Tacones lejanos* "un melodrama de calidad mediana tirando a baja, a veces divertido y gratificante, lo que no es poco: hábil y con pinta de productivo, pero que se encuentra a distancias astronómicas de las cumbres del género más refinado que existe" (26-10-1991). Similar rechazo muestra Rafa Fernández de *El Sol* para quien la película "pasa por ser un musical dramático bastante cutre, un melodramazo de los de antes del gasógeno, hasta un intento frustrado de *Imitación a la vida* (1959) de Douglas Sirk" (29-10-1991). Estos comentarios tan ácidos por parte de sus compatriotas, confirmación de los desencuentros del director y su obra con la crítica en España, contrastan de nuevo con la recaudación de taquilla. La película rebasó en España los cinco millones de euros con dos millones de espectadores, aunque en Estados Unidos solo recaudó 1,710,057 dólares, cifra baja incluso para un film extranjero.

Mayor empatía muestra John Anderson en la reseña aparecida en *New York Newsday* (20-12-1991), en la que considera que "As he proved in his controversial *Tie Me Up! Tie Me Down!* Almodóvar can put extraordinary characters in extraordinary situations, surround them with high style and high camp gestures and then find humor in their banalities. While *High Heels,* his latest, is much less outrageous in its story line than its predecessor, the director's M. O is just about the same […] The director keeps the story moving while giving the characters enough self delusional rope to hang themselves". La disposición por parte de este reseñador de aceptar el juego que propone el director da pie a una interpretación constructiva en la que tanto los personajes como el reseñador aceptan la normalización de lo extraordinario. Igualmente positivo es el tono de la reseña de Leah Rozen publicada en *People* (20-1-1991) en la que afirma que "With *High Heels*, Spanish bad boy filmmaker Pedro Almodóvar again reveals his unique gift for making films so twisted and yet so funny that you're almost too busy laughing to be shocked […] Sure this is a melodrama but carried out at warp speed, and in a wickedly warped way". El tono ligero que celebra esta reseña, poco común cuando se trata de enjuiciar el cine de este director, pero en consonancia con la naturaleza de dicha revista, abre una vía poco transitada, pero no por ello menos beneficiosa a lo hora de incrementar los resultados de taquilla. La dicotomía entre tono celebratorio o la repulsa que marca en general los escritos sobre Almodóvar se ve sustituida aquí por una respuesta comedida que, si bien no profundiza en el film, tampoco daña su recepción.

Dado que la esencia del film es "deviance" (el uso de este término procede de Anne Hardcastle), no sorprende la limitada conexión que logró con el público y sobre todo con la crítica, ya que los parámetros en base a los que se determina la empatía de un film con el público viene en general determinados por su acercamiento a la la norma, no por la negación de la misma como es el caso de esa historia. En un espacio tan rígidamente acotado como el de las relaciones entre madre e hija resulta difícil aquilatar la respuesta que esta desviación va provocar en el espectador. Como bien apunta Ann Hardcastle, "The deviance of Almodóvar's characters stretches across a range of conditions, from the charming to the psychopathic, and can be off-putting as the films compel spectators to sympathize with deviant behavior" (89).

No obstante no faltan críticas positivas por parte de unos pocos profesionales, entre ellos Roger Ebert, que en general no se siente atraído por la estética de Almodóvar. Buen ejemplo de esta desconexión es la declaración que hace, a modo de introducción, en la reseña de *Tacones lejanos* (20-10-1991), refiriéndose a *Mujeres al borde de un ataque de nervios*: "I saw it once, twice, three times finally in frustration and despair, and yet was unable to relate to anything on the screen. It slipped past me unsubstantial as a ghost. His next film, *Tie Me Up, Tie Me Down*, seemed like one of those meaningless exercises the writers in the New York weeklies call postmodernism, as if that explained anything". Pero curiosamente y en contra de su propia opinión al hablar de *Tacones lejanos* destaca: "But now *High Heels*, a film of great color and vitality, and while it is transcendentaly silly, I rather enjoyed that quality" (http://www.rogerebert.suntimes.com). Sorprende que un crítico que rechaza las películas más aclamadas del director español alabe *Tacones lejanos* y firme una reseña cargada de elogios.

Un acercamiento a la opinión de los espectadores permite constatar la positiva recepción de no pocos de ellos como prueban las siguientes respuestas aparecidas en *imdb*: "Almodóvar expertly juxtaposes the absurdity of what we fleetingly but devoutly believe is truly important with eternal truths", "An interesting mystery plot that is made special due to Almodóvar's unique style of directing, his obsessions, his actresses and, maybe above all, the music investment". Resulta significativo que sea precisamente *Tacones lejanos* la película que evidencia una mayor disparidad entre la opinión de la crítica y la del público según muestran los datos recogidos en *Rotten Tomatoes* (http://www.rottentomatoes.com/). Solo un 50% de los críticos escribe una reseña positiva, la más baja en la carrera de Almodóvar según esta misma fuente, en contraste con el 84% de los espectadores.

Tanto *Átame* como *Tacones lejanos* obligan al espectador a enfrentarse con seres que, como apunta Linda Williams, "love in new ways" (Williams, 189) y esta nueva forma de amor dista mucho del modo en que nuestra cultura nos ha enseñado a entender este sentimiento. De ahí que resulte problemático para el público conectar con una historia de amor en la que una mujer llega a enamorarse del hombre que la secuestra y la maltrata o con una relación materno-filial en la que una hija quiere incondicionalmente a una madre que la ha abondonado. Si además estas relaciones culminan con "sad happy endings" (Williams, 189), el universo emocional del espectador acaba por desestabilizarse de tal modo que apenas queda margen para la empatía entre los personajes y el público.

KIKA

La misma desconexión entre el público y la obra se detecta en *Kika* (1993), la película de Almodóvar con la recaudación de taquilla más baja en España desde *Mujeres al borde de un ataque de nervios*, 3.000.000 de euros y 1.000.000 de espectadores, junto con *La flor de mi secreto*, que solo generó 3.100.000 euros y no llegó al millón de espectadores (981.245).[9] Curiosamente la diferencia de recaudación entre estos dos films en Estados Unidos, el primero distribuido por October Films y el Segundo por Sony Classical Pictures, está mucho más marcada, 2.093.000 dólares en el caso de *Kika* y solo 653.723 dólares en *La flor de mi secreto*. Ante este relativo fracaso de taquilla cabe rastrear las razones que lo explican. En primer lugar el carácter abstracto de esta película y la ausencia de situaciones y personajes reconocibles aleja al público de la historia. Como bien declara el director, *Kika* es una película de "ideas" (Strauss 1995: 140), unas ideas difícilmente materializables. Además está filmada en su mayoría en estudio lo cual intensifica el artificio no solo a nivel del contenido de la historia sino también a nivel espacial. Los decorados barrocos, pensados para subrayar su propia falsedad, apenas dejan espacio para la plasmación de sentimientos convencionales, imposibilitando con ello el acercamiento del espectador a la historia.

---

[9] Tomo el dato de http://www.elblogdecineespanol.com.

El hecho de que la película cuente con una estructura compleja, no lineal, y que las partes de la misma se articulen como un puzzle, sin una lógica de causa-efecto, intensifica su hermetismo y explica de algún modo las duras críticas que recibió tanto por parte de los críticos españoles, especialmente ácidos ante este texto, como de los estadounidenses. Tanto fue así que Almodóvar tachó de "linchamiento" la reacción de los expertos españoles para quienes una historia tan personal carecía de interés. Otro problema que condicionó la negativa recepción fue la imposibilidad de encasillarla en un género, más aún la desviación, a diferencia de otros de sus textos fílmicos, de los géneros reconocibles ya que los elementos cómicos o policiacos intercalados en ella tampoco se ajustan con fidelidad a las reglas que los definen. El propio director tocó esta cuestión en el pressbook publicado por El Deseo: "Tengo la impresión de que *Kika* no pertenece a ningún género en concreto, quiero decir que no he respetado las reglas de ninguno". Junto a esto el personaje principal, como muchos de los que componen el repertorio almodovariano, se construye a base de trazos extremos pero en este caso dichos trazos carecen de coherencia interna. Así la protagonista, Kika, exhibe simultáneamente su ingenuidad y su indiferencia ante situaciones tan extremas como lo es una violación, al igual que Andrea, personaje casi monstruoso, capaz de transmitir por televisión las noticias más extremas sin inmutarse.

No se agotan aquí las hipotéticas causas del escaso éxito de *Kika*. Para uno de los mejores analistas de la obra de Almodóvar, Paul Julian Smith, este film pone de manifiesto el posible agotamiento de la estética del director manchego. A ello alude al afirmar que "*Kika*'s gorgeous art design and consistently inventing cinematography produce pleasure but no longer surprise. It seems only fair to ask: has Almodóvar painted himself into the corner?" (Smith 2006: 168). Este agotamiento, que con buen criterio P. J. Smith considera pasajero, como ha demostrado la exitosa trayectoria cinematográfica del director, explica las reservas por parte de la crítica.

La reseña más dura y la más influyente llega desde *The New York Times*, firmada por Janet Maslim. Ya el título anuncia el grado de agotamiento que el cine de Almodóvar despierta en esta reseñadora: "Another Sly, Dizzy Romp with Pedro Almodóvar" (6-5-1994). Para ella, "*Kika* is actually one of this film maker's more buoyant recent efforts, a sly, rambunctious satire that moves along merrily until it collapses—as many Almodóvar films finally do—under the weight of his own clutter". Si bien elogia la espectacularidad de los decorados, el vestuario y el buen hacer de las protagonistas femeninas deja claro que estas virtudes no bastan para salvar el film. La misma impresión deja la película en Susan Tavernetti como muestran los comentarios publicados en *Palo Alto Weekly* (8-6-1994). Para ella, "*Kika* is a kinky post-modern pastiche fatally short on substance and energy [...] Almodovar's dark vision is neither funny nor insightful, and he never allows you to care about these characters", corroborando con ello la dificultad de conectar con unos personajes y una historia carentes de credibilidad. Menos duro es el artículo publicado por Amy Spindler también en *The New York Times*, que parece querer eludir los defectos señalados por otros críticos para centrar su lectura en el protagonismo del vestuario como bien anticipa el título: "Dressed to Kill". Más allá de este alarde visual y de este elogio de la moda, A. Spindler no analiza ningún otro aspecto del film dejando al lector con numerosas dudas sobre la historia y su plasmación. La falta de substancia centra también la reseña de Joe Brown, aparecida en *The Washington Post*, en la que considera que "The rogue director champions style over substance, over everything. So it does not matter that *Kika* doesn't make sense—doesn't even try to make sense. It's just fun to watch" (27-5-1994). En el mismo periódico Desson Howe publica una crítica menos amable al indicar que Almodóvar no hace sino repetirse a sí mismo. Para él, el director español "has done this kind of thing before and he's done it better [...] now he is just redressing the same stuff, as if his movies were mannequins in a window display. Something alarming has happened to Almodóvar: He has become commonplace and predictable" (27-5-1994). Otro reproche plasmado por la crítica es la incapacidad que manifiesta el director a la hora de cerrar la historia de un modo coherente, como apunta James Bernardelli en una reseña aparecida en http://www.reelviews.net/movies/k/kika.html. Para este crítico, "The real problem with *Kika* is that, while it's moderately entertaining and occasionally riotously funny, one of the first thoughts after leaving the theater is likely to be along the lines of 'What was the point of that?'. As a satirical social commentary, the film is surprisingly shallow, not to mention insensitive".

Paralelamente a estas críticas negativas *Variety* (http://www.variety.com) publica una reseña más generosa en la que celebra la capacidad creadora de Almodóvar y su talento. Con estas palabras resume aquí Peter Besas la película: "Pedro Almodóvar has pulled off another unqualified winner that should delight his aficionados all over the world with its dazzling, stylized sets and costumes, fast pacing, irreverent sendups and zany antics" (8-9-1993).

Dos entrevistas llevadas a cabo en Estados Unidos a raíz del estreno de *Kika* reflejan la desconexión de esta película con los espectadores tanto profesionales como no profesionales y sobre todo el esfuerzo del director por responder a los reproches de la crítica y por justificar una historia ajena a los intereses de quienes se acercan a ella. La primera de estas entrevistas, publicada en *Filmmaker Magazine*, una revista estadounidense dedicada a cine independiente que se publica electrónicamente (http://filmmakermagazine.com/spring1994/pedro.php) y en papel, refleja por un lado el desconcierto ante el film por parte del entrevistador, Peter Bowen, y por otro la voluntad del director por justificar esta historia. Ya la primera pregunta, "What do you think about *Kika*?", pone de manifiesto dicho desconcierto y la respuesta lleva al director a anunciar estratégicamente su distanciamento de esta estética: "It is at the same time a way of saying goodbye to certain themes and putting myself in a new beginning, setting myself up for a new cycle". Pero a la hora de matizar sobre este anunciado cambio el director no puede precisar y el comentario del entrevistador, "What themes do you think it closes?", solo conduce a una respuesta vaga e imprecisa: "I don't think I am going to change in a very radical way […] It is more a change of attitude. My outlook will be less young, more mature". Más que buscar un intencionado cambio parece reaccionar ante un fracaso, aprovechando a la vez el foro que le da la revista para anunciar al espectador que su próxima obra se va a distanciar de esta estética. De forma diplomatica el entrevistador alude a la especial recepción de sus películas en Estados Unidos al preguntarle: "What do you think makes your films so attractive to Americans, even if they are occasionally misunderstood?", a lo que Almodóvar responde justificando la incompresión por razones morales, no por cuestiones estrictamente cinematográficas ni narrativas y pone como ejemplo la capacidad del público europeo, en concreto español, francés y belga, para aceptar abiertamente su modo de tratar temas tan problemáticos como la homosexualidad, la violación y la violencia en general. Si bien no le falta razón al evaluar la diferencia en cuanto al posicionamiento moral entre los estadounidenses y los europeos, lo cierto es que la película fracasó en ambos continentes.

El mismo tono justificatorio marca la segunda entrevista aparecida en *Bombsite* (http://www.bombsite.com/issues/47/articles/1758) en la que el director declara que el objetivo de la película es criticar la función de los medios de comunicación en nuestra sociedad y en especial de la television. Sorprende esta voluntad crítica dada la repetida insistencia del director en desvincular su arte de posicionamientos abiertamente políticos o didácticos. Por otro lado, en la misma entrevista, agradece al Festival de Cine de Miami el hecho de servir de entrada al cine español en Estados Unidos a la vez que se queja del proteccionismo de la industria cinematográfica norteamericana, en concreto del reducido porcentaje de películas extranjeras proyectadas en Estados Unidos, 2%, frente al 80% de cine de Hollywood exhibido en Europa. Aprovecha igualmente este foro para dotar su obra de una dimensión internacional calificándola de "urbana". Para él, "We live in a time where information is shared and alike. For someone of my generation in the United States there is a sensibility that makes it seem that we live in the same place, we both use the same references". No obstante, este denominador común se traduce en un desencuentro con el espectador a ambos lados del Atlántico y en una respuesta unánimemente negativa por parte de la crítica. Dado que, a pesar de defender su libertad creadora y de apelar al bajo presupuesto de sus películas como clave de dicha autonomía, revela una clara conciencia de la importancia del mercado, quizá este relativo fracaso le sirviera de estímulo para buscar historias más accesible para sus seguidores. Así su siguiente película, *La flor de mi secreto*, marca un cambio radical en sus preferencias temáticas y estéticas e inaugura una etapa que le llevará a conquistar el mercado global.

LA FLOR DE MI SECRETO

Para Paul Julian Smith el éxito artístico y comercial de *La flor de mi secreto* (1995) y de las dos películas siguientes, *Carne trémula* y *Todo sobre mi madre*, "derives from his resurrection of the category long given up for death: the art movie" (Smith 2003: 152). La experimentación e innovación formal asociadas al cine de arte y ensayo, a falta de un término más preciso, su calidad estética, su perfección formal, su valor como producto cultural y su comercialización dentro de este circuito permite incluir *La flor de mi secreto* dentro de esta categoría, a la vez que consuma el progresivo distanciamiento del cine underground en el que el director inició su carrera.[10]

---

[10] Como es sabido el término arte y ensayo, obsoleto en nuestro presente, se asocia con una pretenciosa vinculación al mundo intelectual. Otras etiquetas con connotaciones similares, cine independiente, cine de autor, etcétera, responden mejor al perfil del cine de Almodóvar.

La recaudación de taquilla de 3.100.000 de euros en España y de 653.723 dólares en Estados Unidos, no refleja la perfección formal de la película ni la hábil articulación de la historia, especialmente en el caso de Estados Unidos.[11] El precedente creado en Estados Unidos por las tres películas anteriores, *Átame, Tacones lejanos* y *Kika*, todas ellas cargadas con un contenido sexual de difícil digestión en este país, ayuda a explicar el limitado éxito de este film que llevó a la distribuidora Sony Classical Pictures a extremar la cautela y esperar hasta la finalización del mismo para comprarlo. A partir de esta primera compra y después del éxito de *Carne trémula*, distribuida en Estados Unidos por MGM, Sony Classical Pictures pasaría a adquirir los derechos de todas sus películas posteriores en Estados Unidos antes de ser finalizadas.

La flor de secreto se exhibió en el New York Film Festival el 13 y el 14 de octubre de 1995 y se estrenó en salas comerciales en Estados Unidos en marzo de 1996. La respuesta por parte de crítica celebra casi unánimemente el cambio de estética de Pedro Almodóvar y en concreto la desaparición del tono oscuro y chocante que había marcado las tres películas anteriores, cambios que Marvin d'Lugo considera "A tacit concession to the strong criticisms of feminists and the MPAA" (85). De hecho *La flor de mi secreto* funciona como la imagen invertida de *Kika*: a la pluralidad de hilos narrativos de *Kika* se opone la linealidad de *La flor de mi secreto*; la artificiosidad de decorados de la primera a los escenarios naturales de la segunda; la abstracción de las ideas a la concreción de los sentimientos; el pesimismo al tono esperanzador. Caryn James desde *The New York Times* es la primera en elogiar este nuevo rumbo: "What a relief that he [Almodóvar] has finally cheered up! […] Though the film is not as antic as *Women at the Verge of a Nervous Breakdown*, it is funny and free of the nasty undertone that has made him seem tired and tiresome lately" (13-10-1995). En la misma línea Anthony Lane en *The New Yorker* afirma que "Pedro Almodóvar's new picture feels rather sad and low-key, which is not a bad thing, since his high-key work (notably *Tie Me Up! Tie Me Down* and *Kika*) was becaming painful to watch" (1-3-1996).

Por otro lado el estreno de esta película coincide con un momento en el que España, y en especial Madrid, se ha incorporado al mapa global y ha afianzado su redefinida imagen como ciudad moderna, cosmopolita y por consiguiente atractiva para los viajeros del tercer milenio. La imagen de la ciudad que presenta el film

---

[11] La información procede de http://www.the-numbers.com

viene a corroborar este recién estrenado glamour, sin renunciar por ello a la esencia netamente española de la capital. Reconocer o reimaginar un espacio tan emblemático como Madrid constituye un acicate más en la lista de atractivos del film.

A medida que Almodóvar va consolidando su fama, las campañas promocionales en Estados Unidos incorporan la aprobación por parte de la crítica como instrumento publicitario y como garantía de calidad. A ello alude Vicente Rodríguez Ortega en el siguiente comentario: "Such is the case of trailers like *La flor de mi secreto/The Flower of My Secret* (1995) and *Carne trémula/Life Flesh* (1997). Whereas the trailer of the former is the Spanish one with English subtitles, the latter capitalizes in the use of a voiceover that, in an introductory fashion, reminds spectators of Almodóvar's achievements. In *La flor de mi secreto*, it is worth noting that the Almodóvar brand of autorship is at work in one of the Spanish director's trailers for the first time" (57). Almodóvar pasa así a partir de *La flor de mi secreto* a capitalizar su nombre como incentivo de ventas y a utilizarlo como reclamo en base a sus connotaciones como sinónimo de calidad, originalidad y sofisticación. No solo eso sino que, como indica Mark Allinson, "Almodóvar's work defies clear generic definition, the term "un film de Almodóvar" denoting almost a genre in itself" (122), poniendo de manifiesto con ello que la imposibilidad de encasillar sus films dentro de un género concreto y reconocible, lejos de afectar negativamente su recepción como sería de esperar en un país extranjero en el que una película importada no clasificable es difícil de comercializar, la beneficia. La marca Almodóvar, ahora reconocible globalmente como sinónimo de cine independiente, es aprovechada por las distribuidoras a escala mundial que eligen los componentes más vendibles de su cine para armar sus campañas publicitarias. Este nuevo estatus como cineasta global a partir de *La flor de mi secreto* resulta inseparable del cambio radical operado en los espectadores, profesionales y no profesionales, ya que la accesibilidad de este film en contraposición al retorcimiento de los tres anteriores abre un nuevo discurso crítico.

Un buen número de reseñas se abren con una alusión a su pasado reciente como por ejemplo la aparecida en http://empireonline.com/reviews cuya primera frase reza: "After the wholesale disappointment of the critically mauled *Kika,* Pedro Almodóvar desperately needed to regain lost-ground as one of Europe's premier filmmakers. Here he takes the brave step of abandoning his high voltage sex and comedy trademarks, opting instead for a detailed and dramatic account of a successful authoress coming to term with desertion and solitude at the onset of middle age". Igualmente Rita Kempley del *Washington Post* celebra la nueva moderación con estas palabras: "Nobody ties anybody up or down in *The Flower of My Secret*, Pedro Almodóvar's most mainstream film since *Women on the Verge of a Nervous Breadown*" (19-3-1996). En el mismo periódico otro de sus reseñadores, Desson Howe, afirma que "If Pedro Almodóvar's latest movie *The Flower of My Secret* doesn't duplicate the provocative brassiness of such earlier works as *Law of Desire* and *Matador*, it shows that artistically speaking he's still hanging in there" (19-3-1996).

Las razones por las que los críticos estadounidenses aplauden este nuevo estilo radican sobre todo en la accesibilidad del texto, en concreto en la intensidad emocional que exhibe la protagonista, Marisa Paredes, que lleva al espectador a reconocer los sentimientos que aglutinan la historia y hasta cierto punto a reconocerse en ellos. El propio Almodóvar indica que su intención era "contar una historia sobre el dolor, la épica del dolor" (Holguín, 281), emoción inherente al ser humano, además de apuntar al realismo de su film, un realismo personal nunca desprovisto de artificio pero no por ello distante del espectador.

Además dichos sentimientos conectan con la tradición cinematográfica hollywoodiense borrando con ello el extrañamiento y la desfamiliarización que caracteriza el cine de Almodóvar para el público estadounidense. Así al reseñar esta película aflora en repetidas ocasiones el nombre de Douglas Sirk, con títulos como *Imitation of Life*, *Written in the Wind* y *Magnificent Obsession*, y actrices como Jane Wyman, Lana Turner, Dorothy Malone y Lauren Bacall. Convergen además en opinión de la crítica la esencia clásica del melodrama con la habilidad del director para hacer "What he does better than any other living director— postmodernizing the melodrama", como indica Barry Walters en *Examiner* (22-3-1996). A esta modernización del género cabe vincular la admirable habilidad del director para fundir lo trágico y lo cómico, estrategia que conlleva un alto riego y en la que Almodóvar se ha convertido en un experto. A esta marca de la casa se ha de añadir el diálogo que el film mantiene con la literatura, lo cual ha llevado a etiquetar la película como la más literaria de Almodóvar y a acercarla al ámbito de la alta cultura, gesto celebrado por un sector del público menos inclinado a los excesos de la primera etapa creadora pero a la vez ferviente admirador de la maestría del director y de la perfección técnica de sus últimas obras. La presencia de la lectura y de la escritura como hilos conductores de la película, la construcción de los personajes en base a modelos literarios y sobre todo la exploración de la subjetividad a partir de la escritura atraen a un espectador culto que, por lo mismo que se siente atraído por este "cine literario", es capaz de disfrutar con una obra rica en intertextualidades.[12] Quizá esto ayude a explicar la positiva acogida que *La flor de mi secreto* recibió en el ámbito académico y su lectura como visagra dentro de la producción cinematográfica de Almodóvar. Las siguientes palabras de Marvin d'Lugo sintetizan bien la relevancia de esta película en el continuum de la producción almodovariana: "The *Flower of My Secret* is thus a pivotal work in Almodóvar's development. In the immediate context of his commercial filmmaking, it suggests a recovery of the 'touch' that many reviewers claim he had lost in his recent work" (D'Lugo 2006: 93). A partir de aquí la carrera de este cineasta se consolida y se inserta en el circuito del nuevo cine global que marca el rumbo del séptimo arte en el tercer milenio.

CARNE TRÉMULA

Carne trémula (1997) se construye en torno a una serie de elementos que ayudan a enmarcar el film dentro de unos parámetros más internacionales que su producción anterior sin renunciar por ello a la españolidad. En primer lugar, esta adaptación de la novela inglesa del mismo título escrita por Ruth Rendell (1986) metamorfosea la historia original para anclarla en un período histórico clave en la historia de España: la transición del franquismo a la democracia. La transformación de España y el eco de la misma posicionan el país en el punto de mira de la comunidad internacional de modo que *Carne trémula* abre un diálogo con esta realidad a la vez que hace de su director uno de los emblemas de dicho cambio. A diferencia de la supuesta despolitización de la mayor parte de la producción cinematográfica de Almodóvar, y digo supuesta por la carga política que acarrea esquivar intencionalmente el tema, esta película exhibe abiertamente su marco político y el compromiso democrático de España proporcionándole al espectador nacional e internacional datos reconocibles para entrar en el debate político del

---

[12] Ver un estudio que publiqué sobre este tema, "La flor de mi secreto. La literatura como seducción", en el que se explora a fondo la dialéctica entre este film y la literatura. También ha abordado este tema María Teresa García-Abad en "Cine y literatura: *Carne trémula*, adaptación libérrima".

momento. En segundo lugar, la representación de Madrid como una ciudad capaz de reinventarse duplica el radical cambio político del país. Entre el Madrid sórdido en el que se inserta el nacimiento del protagonista, Víctor, asolado por el estado de excepción decretado por Franco el 11 de febrero de 1969 a raíz de un período de enfrentamientos con grupos estudiantiles —en la película se fecha en 1970—, y el Madrid democrático del momento en el que nace el hijo de Víctor, ventiseis años más tarde en 1996, Madrid se ha convertido en el emblema de la postmodernidad y en el destino de un buen número de viajeros en busca de un lugar con la dosis justa de costumbrismo, modernidad y estabilidad política. A ello alude precisamente Gianni Vattimo al afirmar que, "Durante los últimos años cuanto menos, y quizá también porque la democracia es todavía relativamente joven en este país, España […] ha sido efectivamente el lugar ideal en el que se han dado cita todas las aventuras intelectuales de occidente (67).

Junto a estos referentes políticos concretos que facilitan el reconocimiento por parte del público operan una serie de referentes genéricos que contribuyen igualmente a la accesibilidad del film. En primer lugar, su carácter melodramático, género que, como varios críticos han mostrado, está vinculado al proceso de imaginar una nación, en el caso de este film con las mutaciones necesarias para reflejar la presente transformación de una España homogénea en una España híbrida y global.[13] Los registros propios del melodrama forman parte del repertorio de cualquier cinéfilo acercando con ello *Carne trémula* al público. Y cuando dichos receptores pertenecen a una comunidad interpretativa distinta a la España postmoderna de la que procede el film, el efecto de cercanía adquiere un valor añadido. En este contexto se debe insertar la positiva acogida de *Carne trémula* a nivel internacional y en concreto en Estados Unidos. Sumado a esto, Almodóvar abre un diálogo intertextual con la película *Ensayo de un crimen* de Buñuel, lo que reinscribe *Carne trémula* en un mapa cultural reconocible a nivel internacional. Si bien Almodóvar declara en el pressbook que la intertextualidad con el film de Buñuel es hasta cierto punto fortuita ya que antes consideró incluir clips de *Hard Boiled* (John Woo), *Tiger Bay* (John Lee Thompson) y *Getaway* (Peckinpah), declara estar satisfecho con la elección debido a que ambos films lidian con la muerte, la casualidad, el destino y la culpa. Se suma a ello el hecho de que tanto

---

[13] Para una exploración más amplia del melodrama como representación asociada a la construcción de la nación, ver el artículo de Carla Marcantonio "The Travestite Figure and Film Noir: Pedro Almodóvar's Transnational Imaginary".

Buñuel como él crecieron en una cultura marcada por el miedo a la muerte y por el castigo. Al margen de esta convergencia de sentimientos la selección de los clips mencionados indica el interés del director en dialogar con textos fílmicos reconocibles por el público. Todo ello sumado a la presencia de un mensaje positivo asociado a la capacidad de regeneración que encierra el film (regeneración política, humana, emocional) y que refuerza la empatía con la crítica y con el público.

La recepción crítica de *Carne trémula* en Estados Unidos ejemplifica la pluralidad de lecturas que cualquier texto de Almodóvar logra suscitar. Ya la manipulación del cartel anunciador delata la cautela ante el componente provocador de su cine y los esfuerzos por atenuarlo como bien muestra el hecho de dar la vuelta y separar los cuerpos desnudos que aparecen de frente y unidos en el cartel original. Pero, si se tienen en cuenta las opiniones que generó el film, la imagen del cartel resultaba en este país más provocadora que la película misma como prueba el hecho de que la crítica subrayara la disminución de los temas provocativos que marcaron la producción anterior del cineasta, cuestión que transparenta una cierta añoranza por la capacidad transgresora de Almodóvar. La reseña de Lisa Alspector aparecida en *Chicago Reader* (http://www.chicagoreader. com/chicago/live-flesh/Film?oid=1060320) refleja esta posición. Para ella, "The characters in this 1997 story often explain their motives to one another with shocking honesty, appearing intriguingly autonomous and self-aware. But writer-director Pedro Almodóvar exposes them mainly so we can watch them play a game of sexual musical chairs. It's all very clever but not really provocative—though a layer of political subtext may make the scenario seem funnier and more meaningful". La atenuación del atrevido tratamiento de la sexualidad que atraviesa sus películas anteriores, sumada a un argumento poco credible son, en opinión de esta reseñadora, lastres de esta nueva estética. Similares quejas emergen en la reseña de Charles Taylor aparecida en http://www.salon.com/entertainment/ movies/1998/02/20lifeflesh.html en la que éste declara: "Almodóvar has lost the need to shock that seemed the only motivation force in pictures like *Tie Me Up, Tie Me Down!* and *Kika*. But he's lost his emotional center as well. This is a movie that would have fared better under the direction of a filmmaker with far less style". Activar un estilo tan personal como el de este director conlleva el riesgo de ser encasillado en una clasificación hermética que deja poco espacio a la evolución, como bien prueba este comentario. Tampoco la crítica firmada por Cathy

Thompson-Georges celebra el cambio de rumbo del director manchego según muestra el siguiente comentario: "As always Almodóvar has assembled a talented and gorgeous cast; unsually for him he has found men as interesting as his women. However the film lacks the anarchic weirdness of some of his best, and without the camp elements it becomes obvious just how like a telenovela the goings-on are" (http://www.boxoffice.com/reviews/2008/live-flesh.php). Sorprende en este caso la comparación del film con una telenovela ya que uno de los aspectos más celebrados es la sofisticada construcción de la historia. Más duro es el ataque de Mick LaSalle desde *The San Francisco Chronical* para quien, "The director may not be imitating himself here but he is certainly repeating himself, and with not much force or conviction [...] Plot turns are many and not worth recounting" (1-30-1998). Si bien es cierto que la ligereza y falta de precision de esta reseña atenúa su peso no por ello deja de reflejar la desconexión del film con un sector de la crítica. A juzgar por las respuestas hasta aquí mencionadas parece que *Carne trémula* se sitúa en tierra de nadie de modo que quienes admiraban la veta provocadora y la estética camp del director se sienten tan decepcionados como quienes las rechazaban.

En el polo opuesto se emplazan críticas tan entusiastas como la firmada por Janet Maslin a raíz de la presentación de la película en el New York Film Festival, que alaba sin reservas el film. Así abre su crítica:

> With solid success, Pedro Almodóvar leaves his taste for camp behind to direct a richly detailed tale of passion, perfidy and revenge adapted from a typically tricky Ruth Rendell novel. *Live Flesh* is Mr. Almodóvar's stylish, sexy film noir, although in this case rouge is more like it [...] Mr. Almodóvar, whose work here has a newly sophisticated polish, appreciates the dark twists of this story along with the eroticism that bring heat to all the scheming. In *Live Flesh* he finds steamy, imaginative ways to show why the film's characters love one another to dead. (*NYT* 10-10-1997)

Dada la poca afinidad que Maslin había mostrado hasta ahora con el cine de Almodóvar y dado el poder de *The New York Times* como instrumento publicitario, el tono positivo de esta reseña abre una nueva vía a la recepción de Almodóvar en Nueva York y por extension en Estados Unidos. Tres meses más tarde y a raíz del estreno en salas comerciales, *The New York Times* vuelve a publicar una reseña, esta vez firmada por Celestine Bohlen, en la que considera la película como "a reflection of the adult on him, with a more sober look at love and passion and even a sidelong glance at the yearning for children and family" (*NYT* 18-1-1998). La reseñadora alude además a las críticas publicadas en Europa que coinciden en encomiar la nueva sobriedad, entre ellas la de *Il Mensaggero* que ve este film como "a welcome departure from the director's old formulas" y como una muestra de que "The protagonist of 'la movida' has learned how to structure both his stories and his emotions". Cita también este artículo el comentario de Angel Fernández Santos publicado en *El País* en el que este afirma que "Almodóvar is entering his period of maturity. He is starting to show a complet command of the art form". El mismo entusiasmo se transparenta en una reseña de José Arroyo publicada en *Sight and Sound* en mayo de 1998 y aparecida en la red bajo http://www.filmsociety. wellington.net/nz/db/screeningdetail.php, en la que su autor afirma que "*Life Flesh* is arguably Almodóvar's best film since *Women on the Verge of a Nervous Breakdown* […] is a fully realized work, a sustained examination of how betrayal, guilt, revenge, desire and loss relate to love. It is a complex and moving film that is beautiful to look at". De nuevo el sexo y el deseo arman la reseña publicada por David Canby en *The New York Times Magazine* en la que afirma que, "For Almodóvar, sexual passion is part of a cruel joke of Spanish guilt and fatalism. Sex is a matter of life and death that drives people into absurd situations". Esto no impide que este crítico considere que "*Life Flesh*, the best movie of Almodóvar since the Iberian screwball classic *Women at the Verge of a Nervous Breakdown*, turns into a happy joke about passion as destiny, Eros as the dominant force in life" (19-1-1998).

Un aspecto que la crítica estadounidense ignora es el trasfondo político, parte esencial del film dentro del contexto español, especialmente por la declarada indiferencia hacia cuestiones políticas que caracteriza el discurso cinematográfico de Almodóvar. Sin pretender privilegiar una lectura política de *Carne trémula*, es necesario destacar que esta faceta densifica el sentido de la historia a la vez que la contextualiza en un momento histórico marcado por un fuerte sentido de libertad en España. El eje de las reseñas sigue siendo la fuerza del deseo y sus multiples facetas a la hora de concretarse en relaciones sexuales, continuando así la línea que llevó al director a la fama y que pasa por alto, en este caso, los trazos argumentales que complementan la historia con un ingrediente político. A juzgar por las reseñas consultadas y por los datos proporcionados por *Rotten Tomatoes*, la crítica y los espectadores respondieron de modo similar, con una aprobación del 79% por parte de los profesionales y del 86% entre los no profesionales. Igualmente se percibe una polarización en las respuestas, como prueba el entusiamo o el rechazo del film, con pocas muestras de respuestas neutras. Con unas cifras de taquilla de 1.535.558 dólares en Estados Unidos y 4.900.000 euros en España, el relativamente limitado éxito de esta película no anticipa el espectacular resultado de la siguiente, *Todo sobre mi madre*.

TODO SOBRE MI MADRE

Con *Todo sobre mi madre*, además de recibir el Oscar a la mejor película extranjera, Pedro Almodóvar acumuló un buen número de premios, entre ellos siete Goyas a la Mejor Película, Mejor Director, Mejor Actriz Protagonista, Mejor Dirección de Producción, Mejor Montaje, Mejor Música y Mejor Sonido; el Globo de Oro a la Mejor Película de Habla No Inglesa; el Premio del Festival de Cannes al Mejor Director, además de los concedidos por la National Board of Review Motion Pictures, la Asociación de Críticos de Cine de Los Angeles, la Asociación de Críticos de Boston, el New York Film Critics Circle, el Festival Internacional de Cine de Palm Springs, todos ellos a la Mejor Película, sumados a varios galardones recibidos en otros países. Esta película, al igual que *Mujeres al borde de un ataque de nervios*, marca otro punto de inflexión en la carrera del cineasta y consolida su pertenencia a la lista de directores catapultados al mercado internacional.

Todo sobre mi madre fue muy bien recibida por el público y por la crítica logrando recaudar en Estados Unidos 8.264.530 dólares, la cifra más alta de su producción hasta ese momento, solo superada por *Hable con ella* y por *Volver*. En España recaudó 9.900.000 euros con casi el doble de espectadores que *Hable con ella* (2.600.000 y 1.300.000 respectivamente). Si ya la concesión del Golden Globe situó tanto la película como a su director en un lugar de excepción en Hollywood, a raíz de la concesión del Oscar, el director conquistó el éxito en el mercado global, regido en gran medida por la reglas dictadas desde la meca del cine. Sony Pictures Classics, distribuidora en Estados Unidos de todas las películas de Almodóvar a partir de *Todo sobre mi madre*, capitalizó bien el éxito y, tras la concesión de este galardón, la cinta se exhibió simultáneamente en 145 salas, número considerable para una película extranjera. La página web creada por Sony da buena prueba del esfuerzo para diseminar el cine de Almodóvar. Compuesta por dos sinopsis del film, una breve y una amplia, las ideas centrales de la película verbalizadas por Almodóvar, un escrito sobre las actrices evocadas en la película, el monólogo de

Agrado y su marco, un texto sobre la protagonista titulado "Manuela on the run", una serie de fotografías y clips (los clips no aparecen), el reparto y los créditos, proporcionan al lector una información completa sobre el film y en especial sobre el tono del mismo. El cuidado diseño de la página y la amplia información en ella contenida reflejan el esmero con el que se promocionó la película en este país, la eficacia de la red como medio difusor y la voluntad de llegar a unos espectadores exigentes e interesados en calar en la obra del director español.

Según declara Almodóvar en el pressbook de *Todo sobre mi madre*, su idea inicial fue "hacer una película sobre la capacidad de actuar de determinadas personas que no son actores", y más en concreto, sobre "la capacidad de la mujer para fingir" (13). Menciona además en este mismo texto el atractivo que sobre él ejercen "Películas cuyo argumento es el cine y las personas que lo hacen, su magnificencia y su sordidez" (15). De ahí la dedicatoria a tres de las actrices que le han causado más emoción: Gena Rowland, Bette Davis y Romy Schneider, referencias que de nuevo sirven para insertar esta película en la órbita del cine de Hollywood. Junto a estos datos que el director proporciona para acceder a su texto destaca la perfecta conexión entre un modo de tratar varios de los temas que dominan su obra en un primer momento y una nueva interpretación de los mismos. Vemos así que, frente a un tratamiento repetido de cuestiones relacionadas con el género y la sexualidad en el que la homosexualidad y transexualidad luchan por encontrar un espacio en la sociedad, aparece en *Todo sobre mi madre* una normalización de estas cuestiones encarnadas en unos personajes que están a gusto en su piel y que encuentran una vía para canalizar sus inclinaciones sexuales. A una reflexión similar remite la siguiente afirmación de Ernesto Acevedo-Muñoz: "The extended body/nation metaphor in *All About My Mother*, suggests a move towards an understanding of identity as something ambiguous (sexually, culturally) and problematic, yet ultimately functional" (220). Agrado, el personaje transexual que abiertamente describe, vive y disfruta sus transformaciones ejemplifica una nueva amplitud de miras que de algún modo refleja la capacidad de España para incorporar e incorporarse a una nueva dinámica marcada por la aceptación y la tolerancia. Pero es sobre todo la positiva recepción por parte del público que contempla el monólogo de Agrado lo que funciona como espejo de esta recién estrenada tolerancia. Por otro lado la visión de la familia responde también a este proceso de transformación que la hace viable como prueba la sustitución del modelo convencional ejemplificado en los padres de la hermana Rosa (Penélope

Cruz), caracterizado por la fragmentación y disfuncionalidad, por la nueva familia creada primero por Manuela y su hijo Esteban, carente de una figura paterna y después por Manuela, Agrado, Rosa y su hijo, el tercer Esteban, miembros elegidos de esta nueva famila basada en el apoyo y la comprensión, no en los lazos de sangre. Este proceso de normalización o funcionalidad genera en última instancia una proximidad con el espectador, más cercano ahora a unas conductas percibidas como viables en la medida en que propician unas relaciones constructivas ajenas a los tabús que han lastrado la sociedad española.

A esta supuesta madurez reacciona con reservas un sector de la crítica que admiraba los riesgos que corría el director en su etapa "menos madura". Así lo expresa Gabriel Shanks: "These clearly more mature films [*The Flower of My Secret, Live Flesh* and *All About My Mother*] kept the wacky spirit and kaleidoscopic art direction of his earlier work, but something seemed lost in transition—the films, moving as they are, seem a bit cold, detached. It's as if someone had told Spain's cinematic bad boy to grow up, and unfortunately, he listened" (http://www.mixedreviews.net/maindishes/1999/allaboutmymother/). En la misma línea, la crítica firmada por Peter Rainer en *New York Magazine* dice: "But I don't think we should unqualifiedly hail the director for growing out of the Pop playfulness of a movie like *Women on the Verge of a Nervous Breakdown* in favor of the supposedly ripening maturity of this film" (22-9-1999).

El espacio que ocupaba el cine de Almodóvar en su etapa más provocadora resulta difícilmente rellenable ya que el equilibrio de funambulista entre lo marginal y lo central logrado por el director carece de modelos en el panorama cinematográfico actual. En cambio para otros críticos como J. Hoberman, *Todo sobre mi madre* no conlleva un abandono de sus marcadores cinematográficos sino más bien una perfecta "synthesis of the whole Almodovariety show, a new genre-part farce, part weeple, low camp and high melodrama, caustic, yet heartwarming, humanistic and programmatically gender-blurring" (*The Village Voice* 16-11-1999). Esta nostalgia por el estilo y la temática anterior va cediendo ante nuevos contenidos y nuevas formas que progresivamente irán seduciendo a la crítica y al público como bien muestran las reseñas de los profesionales y los comentarios de los espectadores publicados en la red. El elevado número de entradas aparecidas en *imdb* en relación a esta película, en concreto doscientas diez, frente a las sesenta y ocho de la película anterior, *Carne trémula*, pone de manifiesto el creciente interés del público. Destaca en estas reseñas del público el tono celebratorio como prueba la repetida aparición de títulos como los siguientes: "At last, an Almodóvar Masterpiece", "This is what I call a masterpiece", "One of the best films ever made", "Exquisite mixture of melodrama and comedy", "Almodóvar greatness". Celebran sobre todo el hábil modo de narrar y de dar unidad a los múltiples hilos de la historia, la originalidad y coherencia del argumento junto con la destreza para reconciliar lo trágico con lo cómico. Si inevitablemente en una página como la de *imdb* alternan comentarios irrelevantes con reflexiones acertadas, el considerable número de opiniones resulta más ilustrativo que el contenido de las mismas.

En lo que atañe a las críticas de los profesionales de nuevo será Janet Maslin la primera en reseñar la película en Estados Unidos durante su estreno en el 37th New York Film Festival, etiquetándola como "his best by far [...] the crossover moment in the career of a born four-hankie storyteller of ever-increased stature" (*NYT* 24-9-1999). Entre los méritos que le atribuye destaca "a newly sophisticated style that it is far more passionate, wise and deeply felt [...] a sweeping visual assurance that binds the film together", todo ello aderezado con "the strength, passion and humor this filmmaker has always celebrated". El estreno de la película en la inauguración de este festival y la entusiasta crítica de *The New York Times* sin duda avalan la calidad de film y condicionan positivamente su recepción. Incluso un crítico como Roger Ebert, siempre reticente al reseñar el cine de Almodóvar, afirma: "Almodóvar's earlier films sometimes seemed to be manipulating the characters as an exercise. Here the plot does handstands in its eagerness to use coincidence, surprise and melodrama. But the characters have a weight and reality, as if Almodóvar has finally taken pity on them, has seen that although their plights may seem ludicrous, they're real enough to hurt" (*Chicago Sun Times* 22-12-1999). La misma sinceridad en los sentimientos detecta Bob Graham desde el *San Francisco Chronical*, para quien, "No one else makes movies like this Spanish director [...] The tone of *All About My Mother* has the heart on the sleeve emotions of soap opera, but it is completely sincere and by no means camp" (26-12-1999).

Menos entusiasta pero también positiva es la reseña de David Denby aparecida en *The New Yorker*, en la que el autor deja ver un cierto distanciamiento de la estética de Almodóvar sin que ello suponga infravalorar la película: "In *All About My Mother* which Almodóvar has called a 'screwball drama', the situations are mad and the plotting is abrupt and arbitrary, but the treatment is matter of fact, even somber. Almodóvar is trying a new seriousness. He has been overtaken not by fear but by—of all things—a desire for dignity". Lo que en opinión de este reseñador aglutina el film es el acertado tratamiento de los personajes como muestra la siguiente afirmación: "Amazed by his [Almodóvar's] generosity to his characters, we gratefully accepted his gay-cabaret approach to identity—accepted it as a form of love". Aunque alaba los hábiles juegos de simetrías entre la vida y el teatro y demás actuaciones junto con la fuerza de las mujeres considera que la película, "Except for a few scenes here and there lacks spirit" (22-11-1999). Dado que aparte de Pauline Kael pocos críticos de *The New Yorker* han considerado el cine de Almodóvar digno de un estudio amplio, la reseña de David Denby supone un reconocimiento del director en una revista destinada a lectores etiquetados como cultos y sofisticados con las implicaciones que este perfil conlleva de cara a la recepción del film. Puesto que en buena medida el cine de autor en Estados Unidos en el que se encuadra Almodóvar va dirigido sobre todo a este público culto, la publicación de esta reseña en *The New Yorker* adquiere también una repercusión especial.[14]

En uno de los trailers proyectados durante la promoción en Estados Unidos se utiliza como estrategia un repertorio de citas sobre las imágenes como la que sigue, capaz de llegar a un público amplio y diverso, susceptible de relacionarse con el film y de despertar su curiosidad: "Part of every woman is a mother, part of every woman is an actress, part of every woman is a saint, part of every woman is a sinner, part of every man is a woman". El intercalar estas citas con escenas clave de la película logra crear una sensación de suspense y despertar la curiosidad tanto del público masculino como femenino.

Uno de los rasgos que detecta Leo Cabranes-Grant en esta película (lo hace también extensivo a *Hable con ella*) es el uso de "una deliberada estrategia narrativa en la que el film nos integra a su devenir al re-presentar internamente nuestra vulnerable función de espectadores" (65). Con ello alude a la pericia de Almodóvar para crear una relación intensa entre el film y el espectador al llamar la atención sobre una serie de recursos —entre ellos la continua representación de espectadores dentro del film— que convocan nuestra presencia en el mismo. El juego continuo entre los ensayos y la realidad acentúa igualmente la sensación de contar con un onmipresente espectador interno. De hecho, como muestra Isolina Ballesteros al hablar de la protagonista de la película, "Manuela's journey is

---

[14] José Colmeiro lleva a cabo un análisis detallado del cine español en Estados Unidos en "El discreto encanto del sueño americano: Hollywood y el nuevo cine español", publicado en *Ventanas sobre el Atlántico*: *Estados-Unidos-España durante el postfranquismo (1995-2008)*.

defined by her alternating role as performer in, and spectator of, Tennessee Williams's *A Street Car Named Desire*" (78). Intencionado o no, este efecto contribuye a arrastrar al público dentro de la narración y a acortar la distancia que media entre las atípicas historias narradas por este cineasta y los receptores de su obra. El éxito de este decimotercer film junto con la positiva y unánime respuesta de críticos y espectadores amplía el círculo de receptores y alcanza ahora a un público dispuesto a valorar una obra todavía distante de los parámetros del cine comercial.

HABLE CON ELLA

Hable con ella (2002) continúa a nivel de estilo y sentimientos la línea abierta por *Todo sobre mi madre*. Con un éxito similar al de la película anterior, recibió en Estados Unidos el Oscar al Mejor Guión Original, el Globo de Oro a la Mejor Película Extranjera, Los Angeles Film Critics Association Award al Mejor Director, el premio del National Board of Review a la Mejor Película Extranjera, los Golden Satelite Awards a la Mejor Película Extranjera y al Mejor Guión Original. Además la revista *Time* y en concreto dos de sus críticos, Richard Schikel y Richard Corliss, la consideraron la mejor película de la década. A esto se suma un buen número de galardones en numerosos países como muestra el apéndice incluido al final de este volumen. A la luz de estos éxitos no sorprende que la película recaudara 9.284.265 dólares en Estados Unidos, 6.200.00 euros en España. Un logro más en esta conquista del éxito fue la proyección en HBO Latino, canal español de la televisión estadounidense, logrando con ello una considerable difusión entre una audiencia menos cercana al circuito de arte y ensayo en el que se mueve el cine de Almodóvar en este país.[15]

Buena prueba del interés que despertó la película en Estados Unidos se debe a la atención que le dedicó *The New York Times* con la publicación de cinco artículos en el plazo de unos meses. El primero de ellos, aparecido con motivo de la presentación de la película en la sesión de clausura del 40th New York Film Festival y firmado por Elvis Mitchell, si bien peca de ligereza, acierta al subrayar una serie de ideas clave que marcan la tónica de la película, entre ellas, la perfecta

---

[15] Para una exploración de la dialéctica entre Pedro Almodóvar y la televisión, consultar el libro de Paul Julian Smith titulado *Television in Spain*, págs. 143-156.

construcción de la historia —"Everything falls into place with an almost surreal delicacy"—; la habilidad para manipular las emociones del espectador —"By the end Mr. Almodóvar flips the script and demands not just sympathy but empathy for someone who you wouldn't think deserved it"—, y su maestría a la hora de fundir diferentes géneros —"Yet the slippery mischievous streak remains, and *Talk to Her* shows how reliable he has become at marrying suspense, comedy and tragedy" (*NYT* 12-10-2002). Al día siguiente, 13 de octubre, vuelve a aparecer en el mismo periódico una crónica ligera de Linda Lee en la que narra una velada de los actores principales (Javier Cámara, Darío Grandinetti, Leonor Watling, Rosario Flores y Geraldine Chaplin) en el Soho Grand Hotel, que si bien no habla de la película contribuye a mantenerla presente en la escena neoyorquina.

El artículo que disecciona a fondo *Hable con ella* viene firmado por A.O. Scott, publicado el 17 de noviembre, y marca la primera película de Almodóvar reseñada por este crítico en *The New York Times,* ahora en el puesto ocupado antes por Janet Maslin. Esta circunstancia le lleva a hacer una detallada revisión de la trayectoria del director, siempre con el rigor y el acierto que caracteriza sus críticas de cine, en la que elogia la energía de las primeras películas y su respuesta a la represión de la era franquista, el perfecto tratamiento del deseo en una segunda fase, el acierto en el tono cómico de *Mujeres al borde de un ataque de nervios*, el cansacio de las películas siguientes —*Átame, Tacones lejanos* y *Kika*— y el oportuno cambio de registro operado a continuación. En opinión de A.O. Scott, "*Flower of My Secret*, released in 1995, marked not only a return to form, but a new direction, as if Mr. Almodóvar, starting from parodic, camp sensibility, had found his way back to the full, theatrical emotionalism that camp feeds upon and travesties" (*NYT* 17-11-2002). Intercala además en este artículo las declaraciones del director en al rueda de prensa del New York Film Festival, con lo que añade una sensación de inmediatez a su reseña. Al comentario de Almodóvar sobre el ensombrecimiento en los sentimientos de sus últimas películas —"I think that emotions have always been present in my films but I am conscious of a change […] it may have to do with a change of a vision, a vision that I would not like to say is pessimistic, but which is sad, mournful about life"—, responde elogiando la capacidad del director para transformar la tristeza en ternura y belleza. Pero lo que celebra este crítico sobre todo es el hecho de que el consuelo procede de "a deep faith in the power of art" en la medida en que los personajes de los últimos films se definen a sí mismos en relación con el teatro, la literatura, el cine y la danza. La agudeza de A.O. Scott propicia la conexión de Almodóvar con el ámbito de la alta cultura consolidando su distanciamiento de la estética camp. *Newsweek* le dedica igualmente una reseña positiva aunque breve en la que define la película como "A haunting, generous meditation on loneliness, love and madly displaced desire is like nothing he's ever done before, and yet no one but Almodóvar could possibly have dreamed it up [...] *Talk to Her* takes you to places you haven't been, but Almodóvar isn't after shock anymore" (2-12-2002). David Ansen, el autor de esta crítica, más abierto a esta nueva dimensión almodovariana, aplaude lo que otros críticos reprochan: la distancia que separa este film de la estridencia de sus películas anteriores. Otro crítico que encomia esta recién lograda sutileza es Gary Susma, cuya reseña subraya la contención del film. Atributos como "Austere drop-off [...] lightweight, as nimble and ethereal as the ballet dancers who populated it [...] a lesser, more subdued work than what Almodóvar has built toward during his mature period" (http://www.bostonphoenix.com/boston/movies/reviews) centran la visión de este reseñador. Pocas críticas detectan la sutileza de *Hable con ella* y quienes lo hacen desafortunadamente la perciben como una carencia, como una ausencia de los sellos de identidad de la marca Almodóvar.

No obstante, a pesar del éxito, algunos críticos se acercan al film con la imagen preconcebida de un director obsesionado con cuestiones sexuales y pierden en el proceso el amplio abanico de temas que exhiben sus historias. Sorprende así que un crítico con el bagaje de Roger Ebert limite su reseña a un resumen de la película y a unos comentarios puntuales sobre el tratamiento de la sexualidad. Para R. Ebert, "By Almodóvar's standards this is an almost conventional film: certainly it doesn't involve itself in the sexual revolving doors of many of this movies". En su opinión lo más valioso de *Hable con ella* es la película muda insertada, "El amante menguante", en la cual reconoce la capacidad del director para evocar "sincere responses for a material which, if it were revolved only slightly, would present a face of sheer irony" (http://rogerebert.suntimes.com/apps/pbcs.dll). Otra de las observaciones que hace vuelve al tema de la sexualidad mencionando que "One theme is that men can posses attributes usually described as feminine", visión cierta pero reductora ya que además de omitir otros temas, otorga demasiada relevancia a una cuestión relativamente tangencial en el film. Más que captar la originalidad temática y estética se limita a contrastarla con una fase ya superada en la carrera de Almodóvar, reflejando con ello la fijación que parte de la crítica estadounidense tiene con el componente provocador de su primera época. Quizá los comentarios de R. Ebert sean un buen ejemplo de las dificultades que entraña leer correctamente los códigos de otra cultura y seguir la evolución de un cineasta que ha logrado pasar de los márgenes al centro en un lapso de tiempo relativamente breve.

Al igual que en el caso anterior, la distorsión marca la lectura del film que Mick Lasalle lleva a cabo en el *San Francisco Chronical*, en este caso alineada con las quejas de las feministas estadounidenses sobre la misoginia del cine de Almodóvar. El siguiente comentario ilustra esta postura: "To be sure Almodóvar wants to disturb audiences, but is he aware of the misogyny and sexual panic blaring like a siren from the screen?" (25-12-2002). Para este crítico la "rareza" entendida como defecto marca la obra de este cineasta como prueban las siguientes afirmaciones: "Benigno is an odd one but *Talk to Her* makes a case that Benigno's eccentricities are virtues in disguise. What difference does it make, the movie suggests, if Benigno gets off on Alicia's powerless and neutralized sexuality, so long as he keeps talking to her and caring for her?". A partir de simplificaciones como esta llega a la conclusión de que "Anyone who had a fantasy like that might feel obliged to keep it to himself and quietly seek help, but such moments are what makes Almodóvar Almodóvar". El tono ligeramente cómico de esta reseña oculta un acercamiento superficial e incompleto a una película cuya complejidad requiere una reflexión más profunda para no perder su lógica interna. Si bien es innegable que la sexualidad ocupa un lugar importante en este film, su alcance viene mediado por una cuestión mucho más compleja dentro del film: la amistad entre Benigno y Marco, y sobre todo su impacto a la hora de analizar la conducta de Benigno. En primer lugar este personaje exhibe una conducta patológica atenuada de cara al espectador por su cálida personalidad, su humanidad, su aspecto inofensivo y sobre todo por su incondicional amistad con Marco, un hombre con un comportamiento ajustado a la norma. Como bien observa Ann Davies, "Almodóvar complicates our capacity to distance ourselves from characters who perform actions we find abhorrent" (105). En efecto, el director invita al público a ver como aceptable la conducta de Benigno de modo que, al desvelarse su culpa en la violación de Alicia, resulta difícil reimaginar a Benigno como violador. Reforzando esta postura aparece el apoyo incondicional que recibe de Marco una vez encarcelado por la violación, de nuevo privilegiando la imagen bondadosa e inofensiva de Benigno. Su aberrante acción se presenta así atenuada, desestabilizando en el proceso el universo moral de la película. Ante dicha distorsión de emociones resulta admirable que Almodóvar haya logrado convencer al espectador estadounidense, poco inclinado a entrar en universos morales tan desviados de la norma y ya alertado por las quejas de las feministas de las supuestas aberraciones sexuales que pueblan su producción.

Más densa es la reseña publicada en *Variety*, firmada por Jonathan Holland, que define *Hable con ella* como

> An engaging well-crafted and imaginative meditation on solitude and communication, pic is loosely built around the real-life stories of women who emerge from a coma, the rape of a cadaver and the pregnancy of a coma patient. Pic retrieves this tasteless tales form the edge of credibility and spins them into a low-key piece that is accomplished, graceful and at times genuinely moving, thanks to the subtle scripting and sterling perks. However as is often the case with Almodóvar, full emotional impact is not achieved, as the helmet's manifest concern with creating a beautiful art too often ends up looking like mere artifice. (20-3-2002)

Condensa esta crítica las alabanzas y los reproches que la crítica estadounidense ha señado repetidamente al hablar del cine de Almodóvar. El énfasis en la problemática sexualidad que aparece en sus films de nuevo limita el alcance de la historia sin que ello le impida reconocer a este crítico la maestría a la hora de manejar estos registros. Lo que sí que reaparece con una carga negativa es la excesiva atención que otorga al artificio y el efecto desrealizador que imprime en la historia, así como la falta de humor, motivo de decepción para los seguidores de Almodóvar. Más sorprendente resulta la lectura del film por parte de David Denby. El crítico empieza alabando el film en estos términos: "There is still a fabulist at large in *Talk to Her*, but the attempt at psychological realism is new, and Almodóvar has brought an extraordinary calm to the surface of his work. The imagery is smooth and beautiful; the colors are soft hued and blended. Past and present flow together; everything seems touched with a subdued and melancholy magic". Sin embargo, cierra su reseña con la siguiente conclusión: "Some viewers may feel that the movie teeters on the edge of disastrous malevolence, but I don't think is should be taken that way. It should be taken, rather, as a gay director's admission of emotional avidity and physical fear" (*The New Yorker* 25-11-2002).

El magnífico pressbook de *Hable con ella*, diseñado por Juan Gatti con fotografías de Peter Lindbergh y del propio Almodóvar, se hace eco de la habilidad del director para generar autopropaganda, de la cuidadosa campaña de promoción por parte de El Deseo y sobre todo del mágnifico equipo de trabajo aglutinado en esta publicación. Aparece en este pressbook una autoentrevista de Almodóvar en la que marca las pautas para acceder a la película, además de la labor de los actores y de todo el equipo de producción. El pressbook completo (ventiocho páginas) aparece traducido al inglés en la página de la película creada por Sony Pictures Classics y una selección de sus contenidos reaparece en las varias secciones de esta página, lo cual obviamente influye en la lectura por parte de la crítica y determina de algún modo la hoja de ruta de este film. Igualmente los seguidores de Almodóvar acceden a la película con un enorme bagaje informativo susceptible de consolidar la imagen que el director quiere difundir de sí mismo. Se añade además al final de la página una serie de links a reseñas publicadas en Estados Unidos y a las páginas web de varios de los actores. El clip promocional selecciona un repertorio de imágenes de gran impacto visual como toros, ballets, "El amante menguante", primeros planos con Darío Grandinetti llorando, que apuntan más a la fragmentación que a la cohesión, pero a la vez intrigan y seducen al espectador. Además en dicho clip continúa la estrategia de limitar el sonido a la música disimulando con ello el estigma que lastra en Estados Unidos el cine en un idioma extranjero. A la vez se subraya el nombre de Pedro Almodóvar, reclamo eficaz a estas alturas de su carrera.

Los porcentajes de aceptación publicados en *Rotten Tomatoes* dan buena prueba de la excelente recepción de *Hable con ella*, con un 92% de críticas positivas por parte de los expertos y un 91% por parte del público. En la misma dirección apuntan las 227 críticas de no profesionales aparecidas en *imdb*, casi unánimemente positivas, con la excepción de quienes se centran exclusivamente en el transfondo moral de la película e ignoran el texto por medio del que se transmite. Para este reducido sector del público la conducta patológica del protagonista, la aceptación tácita por parte de Marco de la violación y la violencia del espectáculo taurino monopolizan el film. No obstante es indudable que el éxito comercial a nivel nacional e internacional de *Hable con ella*, al igual que las películas mejor recibidas de Almodóvar, equilibran la recaudación de taquilla del cine español el año de su estreno en contraste con el limitado rendimiento de nuestra industria que, como indica Barry Jordan, "does not cover costs, fails to get a release or if released, fails to attract a viable audience" (35).

LA MALA EDUCACIÓN

El estreno de *La mala educación* (2004) se vio acompañado de dos reacciones, una de signo político y otra religioso. La primera de ellas corresponde a las declaraciones de Pedro Almodóvar frente a la respuesta del Partido Popular a raíz de los atentados terroristas de Madrid del 11M de los que se hizo eco *The New York Times*. La muerte de casi doscientas personas junto con la errónea atribución por parte del Partido Popular de dichas acciones al grupo terrorista español ETA, despertaron la ira de los ciudadanos. Ya el título del artículo publicado en este periódico indica el tono de la polémica: "Spain's Losing Party Plans to Sue Movie Director for Slander Over a 'Coup' Accusation". En efecto, Pedro Almodóvar ante el rumor de que el Partido Popular había pedido al Rey de España retrasar las elecciones, declaró en el programa de noticias del canal Telecinco que dicha petición al Rey constituía prácticamente un golpe de estado. Con estas palabras traduce *The New York Times* las declaraciones de Almodóvar: "The PP was about to, at midnight Saturday, bring about a coup d'état. I don't want to be polite or delicate. I'm not trying to throw stones, but you have to see how the PP has been operating" (*NYT* 18-3-2004). Para subrayar más su desacuerdo con la política del Partido Popular, durante la presentación de *La mala educación* en el Festival de Cannes, el director dedicó la velada a las víctimas de los atentados de Madrid. La entusiasta recepción del film por parte del público de Cannes contribuyó a subrayar el compromiso político del director. En un extenso artículo aparecido en *The New York Times Magazine*, cuya portada, como se indicó en el capítulo anterior, es un primer plano del rostro de Almodóvar, su autor, Lynn Hirschberg, alude a una entrevista que mantuvo con el director en Madrid durante el mes de abril en la que menciona la suspensión de la espectacular fiesta planeada para el estreno (no el estreno mismo) de *La mala educación* como respuesta a los atentados. Con el Partido Socialista ya en el poder declara Almodóvar: "I had a lot of tension with the past government [Partido Popular]" (5-9-2004).

Este compromiso político, distante de la desconexión con estas cuestiones que el cineasta exhibió durante los primeros años de su carrera, amplía el contexto de la recepción de esta película, y a su vez lo vincula a otro tema de debate: el abuso sexual por parte de algunos miembros de la iglesia católica, cuestión que en época reciente ha ocupado repetidamente las primeras páginas de la prensa internacional. De esta polémica da cuenta igualmente el artículo de Lynn Hirschberg que alude al supuesto carácter autobiográfico del film y a la supuesta revancha del Almodóvar contra la iglesia católica, cuestiones ambas que el cineasta niega rotundamente. Pero, en realidad, más provocador que el tema en sí es el modo de tratarlo, en concreto la "redención" del perverso cura que abusa de un niño. Con una buena dosis de ironía, este crítico titula su artículo "The Redeemer" e incluye el siguiente comentario del director: "In all my films I have the tendency to redeem my characters. It is very Catholic—redemption is one of the most appealing parts of religion. Sadly I am not a believer in Catholicism, but the priest is probably my favorite character in *Bad Education*. I love characters who are crazy in love and will give their life to passion, even if they burn in hell" (*The New York Times Magazine* 18-3-2004).

El impacto de estas dos polémicas en la recepción del film en Estados Unidos se refleja en la repetida alusión a las mismas en un buen número de artículos de prensa aparecidos en este país. A.O. Scott desde las páginas de *The New York Times* menciona en su crítica la polarización de Estados Unidos entre el puritanismo y la permisividad, insertando en este contexto el film de Almodóvar. En su opinión, "*Bad Education* approaches sex with more nuance than noise, reminding us that moral inquiries, sexual and otherwise, involves at least as much anxious questioning as confident prescribing, and that while sex may upset households and divide societies, its true battleground is the self" (2-12-2004). Subraya igualmente el negativo efecto de una escena de relaciones sexuales entre dos personajes gay y el abuso sexual de un religioso a un niño en lo que atañe a la comercialización de la película. No obstante y a pesar de ello, la película recaudó en Estados Unidos 5.211.842 dólares, cantidad elevada para una obra extranjera, aunque muy por debajo de la cinta anterior, *Hable con ella*. Por el contrario en España, *La mala educación* y *Hable con ella* alcanzaron cifras similares, 6.100.000 euros la primera y 6.200.000 la segunda. La clasificación de la película como NC-17 por parte the la Motion Picture Association of America contribuye a explicar estos resultados, al igual que lo escabroso del tema, especialmente en un momento de sensibilización por parte del público ante los escándalos de la iglesia católica. Para A.O. Scott, *La mala educación* es "An attempt to understand the ethical dimensions of desire [...] Almodóvar shows himself to be almost infinitely tolerant of human weakness, but this is not to say that in his world anything goes. On the contrary, *Bad Education*, tries to imagine sexual decency in the absence of taboos—as a matter of how we treat each other rather than of how external authorities require us to behave". Similar interpretación del film lleva a cabo Eric Harrison desde *Houston Chronical*. Para él, el valor de la película radica en "a nonjudgmental embrace of characters on the fringes of society, frank filtration with the scandalous and exuberant love of cinema's past. He also refuses to indulge in easy sentimentality or to render his characters in simple black or white" (18-3-2004). Otro crítico que esquiva el repetido tema del abuso sexual es Desson Thompson de *The Washington Post* que cierra su artículo con la siguiente afirmación: "But Almodóvar is not making a film about priestly transgressions, per se, he is telling the story of humankind's darkest impulses with the relish of a campfire storyteller, trying to keep his listeners bug-eyed with wonder. He succeeds magnificently" (14-1-2005).

Esta voluntad de entrar en el mundo de ficción creado por el director y jugar con sus propias reglas no la comparten todos los críticos de modo que hay opiniones más cautas y menos entusiastas, y sobre todos menos inclinadas a tratar el aspecto ético de esta historia. Buen ejemplo de ello es la reseña firmada por Ken Tucker, publicada en *The New York Magazine*, que juzga con más dureza los excesos de Almodóvar y evita entrar de lleno en el universo moral que construye la historia. Para él se da una excesiva autocomplacencia por parte del director lo que le lleva a considerar que "Almodóvar may be becoming a bit too self-conscious for his own good—too aware of his world cinema rep as, in the words of a profile in *The New York Times* recently hyped him 'the most original and daring filmmaker working today'" (15-11-2004). Esto no le impide valorar la capacidad para crear y dirigir figuras tan complejas como la representada por Gael García Bernal y sobre todo para conmover el corazón, la mente y el alma del espectador. Lo que se echa de menos en esta crítica es un análisis más profundo de las claves de la película, cuestión que parece ceder ante la voluntad de desproblematizar el film o de escribir una crítica aséptica.

Varios críticos subrayan las influencias del cine norteamericano en esta película, en concreto los melodramas de Douglas Sirk, el cine negro con películas como *Laura* y *Fallen Angel*, el humor caústico de Billy Wilder en *Double Indemnity*, el juego de identidades de *Vertigo* de Hitchcock, anclando con ello *La mala educación* en un terreno menos extraño y acortando en el proceso la distancia entre el film y el espectador. En lo que varios críticos coinciden es en el desconcierto que genera debido a la pluralidad de versiones de la historia que se plasman en la pantalla y a los varios papeles que interpreta Gael García Bernal, cuya actuación estelar todos elogian. Pero más que la confusión en sí, que no es tal si se hace una lectura atenta, lo que se detecta en algunos de los reseñadores es un cierto cansancio con los registros de Almodóvar y una repetición superficial de los temas que afloran repetidamente en sus películas sin prestar detenida atención al modo de tratarlos. De esto peca la reseña de Roger Ebert para quién, "Sex is a given in an Almodóvar movie, anyway. It's what his characters do" (http://www.rogerebert.suntimes.com). Esto no impide que, por encima del desconcierto —"Whether Almodóvar has a message I am not quite sure"—, R. Ebert afirme que *La mala educación* no es un ataque a los abusos del clero, ni tampoco una reflexión sobre la homosexualidad, y que la considere un "erotic role-playing". Más demoledora parece ser la crítica de James Berardinelli, para quien "Almodóvar has become like a trusted brand name—reliable and consistent. Unfortunately, with his new effort, called *Bad Education*, the streak ends. By ordinary standards, this movie would be considered unremarkable. If there is a genre with which Almodóvar is incompatible, it's film noir" (http://www. reelviews.net/movies/b/bad_education.html). Sorprende la dureza de esta crítica y la ausencia total de trazos positivos, ni siquiera en aquellos aspectos en los que hay cierta unanimidad por parte de un buen número de reseñadores, como la actuación del protagonista o la capacidad del director para dirigir a sus actores. Más da la impresión de reflejar la decepción de un crítico inclinado a respetar las reglas internas de los géneros que a celebrar la hibridez genérica de Almodóvar. Similar tono destructivo domina la opinión de Michael Atkinson, aparecida en *Village Voice*. Para él la película es "fairly predictable, its contrivances and its insistent evocations of noir tradition illustrating only how much more comfortable Almodóvar is with one-eye lust than with moral ambiguity" (9-11-2004). Igualmente considera que el director ha perdido la capacidad de provocación de sus primeras películas para entrar en una etapa de madurez "asking himself very standard questions about personal history, death, and sex, favoring the warmth of alternative family values over any sort of genuinely transgressive material". Asombra este juicio tan desviado de lo que constituye la esencia de la ética almodovariana y sobre todo la percepción de la película como una obra previsible y convencional, etiquetas ambas que sin duda desconcertarán a un buen número de espectadores que hayan leído esta reseña.

En el polo opuesto sobresale el entusiasmo de Wesley Morris (22-12-2004), para quien *La mala educación* es un "Tasty film noir. It's Almodóvar's more ingenious movie since the days of his punk experiments in the 1980's in Madrid" (http://www.boston.com). Igualmente Kirk Honeycutt elogia el hábil uso del cine negro destacando que "The filmmaker's choice of genre is a perfect metaphor for the transforming power of cinema, for noir usually deals with deception and duplicity, and the film's intricate, beautifully orchestrated structure creates a virtual hall of mirrors" (http://www.hollywoodreporter.com). Pero en lo que acierta la reseña es en anticipar la desigual respuesta de la crítica al indicar que "The film is likely to take hits from U.S critics and social commentators who will read this [priests as sexual predators] into the film and find the mix of melodrama and passionate gay sexuality highly uncomfortable".

Similares reservas respecto a la recepción en Estados Unidos de *La mala educación* expresa Alan Stone en un extenso y acertado artículo dedicado a la cinta antes de su estreno en este país, titulado de manera significativa "Lawless" (http://www.bostonreview.net/BR29.5/stone.php). En estos términos trata la cuestión: "*Bad Education* demands a great deal from its audience both because the script is an intricate postmodern cycle of interrupting narratives and because of the homoerotic elements that so directly challenge the audience. When and if it comes to America at the end of the year it will certainly raise hackles". Pero los pronósticos de este crítico solo se cumplieron parcialmente ya que la reacción ante el tema no fue tan virulenta como se esperaba.

Lo que se detecta, como hemos visto, es una cierta cautela entre los reseñadores que en lugar de recrearse en lo escabroso del tema captan la complejidad de los sentimientos asociados al abuso sexual, en especial la convergencia entre los impulsos de un pedófilo y el amor que siente hacia su víctima. Alude además a la respuesta por parte de la comunidad gay en Estados Unidos cuya respresentación como sujetos victimizados en el cine de Hollywood contrasta con los roles activos y positivos que les otorga el director español. Según él, "Almodóvar acknowledges that those 'modern audiences' in America [the gay community] discovered him but his anarchic imagination refuses to bow to their unwritten laws or their political agenda". Destaca junto a la agudeza de este crítico su visión de Almodóvar como uno de los "heroes of the European struggle against Hollywood hegemony" y como uno de los pocos directores españoles digno de situarse a la altura de Buñuel.

Lamentablemente pocos artículos publicados en la prensa estadounidense o en internet sobre *La mala educación* captan como lo hace éste las múltiples dimensiones del film y la perfección técnica que acompaña la historia, lo cual condiciona la predisposición del lector/espectador frente a este texto fílmico. No obstante, a juzgar por los comentarios aparecidos en *imdb* y en *Rotten Tomatoes*, el público a nivel internacional respondió mejor de lo anticipado como muestra el alto porcentaje de entradas positivas, tanto correspondientes a Estados Unidos como al resto de mundo. Buena parte de los títulos de estas entradas ("A movie lover's dream come true", "Wonderful film", "Exceptional neo-noir", "Incredibly hunting") reflejan la sincronización con el espectador. Quizá el hecho de que el protagonista, Gael García Bernal, disfrutara de una sólida fama a raíz de sus éxitos en *Y tu mamá también* y *Amores perros* ayude a explicar esta respuesta.

De las numerosas nominaciones que obtuvo las siguientes se concretaron en premios concedidos en Estados Unidos: Premio a la Mejor Película Extranjera del New York Film Critics Circle, cuatro Glitter Awards (International Gay Film Awards) a la Mejor Película, Mejor Actor, Mejor Película Extranjera y Prensa Gay. Igualmente varias revistas y periódicos estadounidenses la clasificaron como una de las mejores diez películas del año, entre ellos *The New York Times, Newsday, Newsweek, The New York Post, Premiere* y *The New York Online Films Critics*. La crítica en este caso mostró más entusiasmo que el público como muestran las cifras de taquilla sin que ello implique infravalorar los más de cinco millones de dólares que recaudó.

VOLVER

Volver (2006), la única película de Almodóvar comercializada con el mismo título en España y en el resto del mundo, supuso, como bien afirmó el propio Almodóvar en su pressbook un regreso "a la comedia [...] al universo femenino, a la Mancha [...] a trabajar con Carmen Maura, con Penélope Cruz, con Lola Dueñas y Chus Lampreave [...] a la maternidad, como origen de la vida y de la ficción".[16] Refiriéndose a *¿Qué he hecho yo para merecer esto?*, Alejandro Yarza afirma que "explora la estructura familiar burguesa tradicional y el proceso de desmantelamiento de esa misma estructura" (136), y esta cuestión aflora de nuevo en *Volver* al mostrar un universo femenino cerrado en el que no queda espacio para figuras masculinas.

---

[16] Paul Julian Smith se hace eco de estas vueltas en su reseña sobre *Volver*, publicada en *Sight and Sound* 16.6 (2006): 16.

La misma idea de retorno evoca la carta de Gustavo Martín Garzo, también publicada en el pressbook, en la que, refiriéndose al guión afirma: "Todo en él me resulta muy familiar, muy tuyo". Pero el regreso más significativo es la conquista del público que tanto en España como en el resto del mundo recibió esta película con enorme entusiasmo. Buena prueba de ello son los 10.200.000 euros recaudados en España y los 12.899.867 dólares en Estados Unidos, país en el que se proyectó en 689 salas.

Hasta el momento *Volver* ha sido una de las películas con mayor número de nominaciones y de premios como bien muestra el anexo de este libro. Además del Premio al Mejor Guión y a las Mejores Actrices Femeninas (premio colectivo) obtenidos en Cannes, ha recibido en Estados Unidos el Premio a la Mejor Actriz del Año a Penélope Cruz y el Premio Hollywood World Award a la Mejor Película Extranjera concedidos por en el Festival de Cine de Hollywood, el Premio a la Mejor Película del Año concedido por la Federación Internacional de la Crítica de Cine (FIPRESCI) y entregado en el Festival de San Sebastián, el Premio a la Mejor Película Extranjera del National Board of Review, el Premio a la Mejor Película de Habla no Inglesa, entregado en el Annual Satellite Awards, los Premios a la Mejor Actriz y a Pedro Almodóvar concedidos por *Latina Magazine*, el Premio a la Mejor Película Extranjera de la Asociación de Críticos Estadounidenses y los Premios al Mejor Director, Mejor Guionista, Mejor Actriz Principal (Penélope Cruz), Mejor Actriz Secundaria (Carmen Maura), Mejor Banda Sonora (Alberto Iglesias) de la Asociación de Cronistas de Espectáculos de Nueva York. Además fue elegida una de las diez mejores películas del año por *The New York Times*, *Rolling Stone*, *Hollywood Reporter*, *Los Angeles Times*, *The Wall Street Journal*, *US Today*, *The Washington Post*, *The Philadelphia Enquirer*, *Time Magazine* y *Premier*.

Ante tan elevado número de galardones cabe preguntarse a qué responde este éxito. Una de la razones que cabe argüir es su universalidad, una universalidad peculiar ya que, como apunta Steven Marsh, "although *Volver*, with all its spirits and superstitions, is arguably Almodóvar's most 'provincial' film, it is also perhaps the most universal. The film is not only a ghost story in terms of its generic themes and codes but also, and most importantly, in its exploration—and exploitation—of residues of its cinematic heritage, be they in the form of Italian and North American antecedents or of Almodóvar's own previous endeavors" (340). Una de las críticas más entusiastas procede de A.O. Scott que desde *The New York Times* escribe una primera reseña con motivo del Festival de Cannes (22-5-2006), otra en septiembre, titulada "From Everygirl to Every Women: Penélope's Cruz Journey", en la que anuncia la presentación de la película en The New York Film Festival y finalmente una tercera coincidiendo con el estreno en Estados Unidos en noviembre. Entusiasmado con el film, Scott llega a afirmar en su primera reseña que si hubiera una votación democrática en lugar de un jurado, "he would be a show-in for the Palme d'Or" (22-5-2006). El humanismo del film y la facilidad con la que aborda las sorpresas ponen de manifiesto, en opinion de este crítico, la maestría y confianza con las que el director construye esta historia. Pero el verdadero eje de sus escritos no es el film en sí, sino su protagonista: "*Volver* stars Penélope Curz in a performance that may silence those who have doubted her acting ability in the past (like to pick an example at random, me)" (22-5-2006). En su segunda reseña no duda en compararla con las "Mediterranean screen goddesses of the postward era and the 1960's—Anna Magnani, Sophia Loren, Claudia Cardinale, Melina Mercouri—who loved, wept, sacrificed and survived with an earthiness and sensual candor rarely matched by their Hollywood counterparts" (10-9-2006). Más aún, cierra el artículo con una afirmación tan contudente como esta: "She is—once again, once and for all, at long last—a movie star, and she can do whatever she wants". Con el mismo entusiasmo declara en su tercera reseña que "With this role Ms. Cruz inscribes her name near the top of any credible list of present day flesh and blood screen goddesses, in no small part because she manages to be earthy, unpretentious and a little vulgar without shedding an ounce of her natural glamour" (3-11-2006). Estos repetidos elogios por parte de tan respetado crítico contribuyen en gran medida al general aplauso del público estadounidense, sin que ello reste espacio, como veremos, a otras críticas bastante más duras.

De esta mezcla de opiniones se hace eco Nick Schager en *The New York Foundation for the Arts* (NYFA) y después de aludir a la hábil transición del director desde el underground al mainstream, elogia su destreza para mantener en el proceso toda su capacidad transgresora. Con estas palabras refleja su distanciamiento de quienes lamentan el cambio de registro del director: "And yet whereas some critics have viewed this transition from unruly flamboyance to polished professionalism as a sign that the director has succumbed to the lure of the mainstream establishment from which he long stood apart, such a reading ignores the more subtle means by which his most recent productions continue to promote an optimistically unconventional worldview in which the outsider becomes human" (http://www.nyfa.org/level3.asp?id=526&fid). Roger Ebert, un crítico en general reticiente a la hora de celebrar el éxito del director manchego, alaba *Volver* sin reservas. Adjetivos como "enchanting", "gentle", "transgressive", "subtle" (http://www.rogerebert.suntimes.com) salpican su reseña en la que a la vez alaba la maestría del director para incorporar los sucesos más extremos (asesinatos, incestos, regreso de los muertos) en la cotidianeidad de los personajes.

Variety publica una reseña firmada por Jonathan Holland más centrada en ofrecer al lector una información completa y útil, aunque fragmentaria, sobre el film que en profundizar en aspectos concretos. Ello le permite destacar las virtudes del guión, personajes, argumento, cinematografía y dirección convenciendo al futuro espectador del incuestionable valor del film. Con estas palabras abre Holland su crítica: "Pic is cinematographically and dramatically more contained and satisfyingly unflashy. Peopled with superbly drawn attractive characters smoothly integrated into a well turned, low tricks plotline, *Volver* may rep Almodóvar's more conventional piece to date, but it is also his most reflective, a subdued, sometimes intense and often comic homecoming that celebrates the pueblo and the people that shaped his imagination" (26-3-2006). El estilo lacónico, la claridad, la amplia gama de rasgos analizados y el prestigio de *Variety* convierten sus reseñas en una referencia clave para el público y en una fuente publicitaria beneficiosa para el film.

La capacidad de la película para arrastrar al espectador a su mundo centra la crítica de Desson Thompson del *Washington Post*, así como las de David Edelstein en *The New York Magazine* y Rob Nelson en *Village Voice*. El primero define la película como "warmly seductive [...] a deeply entertaining experience that engages our hearts as well as our funny bones" (22-12-2006), el segundo como un "surefire crowd pleaser that takes you back to Almodóvar's women on the campy verge, but this time in an airy understated fantastical style" (29-10-2006) y para el tercero "Almodóvar gets a gentle kick out of mixing the extraordinary and the everyday, putting other worldly elements in the most familiar context" (24-10-2006). Celebran los tres reseñadores la destreza del director para hacer creíble una historia de situaciones extremas que, bajo la mirada de su creador, se normalizan. Y esta es sin duda una de las claves para satisfacer al espectador estadounidense, educado en el cine de Hollywood y acostumbrado a digerir historias menos insólitas.

Varias reseñas aluden a las influencias dispares presentes en este film sin que ello reste originalidad a la historia. Para el mencionado Roger Ebert hay ecos de *Amarcord* (Fellini), para Wesley Morris (*Boston Globe* 22-11-2006) de *Mildred Pierce*, para Andrew Sarris (*The New York Observer* 12-11-2006) de Antonioni, en concreto de su modo de tratar a los personajes femeninos, y para todos ellos, el film es una prueba de la inteligencia y de la maestría de su autor.

Con esta positiva recepción de *Volver* contrasta el tono negativo de la reseña de *The New Yorker* firmada por Anthony Lane. Más allá de la obvia desconexión entre las preferencias cinematográficas de este crítico y la estética de Almodóvar sorprende el tono ligeramente sarcástico del artículo y su absoluto distanciamiento de los excesos del director manchego. Aunque reconoce una cierta contención en esta película con relación a su primera época, aún considera que es "no just larger but louder that life" (6-11-2006). Pero el problema principal radica en la falta de empatía con esta historia como prueba el siguiente comentario de Lane: "Yet the film, against my wishes, left me unmoved". Igualmente para este crítico los momentos epifánicos de la película no son convincentes de modo que en su opinion, "The climatic revelations, concerning which parent did what to which child, are both startling and unsurprising, and you sense that an alternative set of horrors would have made no difference". Entre las múltiples razones que pueden explicar esta aparente indiferencia, la más obvia remite a las diferencias culturales entre el universo recreado por Almodóvar y el contexto del crítico. Es verdad que el sustrato "manchego" que permea el texto resulta difícil de captar para alguien ajeno a este ámbito pero la universalidad de los temas que trata —incesto, muerte, infidelidad— y de los sentimientos que suscitan, han logrado convencer a los expertos. Dada la ligereza de la reseña, poco común en una revista como *The New Yorker*, y la ausencia de reflexiones que expliquen tal desdén más parece responder este artículo a un razonamiento que deja poco espacio para un cine, más visceral que intelectual, distante en apariencia y solo en apariencia del cine de arte y ensayo en el que encajan de cara a la crítica estadounidense la mayoría de las películas extranjeras, sobre todo aquellas etiquetadas como cine de autor. Y a juzgar por las afirmaciones, A. Lane parece ser precisamente en este caso el objeto de este desencuentro, más que los textos fílmicos, ya que ante películas tan distintas como *La flor de mi secreto, Carne trémula, Volver* y *Los abrazos rotos* reacciona de un modo similar, subrayando su total desconexión con las emociones que activan estos films.

Negativa es también la opinión de Owen Gleiberman, para quien "*Volver*, a solemnly flipped out soap opera of love, family and the ties that blind, is Almodóvar working in a lighter shade of purple […] Yet being as artfully clever as the *Volver* can be, will I be alone in feeling that the movie is more talky than transcendent? […] Then again I have never responded with half the passion that others do to Almodóvar, who more than perhaps any other filmmaker gets celebrated simply for spinning his wheels" (*Entertainment Weekly* 1-11-2006). Lo que se transparenta en estas reseñas es un cierto agotamiento, también detectable dentro de ámbito anglosajón en Gran Bretaña en este caso, como muestra Ann Davis es su libro titulado *Pedro Almodóvar*. Con motivo del estreno de *Volver* y a raíz de un comentario publicado en *Sight and Sound* por Peter Matthews, en el que afirmaba que Almodóvar en esta película no hacía más que reciclar sus temas y su estilo, A. Davis se pregunta también si "once you have seeing one Almodóvar film have you in effect seeing all of them?" (120). A juzgar por las numerosas respuestas que estos comentarios de P. Mathews suscitaron cabe pensar, como propone A. Davis, que el legado de Almodóvar debe ser periódicamente reevaluado pero que su protagonismo en el mapa universal del cine sigue intacto.

No solo la crítica sino también los espectadores ponen de manifiesto la capacidad de Almodóvar para estimular a quien se acerque a su arte. La elevada cifra de comentarios de espectadores publicados en *imdb*, alrededor de doscientos, de los cuales un treinta y seis por ciento aproximadamente corresponde a entradas procedentes de Estados Unidos, evidencian el casi unánime entusiasmo que provocó este film. Y digo casi porque no faltan entradas que subrayen defectos ya apuntados por la crítica. A los títulos que apoyan el éxito —"The Magic of Compassion", "Vivacious, Hearthbreaking, Funny, Colorful and Wonderful", "Almodóvar Rocks Once Again", "The Best Foreing Language Film I have Ever Seen yet", "*Volver* is a Return to Greatness"— se suman los que iluminan los fallos del film —"Uneventful", "Another Soap Opera Made in Almodóvar", "No Returns", "A Film that Potentially Takes Too Many Risks", "Slow, Gratuitous, and Predictable", "A Return to Bad Habits". De cualquier modo un rasgo que comparten tanto las entradas positivas como las negativas es su carácter hiperbólico lo cual muestra la habilidad del director para no dejar a nadie indiferente. Términos como profundidad emocional, verosimilitud, originalidad se repiten como virtudes o como defectos, desvelando los rasgos que acaparan la atención del público. *Rotten Tomatoes*, igualmente un eficaz medidor de la respuesta del espectador, arroja unos porcentajes semejantes con un 88% de los espectadores que dan a la película cuatro puntos sobre cinco. Entre la crítica el porcentaje es más elevado, con un 92% de profesionales que firman críticas favorables (147 de las 160 entradas). Independientemente del tono de los comentarios la recaudación de taquilla, la más alta de toda su carrera cinematográfica, testimonia el indiscutible éxito tanto a nivel nacional como internacional de su decimoséptima película.

LOS ABRAZOS ROTOS

El cine, presencia continua en la obra de Almodóvar, alcanza en *Los abrazos rotos* (2009) el mayor nivel de fusión con la trama, dando paso a una compleja reflexión sobre la dialéctica entre la vida y el séptimo arte. Ya en los títulos de crédito utiliza unas "imágenes robadas", grabadas por la cámara de video que se conecta a la cámara de Panavisión con la que se rueda el film. La declaración del director en el pressbook sintetiza su idea: "Elegí estas imágenes para empezar la película porque son imágenes usurpadas y furtivas que ya establecen el cine como territorio en el que transcurrirá gran parte de la acción". En efecto, el protagonismo del montaje, la inserción de películas dentro de la película, los múltiples ecos de actrices que convergen en Penélope/Lena/Pina, el "making of" dentro y fuera de la película y la pasión del director por el cine negro, entre otros detalles, dan buena prueba de la materia prima con la que se crea *Los abrazos rotos*.

Con un presupuesto de once millones de euros, la película hasta ese momento más costosa de su carrera, recaudó en España 4.100.000 euros (http://www. elblogdecineespanol.com) y en Estados Unidos, donde fue distribuida por Sony Pictures Classics, 5.014.305 millones de dólares (http://boxofficemojo. com). Prueba una vez más del prestigio de Almodóvar en Estados Unidos, esta película clausuró la 47 edición del Festival de Cine de Nueva York, además de recibir el Critics Choice Award, el Phoenix Film Critics Awards y el Satelite Award a la Mejor Película Extranjera, junto con numerosas nominaciones.[17] A la vista del éxito logrado por su anterior película, *Volver*, mucho más galardonada que *Los abrazos rotos* y con una recaudación de taquilla, como se ha visto,

---

[17] Ver en el apéndice final la lista completa de nominaciones y premios recibidos por *La piel que habito*.

considerablemente más alta, cabe preguntarse por las razones de esta relativa desconexión con el público.

Una de las objeciones que repetidamente subraya la crítica es la excesiva complicación de la historia, el continuo juego entre el pasado y el presente, y el consiguiente esfuerzo que requiere por parte del espectador. A ello alude Anthony Lane desde *The New Yorker* al comentar que en esta película, "People keep interrupting themselves, or changing direction in order to embark upon a story" (23-11-2009). En contraste con los defectos de la historia alaba el estilo y la calidad de las imágenes sin que ello llegue a salvar el film. En estos términos sintetiza su opinión: "His images remain crispy as apples, with the lines of the walls and furniture, not to mention bodies and the clothes that enfold them, offered with such proud and bracing clarity that it is difficult to realize […] just how ambiguous the emotional life that surrounds them really is". La considerable atención dedicada a la cinematografía, en especial a la hora plasmar en la pantalla la perfecta imagen de Penélope Cruz lleva a A. Lane a afirmar que Almodóvar se dedica a diseñar la imagen de la protagonista en lugar de concentrar su atención en crear al personaje. El resultado es, para este crítico, un film "too long, too airless, and too content with its own contrivances to stir the heart". Una cuestión que parece pasar por alto A. Lane es el modo de entender el cine por parte de Almodóvar, en concreto la voluntad de subrayar la artificialidad de este medio y de alejarse del modelo realista propuesto por Hollywood. Y en esta voluntad de jugar con el aspecto performativo, la minuciosa atención a la cinematografía constituye un elemento esencial que en opinión de este crítico, obstaculiza la empatía del espectador con la obra. Una queja similar expresa Chris Wisniewski en *Reverse Shot* al afirmar que en *Los abrazos rotos*, "There is not emotional center, no invitation to identify or to challenge to that identification, no meaningful sympathy for the film's obsessive male protagonists, and no flesh and blood rejoinder to their fetishization. *Broken Embraces* may be the work of a consummated artist, but it has no vitality, no urgency, and perhaps, most discouragingly, no soul" (3-1-2010). Sin restar valor a la estética de la película este crítico no duda en acumular defectos en su reseña, entre ellos la tendencia de Almodóvar a hacer que sus personajes expliquen las claves de la película en monólogos y a reflexionar excesivamente sobre los aspectos metaficcionales de la película en detrimento de la plasmación de emociones. Se hace así patente de nuevo el desencuentro total entre el artificioso modo almodovariano de construir historias y la ortodoxia del reseñador que añora aquí los ingredientes del cine clásico.

Un artículo denso e incisivo publicado en *The Times Literary Suplement* por Leo Robson y titulado "Flair brushed out of history" matiza y amplía las objeciones previamente mencionadas y llega incluso a condenar la estética de la etapa "madura" de Almodóvar. Con estas palabras sintetiza su juicio: "My own view is that the growth of Almodóvar's reputation has coincided with a decline in the urgency and interest of his work" (11-9-2009). En contra de la visión de críticos como por ejemplo Philip French, para quien la producción fílmica de este cineasta anterior a *Carne trémula* (1997) es "tiresomely camp", L. Robson considera que las historias de Almodóvar funcionan mucho mejor dentro del universo hiperbólico de su primera época. Pero lo que en su opinión verdaderamente daña la historia en *Los abrazos rotos* es la deshumanización de la misma, como pone de manifiesto la siguiente afirmación: "Almodóvar seems to have forsaken his interest in narrative for his interest in human relations, failing to see the mutual dependence of the two. *Broken Embraces* has no pressing conflict, so the central relationship becomes a source of little interest and much frustration". Igualmente critica el modo de contar la historia a base de un largo flashback que, para él, opera como metáfora de la incapacidad de film para hacer avanzar la historia y del lastre que supone el pasado mal integrado. En el mismo tono escribe Jonathan Holland su crítica para *Variety* (17-3-2009).[18] Para él, "There is a sense that Almodóvar [...] may be more interested in stretching himself technically than in engaging with issues of the wider world [...] But those who hope the pic would extend the quieter, more personal mood shown in *Volver* [...] will be disappointed to find that *Embraces* is made not of flesh and blood, but of celluloid".

En España la crítica fue mucho más dura con este film, en especial Carlos Boyero que, con un tono mucho más ácido y con motivo de la presentación de la película en el Festival de Cannes, publicó en *El País* (18-3-2009) un artículo sobre *Los abrazos rotos* titulado "¿Qué he hecho yo para merecer esto?", caricaturizando similares defectos a los detectados por la crítica estadounidense pero perdiendo credibilidad por sus hiperbólicas afirmaciones y sobre todo por los ataques personales intercalados en su reflexión sobre la película. De la reacción de Almodóvar y de su consiguiente queja contra Carlos Boyero y Borja Hermoso, redactor jefe de la sección de cultura, da buena muestra el blog del director en el

---

[18] El mismo artículo se volvió a publicar en *Los Angeles Times* el 18-4-2009.

que aparece su intercambio de cartas con *El País* (http://www.pedroalmodovar.es/).
Al margen de la desigual relación que mantiene Almodóvar con los críticos
españoles, el tono destructivo e insultante de C. Boyero explica la virulenta
reacción contra dicho crítico y por extensión contra *El País*, periódico que en
opinión de Almodóvar debería ser capaz de contar con críticos más profesionales y
de enviar un representante más competente al Festival de Cannes. El siguiente
comentario aperecido en su blog resume la postura del director frente a la prensa
especializada: "Con esto no inicio un diálogo, mucho menos pretendo crear
polémica. He permanecido mucho tiempo callado y estoy harto. Vivimos en un
país libre. Los críticos y los periodistas no son intocables. Ningún ciudadano debe
serlo."

En una entrevista publicada en *Reverse Shot*, Almodóvar alude indirectamente a
los reproches que le han hecho sobre su tendencia en las últimas películas a recurrir
al diálogo o al monólogo de los personajes para desvelar la historia. Para el director
manchego, estas "confesiones" son necesarias en la medida en que, por un lado,
van dirigidas a otro personaje, no al espectador, y por otro, responden a la
imperiosa necesidad que tiene dicho personaje por explicarse a sí mismo.
(http://www.reverseshot.com/article/interview_pedro_almodovar). A este patrón
responde la abierta confesión de Judith al declarar, después de catorce años de
ocultarlo, que ella puso en manos de Ernesto Martel la película *Chicas y maletas*
como venganza. Su abierta defensa de la palabra como medio de comunicación
junto con su explícita admiración de los diálogos/monólogos de Ingmar Bergman
en *Fanny y Alexander* explican de algún modo su voluntad de privilegiar la
palabra. Pero justificar esta técnica no supone ignorar los riesgos que conlleva,
sobre todo el de perder al espectador en el trascurso de la historia. Dada la clara
voluntad de entretener que el director proclama, sorprende que elija una vía para
desvelar los giros de la historia tan desafiante para el receptor y tan desprestigiada
por la crítica, en la medida en que suplanta el poder de la imagen por el de la
palabra. Consciente de los peligros que sus recursos narrativos acarrean,
Almodóvar afirma refiriéndose a *Los abrazos rotos*: "I hope this is not too
complicated for the audience, and that they understand everything. Because if they
don't it is your fault, it is the director's fault". A la vista de los reproches de la
crítica, estos temores parecen haberse confirmado.

La magnífica campaña de promoción de la película sumada al trabajo de la
distribuidora en Estados Unidos, Sony Classics Picture, no fueron suficientes para

aumentar las cifras de taquilla. Especialmente valiosa a la hora de promocionar el film entre los futuros espectadores de habla inglesa es la cuidada página web creada por Sony, encabezada por el reconocimiento de la película en Toronto, Cannes (selección oficial) y en el New York Film Festival (clausura), todos ellos avales de calidad. Haciéndose eco de las preferencias cromáticas de Almodóvar y en un guiño a los rostros popularizados por Andy Warhol, la distribuidora juega con cuatro imágenes del rostro de Penélope Cruz sobre un fondo rojo. A ello se suman el pressbook, el trailer, el reparto, imágenes, información sobre el director y una serie de reseñas aparecidas en publicaciones prestigiosas (*The Guardian, Paper Magazine, Weekly Entertainment, The New York Times* y *Roger Ebert*). El tráiler, en el que se muestra la clasificación R del film, ofrece una serie de tomas prácticamente monopolizadas por Penélope Cruz en las que se subrayan las emociones que atraen al espectador, la pasión, la traición y la intriga a la vez que se intercalan eficaces comentarios como "A rapturous tale of love, obsessions, secrets, lies and movies". En la sección de reseñas se incluyen además los enlaces de dos de las pocas reseñas positivas, la de Roger Ebert, curiosamente positivo a la hora de reseñar *Los abrazos rotos*, y la de A.O. Scott, fiel admirador del director español. La reseña de R. Ebert no obstante se centra sobre todo en describir el argumento y en celebrar el virtuosismo visual de Almodóvar, eludiendo aquello que desafía al espectador y explicando así su inclusión en la página web de Sony. "*Broken Embraces* is a voluptuary of a film, drunk on primary colors, caressing Penélope Cruz, using the devices of a Hitchcock to distract us with surfaces while the sinister uncoils beneath [...] Never has she [Penélope Cruz] been more clearly the brush he uses, the canvas he covers, and the subject of his painting. To see this film once is to experience his deliberate abandon", declara R. Ebert a la vez que concede tres estrellas y media al film (http://rogerebert.suntimes.com).

Mucho más densa es la reseña de A.O. Scott, titulada "Almodóvar's Happy Agony, Swirling Amid Jealousy and Revenge", publicada en *The New York Times* (19-11-2009). Ya el oximorónico título anuncia la lectura de A.O. Scott, para quien "*Broken Embraces* lives the viewer in a contradictory state, a mixture of devastation and euphoria, amusement and dismay that deserves its own clinical designation. Call it Almodovaria, a syndrome from which some of us are more than happy to suffer". Una vez confesada su devoción por la obra de Almodóvar solo queda ver dónde radica para este crítico el valor de la película, cuestión que, consciente o inconscientemente, parece entablar un diálogo con las reseñas menos entusiastas. Los flashbacks que, para varios de los reseñadores mencionados, lastraban el film, para A.O. Scott lo ensalzan, como muestra la siguiente afirmación: "The word flashback hardly does justice to the episode from Harry's old life—when he was a dashing, sighted cineaste named Mateo Blanco—that lifts *Broken Embraces* into the company of Mr. Almodóvar's other recent masterworks". Igualmente, refiriéndose a la huella de Nicholas Ray en este film, apunta: "The unsettled intensity that was Ray's particular specialty—the sense so vivid in his best films, of wild emotions obeying their logic—infuses the middle setion of *Broken Embraces*". La confusion que le reprochan a esta película otros críticos, junto con el excesivo uso de la palabra para hacer avanzar la historia, no parecen enturbiar el entusiasmo de este reseñador. Dada la atracción que el cine extranjero ejerce en A.O. Scott, a juzgar por las numerosas reseñas sobre el tema publicadas en *The New York Times*, no sorprende su permeabilidad a la estética almodovariana y a los molelos narrativos distantes de los propuestos por Hollywood.[19]

Similar impresión deja la película en Richard Corliss, para quien *"Broken Embraces* isn't one of the master's all-time greats (it's a notch or two below *All About My Mother* and *Talk to Her*), but it is still complex, vivacious and emotionally resonant [...] The mood and tone here are less bursting than in earlier Almodóvar's. This time his energy went into the dense plot scheme, with its duplication of characters and family dynamics" (*Time* 30-11-2009).

A la luz de la desigual respuesta de la crítica en Estados Unidos sorprende leer en *El País* (23-3- 2009) un artículo titulado "La crítica de EEUU elogia *Los abrazos rotos* de Almodóvar", en el que curiosamente se menciona la reseña de Jonathan Holland que, como hemos visto, dista de prodigar los elogios que *El País* le atribuye. La descontextualización de unas cuantas frases cuidadosamente elegidas distorsiona el tono tibio de esta reseña.[20] Podría pensarse que la publicación de este artículo en *El País,* cuatro días después de la aparición de la reseña de Carlos Boyero, intenta paliar de algún modo la indignación del director con esta alusión a la favorable recepción en Estados Unidos.

---

[19] En el capítulo 1 de este libro se analiza la limitada presencia del cine extranjero en Estados Unidos denunciada por A.O. Scott en repetidas ocasiones.

[20] Una de las frases de J. Holland que cita el artículo de *El País*, "extraordinaria fuerza de la personalidad cinematica de Almodóvar", viene seguida de una afirmación menos eufórica: "But while this four way in extremis love story dazzles, it never really catches fire". El artículo aparece en *Variety* el 27-3-2009.

De la enorme atención que recibe esta película (y por extension el cine de Almodóvar) da buena prueba el número de reseñas externas listadas en *imdb*, doscientas seis, sumadas a las setenta y nueve de espectadores no profesionales. En la votación de los espectadores obtiene 7,2/10 puntos. En *Rotten Tomatoes* la puntuación es muy similar entre los espectadores, 74%, y un poco más alta entre los críticos, 81%. Destacan entre las virtudes apuntadas por los espectadores el magnifico reparto, en especial los protagonistas, y sobre todo la destreza de Almodóvar a la hora de dirigirlos, la brillantez de la cinematografía y la riqueza de la historia. Entre los reproches más frecuentes figuran la excesiva duración del film, la falta de conexión entre los protagonistas, el dominio de las metáforas y de la cinematografía sobre la historia, el modo poco convincente de cerrar la historia, la ausencia de personajes de carne y hueso, la confusion creada por los flashbacks, el contraste entre la exquisitez del estilo y la debilidad del guión. Como contrapunto de las debilidades apuntadas por la crítica opera la enorme atención que acaparan los estrenos del director español que, si bien no logran satisfacer unánimemente a todos los espectadores, sí logran interesarlos.

LA PIEL QUE HABITO

Del lugar privilegiado que ocupa Pedro Almodóvar en el panorama internacional del cine da cuenta el considerable número de reseñas, artículos y entrevistas aparecidas tanto en prensa como en television e internet a raíz del estreno de su última película, *La piel que habito* (2011). Treinta y dos años después del estreno de su primer largometraje el director ha logrado que su último film hasta el momento acapare la atención de los medios de comunicación tanto en su país como fuera del mismo. Para este decimoctavo film El Deseo cambia la estrategia de lanzamiento y en lugar de estrenar la película primero en España y unos meses más tarde en otros países, lo hace casi simultaneamente, con poco más de un mes de diferencia. Después de su presentación en el Festival de Cine de Cannes el 19 de mayo de 2011, se estrenó en Madrid el 2 de septiembre y en Estados Unidos el 14 de octubre, dos días después de su proyección en el Festival de Cine de Nueva York. Con un presupuesto de 10.000.000 euros, la película ha recaudado hasta el momento en Estados Unidos 3,180,826 dólares y en el resto del mundo 29,115,112 dólares, con un total de 32,295,938.[21]

---

[21] Los datos corresponden al 2-3-2012http://www.the-numbers.com/movie/piel-que-habito-La

Hasta el momento *La piel que habito* ha recibido en Estados Unidos cuatro premios a la Mejor Película Extranjera, el de Indiana Film Critics, Asociación de Críticos de Washington (WAFCA), Asociación de Críticos de Florida y Phoenix Film Critics Society además de numerosas nominaciones también a la Mejor Película Extranjera. Igualmente le fue otorgado el Premio Saturn a la Mejor Película Internacional y el Film Misery Award al Mejor Guión Adaptado y a la Mejor Banda Sonora.

Después de una trayectoria marcada por guiones originales, con la excepción de *Carne trémula*, *La piel que habito* se basa en la adaptación libre de una novela de Thierry Jonquet titulada *Tarántula*, publicada en 1995. Del largo proceso de gestación de la película, nueve años entre el momento en que el director anunció el proyecto en 2002 y el estreno del film en 2011, se desprende la complejidad del proceso de adaptación y las considerables modificaciones que introduce en la historia. Dada la libertad creadora de Almodóvar y su mal supuesta frivolidad, parte de la crítica se ha cuestionado su capacidad para respetar la densidad filosófica de la novela a la hora de llevarla a la pantalla. Así, en un artículo publicado en *Hezo Magazine*, Michel Lebrun se plantea la siguiente pregunta: "can the normally eccentric Spaniard do justice to the philosophical treatise Jonquet has written about victimhood and the ambiguous role of the monster in society?" (http://hesomagazine.com/film/spinning-new-media-skin-tarantula-by-thierry-jonquet/). Si bien la idea de fidelidad a la hora de trabajar en una adaptación es ajena al espíritu de Almodóvar, se puede afirmar que lo que le atrajo de la novela, la magnitud de una venganza como columna vertebral de la historia, ha sido eficazmente traducida a imágenes. Según declara el director en la página oficial de la película, a la hora de imaginar la película pensó en varios modelos (Buñuel, Hitchcock, Fritz) y en varios géneros (negro, gótico) para al final rechazar todos ellos y seguir su impulso creador. Con estas palabras sintetiza el punto de partida de su film: "Sin la sombra de los maestros del genero (entre otras razones porque no sé a qué género pertenece esta película) y renunciando a mi propia memoria cinematográfica, solo sabía que la narración debía ser austera y sobria, exenta de retórica visual y nada gore" (http://www.lapielquehabito.com).

Pero las respuestas a su austera interpretación del horror hacen honor a la controversia que acompaña la filmografía del Almodóvar. De su propio país procede la crítica más corrosiva contra la película, firmada de nuevo por Carlos Boyero. Ya el título preanuncia el contenido: "¿Horror frío? No, horror grotesco".

En opinión de este crítico, "Los resultados del buceo pavoroso que se ha propuesto el director me resultan más cómicos que trágicos, desprovistos de la mínima sombra de perturbación" (*El País* 2-9-2011). Dada la desconexión entre el gusto de C. Boyero y la estética del director, y a la vista de la polémica que describimos al hablar del estreno de su anterior film, no sorprende la radical condena de este último estreno. Menos ácido pero también negativo, Oti Rodríguez Marchante desde *ABC*, recurre igualmente a la ironía a la hora de titular su reseña: "A Almodóvar se le va la mano con la salsa". Así verbaliza su reacción este crítico: "Con un argumento tan lejano y tan inservible que, incluso abordando pasiones calientes como la venganza, la reclusión, el abuso y su polvorienta conversión en 'complicidad' o 'amor' resulta tan fría e indiferente como un insulto en japonés" (20-5-2011). No obstante la ovación que le devolvió el público en Cannes parece contradecir esta frialdad a la que alude O. Rodríguez Marchante y confirma la diferencia entre la respuesta del público y de la crítica internacional y la nacional a la vez que ahonda en los repetidos desencuentros del cineasta con los críticos españoles.

De esta disparidad en la recepción se hace eco el artículo de Manohla Dargis publicado en *The New York Times* que, si bien carece de la profundidad y el entusiasmo al que nos tenía acostumbrados A.O. Scott al reseñar desde este periódico el cine de Almodóvar, proyecta una imagen más halagüeña de *La piel que habito*. La siguiente afirmación condensa el tono de esta crítica: "There are several genres nimbly folded into *The Skin I Live In* which may also be described as a melodramatic thriller, a medical horror film or just a polymorphous extravaganza. In other words, it's an Almodóvar movie with all the attendant gifts that implies: lapidary technique, calculated perversity, intelligent wit" (14-10-2011). Sin eludir los riesgos asumidos por el director ni los defectos del film, M. Dargis proporciona una visión equilibrada en la que no pasan desapercibidas ni la actuación de Antonio Banderas y Elena Anaya, "excellent", ni la habilidad del director para dotar de cohesión a una obra complicada y fragmentada. Celebra además la originalidad de la película y las reflexiones que suscita, separando con ello la obra de este cineasta de la producción hollywoodiense.

Con más benevolencia, la reseña publicada en *The Wall Street Journal* (14-10-2011), firmada por Joe Morgenstern, define la película como "hypnotic" tanto a nivel de la historia como de la cinematografía. Si bien reconoce que dista mucho del Almodóvar exuberante y entretenido que imprime su sello en buena parte de su trayectoria, ensalza esta fábula, para él, "complex, austere, darkly witty and tinged with horror". Junto a esto, las continuas vueltas de tuerca de la historia, capaz de sorprender al espectador en cada nuevo giro, activan magistralmente este elemento sorpresa sin perder a su audiencia a lo largo de la narración. Para concluir define *La piel que habito* como "an original film that forces us, time and again, to reconsider what we think we've seen and what we're sure we feel, not only about mere appearance, or fateful gender, but about who, under our skin, we truly are". Complejidad, actuación, cinematografía y trascendencia constituyen los cuatro elementos en los que, para J. Morgenstern, se sustenta el film.

En el ángulo opuesto se sitúa la crítica de David Denby aparecida en *The New Yorker* (17-10-2011) cuyo escaso entusiasmo por el director español aflora de nuevo en este caso. Como hemos visto con anterioridad, la mayor parte de los críticos que han reseñado sus películas en esta revista, Anthony Lane, Terrence Rafferty y David Denby (la excepción sería Pauline Kael) han subrayado repetidamente la distancia entre el modo de concebir el cine del director manchego y sus preferencias como expertos, haciéndose eco quizás del perfil de los lectores de esta revista. *The New Yorker*, a pesar de ser una publicación concebida para lectores pertenecientes a una clase media alta que rechazan los productos comerciales y cuyos gustos difieren de los de la gran mayoría, perfil al que en principio se ajustaría el cine de Almodóvar, raramente conecta con él. Lo que desde esta revista se propone como cultura sofisticada se aleja tanto de la cultura elitista como de la cultura popular y apela a un lector inteligente que rechaza tanto la simpleza como el retorcimiento.[22] Quizás para este tipo de lector la popularidad de Almodóvar, los radicales giros que toma su carrera, su paso de la cultura underground a la cultura con mayúsculas y la imposibilidad de insertarle dentro de un género o de una estética estable alejan al lector/espectador al que se dirige *The New Yorker*, ayudando a entender con ello la falta de empatía con el director que exhiben las reseñas aquí publicadas.

Más ambigüa es la reseña de Karina Longworth (*Village Voice* 12-10-2011) que disecciona con igual profundidad los sentimientos que activan el film y los errores que lo lastran. Subraya entre los primeros el diálogo que mantiene la película con modelos anteriores de ciéntificos monstruosos, en especial Frankenstein, aunque se

---

[22] Con motivo de la publicación de uno de los libros de reseñas de cine de Pauline Kael, *For Keeps*, Louis Menard, escribe un artículo titulado "Finding It at the Movies", aparecido en *The New York Review of Books* (23-3-1995) en el que lleva a cabo una magnífica disección del perfil de Pauline Kael y por extensión de los lectores de *The New Yorker*.

distancie de ellos en su modo de concluir la historia. Para esta reseñadora *La piel que habito* supone "A postmodern homage to Hitchcock that raises the Master's of Suspense's implicit sexual obsessions to the textual level, its moral compass is totally, thrillingly whacked, as Almodóvar dispenses with traditional notions of good versus evil, perpetrators and victims", comparación que sin duda ha de halagar al cineasta español. Lo que por el contrario falla en el film para ella es la capacidad para mantener lo que define como un "dreamlike state of confusion that Almodóvar produces masterfully but does not let last long". En un excesivo afán de proporcionar información sobre el trasfondo de la historia se producen repetidos cortocircuitos en la imaginación del espectador que interrumplen el flujo de la narración y hacen que se desinfle la historia. Ello le lleva a concluir la crítica afirmando que "Almodóvar makes the classic mistake of the mad scientist: In doing a postmodern reinvention of old-fashioned thriller tropes, he gets so caught up in the experiment that he kills the basic pleasures of the genre".

La revista *Time* también le dedica una cuidada crítica a este último estreno. Uno de sus críticos de cine, Richard Corliss, admirador de Almodóvar como hemos visto con anterioridad, muestra no pocas reservas ante este último film, en su opinión, "not a master piece [but] it's unmistakably Almodovarian". Partiendo de la drástica reacción ante la pérdida de un ser querido, el director pone en marcha una red de "convulsive emotions with which one character infects another, mixing a cocktail of coincidence and destiny; he pushes melodrama so far it could turn into either tragedy of farce" (13-10-2011).[23] Contrario a la percepción de otros críticos, R. Corliss reprocha a Antonio Banderas la absoluta frialdad del personaje, rasgo por otro lado buscado por el director. Esta contención, a su modo de ver, le resta credibilidad al personaje, ya que un ser abrumado por la locura raramente se proyecta de un modo tan distante. Por el contrario elogia la actuación de Elena Anaya, capaz de plasmar en la pantalla "the private pain at her essence".

La respuesta por parte del público, con un 84% de comentarios positivos publicados en *Rotten Tomatoes* (13-2-2012) junto a un 81% entre los críticos, pone de manifiesto la indudable conexión tanto con el espectador como con los reseñadores, más allá de los reproches de quienes subrayan la distancia entre el texto y sus receptores.

---

[23] Las risas esporádicas que se oyeron durante la presentación de la película en el Festival de Cannes ponen de manifiesto el alcance de dicho riesgo, lo cual no impide que al final de la película el público le dedicara un largo aplauso.

En lo que concuerda la crítica es en la perfección técnica y en concreto en la calidad del acabado que da pie a unas imágenes nítidas, dotadas de fuerza y magnetismo. La belleza del film, metáfora de la obsesión por la belleza del doctor Legras y de la perfección física de Vera, monopoliza la pantalla en detrimento de la historia, más débil en lo que atañe a la cohesión y a la capacidad de arrastrar al público dentro de ella. La impresión de estar frente a una historia forzada, con un aire de falsedad que para un sector de la crítica daña el film, se contrarresta con una perfección técnica y un estilo visual que desplazan al espectador del terreno del contenido al de la forma. Casi la misma unanimidad aflora a la hora de evaluar el final, tan previsible como burdo que, en un esfuerzo por cerrar la historia, la deteriora.

Si bien la recepción en Estados Unidos no ha alcanzado las cotas a las que Almodóvar ha llegado en otras ocasiones, su prestigio y su popularidad en Hollywood se hacen patentes en esta ocasión en la invitación a participar en el American Film Institute Festival (AFI) como director artístico. Coincidiendo con la presentación de *La piel que habito* en este país y como celebración del 25 aniversario del AFI, presentó en este festival *La ley del deseo*, también estrenada veinticinco años antes, al igual que su productora El Deseo. Los elogios de Jacqueline Lyanga, directora de este festival, para quien "Almodóvar representa la polinización cruzada de las influencias cinematográficas que alimentan el cine mundial contemporáneo" (*El País* 30-8-2011), se hacen patentes en la presentación de una selección de películas que inspiraron la obra del director. Dada la consideración de este festival como antesala de los Oscars, la presencia de Almodóvar en el mismo conjuga el homenaje con la promoción y subraya su reconocimiento por parte de la industria cinematográfica estadounidense, el más alto hasta el momento logrado por un director español. A caballo entre lo que distancia al film del repertorio almodovariano (el ingrediente del cine de terror, la ausencia de deseo, la falta de humor) y el reciclaje de fragmentos del pasado (violaciones, secuestros, etcétera), la película apela a un espectador dispuesto a entrar en esta recién estrenada orbita, capaz de olvidar y de recordar a la vez los ingredientes del repertorio almodovariano y aceptar las nuevas reglas del juego.[24]

---

[24] Paul Julian Smith, en una entrevista sobre *La piel que habito* publicada en *Film Quarterly* 65.2 (2011), considera la película como "a repetition with a twist […] So Almodóvar challenges his long time audience with a shot by shot remake of the most uncomfortable sequence of his entire oeuvre, the lengthy rape in *Kika*".

Conclusiones

En un artículo recientemente publicado en *The New York Times*, titulado "A Golden Age for Foreign Film, Mostly Unseen" (26-1-2011), A.O. Scott lamenta "the peculiar and growing irrelevance of world cinema in the American movie culture, which the Academy Awards help to perpetuate", y reprocha de paso a la academia su arbitrariedad a la hora de elegir las películas extranjeras y su inhabilidad para dar salida a un buen número de films recientes de gran calidad que apenas llegan al espectador por falta de una promoción adecuada o por culpa de un "cultural protectionism: the impulse no to conquer the rest of the world but to tune it out" achacable a la industria norteamericana. Si bien sobran razones para lanzar estos reproches, Almodóvar parece haber escapado a este maleficio y sus películas han logrado abrirse paso en este acorazado mercado. Dado el limitado espacio del que disfruta el cine extranjero es digna de alabanza la habilidad del director español para demarcar un espacio propio en un ámbito tan hermético como el estadounidense. Al margen de su incuestionable valor como cineasta, Almodóvar ha sabido encontrar un registro exportable y un lenguaje fílmico inteligible para una audiencia poco proclive a ser interpelada en otro idioma.

Hemos analizado a lo largo de este estudio el modo en que la prensa de Estados Unidos reflexiona sobre el cine de Pedro Almodóvar y el impacto de dicha reflexión en el espectador de este país. Si bien se ha aludido a la limitada relevancia de la crítica en general en la recaudación de taquilla frente al obvio impacto de la publicidad, su influencia en lo que atañe al cine extranjero merece más atención de la hasta ahora recibida. Esta crítica pensada para la prensa, bien sea difundida en papel o en la red, alimenta los intereses de un grupo concreto y aglutina en torno a este director a un público fiel, informado, relativamente incondicional. Los lectores/espectadores se reconocen así dentro de una comunidad estética con la que se identifican y entran a formar parte de un grupo de cinéfilos mediado por la prensa. Dado que este lector/espectador aficionado al cine extranjero tiende a interesarse por la crítica, determinados periódicos y revistas, favorecidos por la lealtad de sus lectores, han contribuido a afianzar la popularidad del director manchego. Como se ha visto, el seguimiento cercano de Almodóvar por parte de *The New York Times*, tanto con motivo de su presencia en el Festival Internacional de Cine de Nueva York como del estreno de sus películas en salas comerciales, ha contribuido a mantener su cine como una presencia constante en la ciudad estadounidense más receptiva al cine importado, Nueva York. Lo mismo podría afirmarse de *The New Yorker*, cuyos lectores, en su mayoría miembros de una clase media educada e intelectualmente abierta y sofisticada, han tenido la oportunidad de seguir de cerca la evolución de este cineasta. El peso de estas publicaciones como hoja de ruta para promocionar o condenar una película se intensifica al escribir sobre el cine extranjero, como se ha visto al destacar el poder de veto que se le atribuye a *The New York Times*.

La crítica en prensa aporta sobre todo accesibilidad e inmediatez, gracias a su difusión en internet además de en papel, y a la vez un cierto grado de complejidad y sofisticación. A medio camino entre la crítica académica y las respuestas impresionistas que aparecen en la red, con la excepción de los críticos reconocidos que cuentan con un foro propio consolidado en internet, la prensa tiende un puente entre el hermetismo de los especialistas y el impresionismo de los amateurs. El entretenimiento y la reflexión convergen así en este medio de difusión que busca captar la atención de un lector/espectador exigente que valora y respeta la opinión de los críticos afiliados a un periódico o revista determinados, y que confía en ellos a la hora de elegir una película. En el caso de Almodóvar la experiencia de sus críticos permite abrir una serie de claves de lectura a unos textos fílmicos que, al engendrarse en otra cultura y al responder a la ética de un director ajeno a la norma, resultan en numerosas ocasiones herméticos. Con ello logran acortar la distancia entre el público y su cine a la vez que insertan sus films en el marco de los debates actuales sobre género, raza, sexualidad, situando a la audiencia en un terreno reconocible. Esto no implica desatender la amplia gama de posturas espectatoriales en lo que atañe a la ideología y experiencias personales, sin duda fundamentales a la hora de acceder a cualquier tipo de texto, así como la propia inserción de estos espectadores en los debates con anterioridad mencionados.[1]

---

[1] Jan Campbell en su obra *Film Cinema Spectatorship* explica la circulación de textos en estos términos: "We cannot simply locate texts and readers, but have to understand the circulation of films within the space of culture [...] This means understanding the flow and production but also how meaning is negotiated by real audiences" (160).

Hubiera sido difícil para Pedro Almodóvar imaginar cuando estrenó su primer largometraje la universalidad que alcanzaría su cine y su repercusión en la redefinición de la imagen de España de cara al exterior, con los aciertos y distorsiones que esto conlleva. La línea que conecta *Pepi, Luci, Bom y otras chicas del montón* (1980) con *La piel que habito* (2011) desvela el salto desde la estética del cine underground al mercado global, con la consiguiente desaparición de barreras presupuestarias. Al margen de lo que supone este éxito a nivel personal, a nivel nacional ha reposicionado el cine español en el panorama mundial del séptimo arte. Con la excepción de Buñuel, ningún director ha captado la atención de la crítica con la intensidad del director manchego como bien prueban, por un lado, las numerosas publicaciones en prensa junto con el elevado número de libros y artículos académicos y, por otro, su fuerza mediática en muchos países. Su apoteósica recepción a ambos lados del Atlántico y la conquista de un espacio tan impenetrable como Hollywood, sobre todo para los directores extranjeros, desbordan todas las previsiones que tanto el cineasta como sus espectadores hubieran podido vislumbrar hace más de treinta años. Este relativamente dilatado marco temporal marca a su vez el paso de un cine español prácticamente desconocido en los circuitos internacionales a una distribución global con unos perfiles temáticos y estéticos mucho más amplios.

Stuart Hall, al estudiar la dialéctica entre discursos y prácticas sociales, en concreto al referirse al discurso visual y al carácter engañoso del signo icónico debido a su aparente fidelidad con respecto a la realidad, muestra cómo el discurso visual es el resultado de una articulación del lenguaje sobre lo real y por tanto, responde a una práctica discursiva tan codificada como cualquier otra. Esta supuesta universalidad de los signos visuales hace olvidar que bajo su aparente naturalidad se esconde una clara especificidad cultural, es decir, que han sido naturalizados por una cultura determinada lo que revela no la transparencia del lenguaje visual sino la fuerza del hábito dentro de dicha cultura y la reciprocidad entre un producto cultural y sus consumidores.[2] De ahí que un cine como el de Almodóvar, enraizado en los códigos de la cultura española, propicie unas lecturas distantes de las generadas en su propio contexto al insertarse en la cultura norteamericana, como bien hemos visto al explorar la recepción de las películas de este director en Estados Unidos. Dicha españolidad no implica ignorar el carácter

---

[2] Ver el artículo de Stuart Hall titulado "Encoding/Decoding" en *Media and Cultural Studies*, eds. Meenakshi Gigi Durham & Douglas M. Kellner, Malden, Mass.: Blackwell Publishers, 2001.

transnacional de su cine, ni su diálogo con las estéticas que flotan en nuestra era global, ni pasar por alto el hecho de que el espectador actual construye su identidad cultural en función del acceso a múltiples productos culturales nacionales e internacionales.[3]

La teoría de la recepción permite adentrarse en la dinámica que rige la producción, distribución, exhibición y consumo, junto con el impacto de la publicidad, tráileres y reseñas que moldean las expectativas de la audiencia. Este conjunto de factores aplicado a la cinematografía de Almodóvar nos ha permitido constatar la pluralidad de respuestas que suscita su obra y las diversas estrategias de comercialización en función del destinatario de la misma. La riqueza de sus textos sumada al sustrato cultural en el que se insertan y a la visión de los críticos que a ellos se acercan, genera una amplia gama de lecturas que amplían el abanico semántico de su obra a la vez que desvelan los procesos de apropiación, reelaboración e interpretación que surgen del diálogo entre texto, contexto, crítico y espectador.

Si bien la mayor parte de las reseñas y artículos de prensa consultados muestran un equilibrio entre la vertiente intelectual, analítica y la intuitiva, emocional del crítico, algunas de ellas adolecen de un claro desconocimiento del contexto en el que se genera la obra de Almodóvar. Como se ha visto, numerosos acercamientos ofrecen un perfil del director anclado en los años ochenta, en la órbita de la movida, así como una imagen de España anquilosada en las secuelas del franquismo, ajenas ambas visiones a las continuas transformaciones que tanto el cineasta como su país de origen han experimentado a lo largo de las últimas décadas.

Entre los muchos desafíos que plantea la obra de Almodóvar destaca el riesgo de provocar reacciones extremas a su modo de abordar temas asociados al género, sexualidad, violencia y drogas entre otros, cuestiones que, según se ha comprobado, desconciertan aún a varios críticos condicionados por su propia experiencia y educados en una cultura más conservadora, con una serie de tabús ajenos al microcosmos almodovariano. Así quienes se adentran en la obra del

---

[3] Un caso extremo al hilo de la recepción del cine de Almodóvar es el artículo publicado por Constantino Díaz-Durán titulado "Is Pedro Almodóvar a fraud?" <http://www.thedaily beast.com/articles/2010/01/14/is-pedro-almodoacutevar-a-fraud.html>. El artículo se abre con la siguiente afirmación: "U.S. critics think he is a genius, but even his fellow Spaniards say he's fraud [...] he has made a movie [*Broken Embraces*] whose genius can only be found in translation", y continúa burlándose de las positivas reseñas de varios críticos estadounidenses y calificando sus últimas películas de previsibles, repetitivas, masturbatorias, etcétera.

cineasta español no siempre logran un equilibrio entre permanecer inmersos en la película y mantener un grado de objetividad y distancia crítica.

En función de estos datos cabe preguntarse en qué medida los artículos y reseñas aquí analizados condicionan la experiencia del espectador frente a las películas de Almodóvar. Sin duda este lector/espectador incorpora los juicios de valor de un experto a su propia experiencia, a su afectividad y a sus deseos en el momento de otorgar sentido a las imágenes. Quizá uno de los beneficios más claros de este tipo de crítica consista en desvelar para un espectador medio las claves de una cultura ajena a la órbita estadounidense, subrayar las señas de identidad que pasan desapercibidas a quienes no comparten los mismos referentes y expandir los múltiples significados que sus textos encierran, en definitiva, enriquecer el film, evitar que se pierdan los matices que densifican su obra. Además, la hibridez genérica del cine de Almodóvar y la consiguiente dificultad para comercializarlo bajo la fácil clasificación basada en el género complica las relaciones entre director, espectador, productoras y distribuidoras, acostumbradas a utilizar etiquetas reconocibles y añade otra capa de valor a la tarea del crítico.[4]

Por otro lado el impulso del crítico como promotor de películas, si bien no es comparable con el de las campañas de promoción, resulta relevante en el caso del cine extranjero y del cine independiente ya que de otro modo estas películas no lograrían pasar del circuito de los festivales al de las salas comerciales. Una crítica de calidad resulta imprescindible para fomentar un cine de calidad ajeno a la órbita de los grandes estudios y sin duda los artículos de los muchos críticos prestigiosos que se han asomado a la obra del director español han contribuido a afianzar su presencia al otro lado del Atlántico y a fabricar la marca "Almodóvar", una marca que ya casi se vende sola. No solo corresponde a la crítica la consolidación de esta marca sino también a los espectadores que han articulado una especie de comunidad cultural a partir de la interacción social, las afinidades surgidas por medio de la película, la identificación con su estilo, la empatía con su código moral, la utilización de expresiones "almodovarianas", en suma, todo un conjunto de factores que operan como entramado de este microcosmos almodovariano. Junto

---

[4] Refiriéndose a esta cuestión, Jay Beck y Vicente Rodríguez Ortega manifiestan que "When films travel from one culture into another, the role of generic categories and the function of films genres in selling a body of films to spectators typically change, building upon the cultural and social dominants of a particular mediascape. Consequently is critical to understand genre as a discursive category that mutates in different cultural and media spaces, acquiring diverse sets of meanings". *Contemporary Spanish Cinema and Genre*, ed. Jay Beck & Vicente Rodríguez Ortega, Manchester University Press, 2008, pág. 13.

a esto el tratamiento del director como una celebridad le otorga una omnipresencia en el espacio público que se funde/confunde con su propia obra. En opinión de Janet Staiger, "Scholarship should also investigate not just the event of film going but the continual making and remaking of the interpretations and emotional significances through the lives of the individuals" (Staiger 29). Estos factores periféricos generados en torno a la proyección de la película desempeñan un papel fundamental para aquilatar su recepción.

Una de las cuestiones que inevitablemente aflora al tratar la crítica en prensa es la diferencia entre reseñadores y críticos. Si en principio la figura del reseñador se vincula a los periódicos, destinados a una audiencia masiva, y la del crítico a las revistas especializadas o académicas, con un número de lectores limitado, en la práctica la frontera entre ambos profesionales es bastante porosa. Igualmente la supuesta diferencia entre la información básica asociada a los reseñadores (director, productor, actores, argumento), tachada de inmediata y superficial, y la reflexión sólida adscrita a los críticos no hace justicia a la profesión. David Sterritt lamenta en la introducción a *Guiltless Pleasures* que la profesión de crítico esté perdiendo relevancia debido a la proliferación de publicaciones en papel o en Internet que se limitan a producir reseñas ligeras, desconocedoras del valor estético y social del cine, propiciando su tratamiento como un producto cultural de segunda categoría. Igualmente se queja del limitado espacio que queda para películas alternativas a los valores de la industria de Hollywood, en concreto para películas extranjeras, restringiendo con ello el espectro del séptimo arte en Estados Unidos. El riesgo radica en crear un círculo vicioso en el que el cine extranjero no encuentre espacio para anunciarse y, en consecuencia, no llegue a los espectadores, de forma que al carecer de una audiencia, la prensa apenas le dedique atención.

Como hemos observado, la prensa en general y la estadounidense en particular, opera como foro de una variada gama de profesionales del cine cuya opinión transciende la supuesta inmediatez asociada a este medio. Numerosos críticos aquí analizados han puesto de manifiesto su capacidad para evaluar la cinematografía de Almodóvar a la luz de toda su producción, para crear un contexto iluminador para el público estadounidense, fundiendo lo analítico y lo perceptivo, logrando interesar tanto a lectores especializados como no especializados. Su valor estriba así en ayudar al lector/espectador a calar en la película por medio de un juicio de valor apoyado en datos concretos del film. Baste pensar en los artículos publicados en *The New York Times*, en opinión de Brian Michael Goss, "the world's most revered newspaper", *The New Yorker*, *L.A Times*, *San Francisco Chonical*, etc. firmados por críticos como A.O. Scott, Janet Maslin y Pauline Kael, entre muchos otros, para invalidar esta asociación simplista entre prensa y superficialidad. De ahí que este estudio no pretenda dibujar una nítida línea divisoria entre reseñadores y críticos sin que ello implique negar el amplio y diverso abanico de profesionales de prensa dedicados a la crítica de cine y el variado grado de profundidad de sus acercamientos. Estas premisas no impiden reconocer que, en opinión de algunos expertos, la crítica periodística se ve lastrada por una serie de condicionantes derivados de la propia naturaleza del medio, sin que ello le reste valor. Tim Bywater and Thomas Sobchack sintetizan la cuestión del siguiente modo: "By its very nature and function, the journalistic approach, no matter how brilliant, can seldom go beyond a personal and immediate response to a film" (21) [...] In the process of writing, however, those raw responses of likes and dislikes are often transformed into something more: the heartfelt expression of a community's value system, frequently revealing a consensus about the matters under discussion" (22). Sin pretender ignorar estas limitaciones, la variada muestra de críticas seleccionadas para este estudio pone de manifiesto que la "personal and immediate response" de buena parte estos críticos se da frecuentemente respaldada por el conocimiento profundo de la obra de la obra del cineasta y por su capacidad para hacer legible su españolidad.

Sumada al peso de la crítica periodística, la enorme atención dedicada a Almodóvar por parte de los hispanistas, en especial los británicos, estadounidenses y franceses, muchos de ellos citados en este volumen, ha logrado legitimar su presencia en el ámbito académico y fuera de él, educando a una nueva generación de estudiantes/espectadores en la estética del director manchego y fomentando su interés por el cine español, más complejo y desafiante que el salido de Hollywood. A ello aluden Brad Epps y Despina Kakoudaki al afirmar que "In the face of an international entertainment industry that seemed all too eager to generalize and denationalize Almodóvar's work, these and other writers [Paul Julian Smith, Marsha Kinder, Kathleen Vernon, Marvin d'Lugo, Peter Evans], many of them literary Hispanists turned film critics (Kinder is the exception) insisted on the director's specifically Spanish representational and cultural heritage" (12). Dicha postura no viene exenta de riesgos ya que en ocasiones para el espectador extranjero el cine español se reduce al cine de Almodóvar. Lo que resulta incuestionable es su aportación al debate sobre cómo España se construye a sí

misma como nación y cómo los españoles se construyen a sí mismos
discursivamente, cómo articulan un conjunto de valores y narrativas a partir de su
experiencia reciente y cómo borran con ello el retrato de un país conservador,
religioso, reprimido, ajeno a los circuitos de progreso que de algún modo existe
aún en el imaginario colectivo de Estados Unidos.

La selección de artículos periodísticos llevada a cabo en este estudio pone de
manifiesto la pluralidad de voces dedicadas a aquilatar el valor y el sentido de una
obra tan ajena al contexto cultural estadounidense como la del director manchego.
A los aciertos de un buen número de críticos capaces de captar el diálogo entre su
producción cinematográfica y el distante marco en el que se inserta, se superponen
las no pocas simplificaciones de quienes se limitan a entender a Almodóvar como
un estereotipo de su tiempo, anclado en la explosión cultural que siguió al
franquismo, sin entender que tanto la sociedad española como sus creadores
dejaron atrás este legado. A esta incomprensión remite el lamento del propio
Almodóvar en sus conversaciones con Frédéric Strauss, patente en la siguiente
afirmación: "Hace algunos años en Estados Unidos tenía fans entre los grupos
marginales y hablaban de mis películas en la prensa independiente, que era mucho
más generosa; ahora se proyectan en más salas y el crítico que escribe sobre ellas
en los principales periódicos es la persona más conservadora del mundo" (107). Si
bien no le falta razón para agradecer su apoyo a la prensa independiente en los
comienzos de su carrera, su opinión sobre los críticos asociados a la prensa de
mayor tirada peca de excesiva dureza ya que, como se ha visto, cuenta con el
apoyo de no pocos de ellos.

Mario Vargas Llosa en *La civilización del espectáculo* lamenta las lacras que
oprimen la cultura de nuestro presente, en concreto la suplantación de productos
culturales abocados a trascender el tiempo, a perdurar, propia de la concepción de
arte en el pasado, por otros efímeros, "para ser consumidos al instante y
desaparecer" (31), la preponderancia de un arte centrado en "la producción
industrial masiva y el éxito comercial" (31) y la aparición de una literatura, un cine
y un arte "light", "que da la impresión cómoda al lector y espectador de ser culto,
revolucionario, moderno, y de estar a la vanguardia con un mínimo esfuerzo
intelectual" (37). Si bien el entretenimiento y la comercialización inevitablemente
demarcan el territorio del cine, su amplia difusión y su accesibilidad le otorgan un
estatus privilegiado como instrumento de reflexión sobre los temas que inquietan al
sujeto contemporáneo. En función de ello el diálogo que entabla el cine de

Almodóvar con la actualidad y las dispares respuestas que suscita tanto en el espectador inclinado al mero entretenimiento como en el intelectual preocupado por el valor de la cultura, han insertado su producción cinematográfica en los debates teóricos, estéticos, sociales y políticos de nuestro presente, contribuyendo en buena medida a densificar los temas que preocupan al ciudadano del tercer milenio. Para un cineasta que hace de la disensión uno de los ejes de su discurso visual, la crítica aporta una serie de claves de interpretación fundamentales para iluminar el sentido de su obra en los múltiples contextos culturales en los que se inserta.

Apéndices

PEPI, LUCI, BOM Y OTRAS CHICAS DEL MONTÓN

FESTIVALES:

Ciclo de cine sobre La Movida de la Comunidad de Madrid, 2007 – Proyecto conmemorativo sobre
    La Movida
¡VIVA! 12th Spanish & Latin American Film Festival (Reino Unido), 2006
Festival de Krems (Australia), 2004
Festival de Cine Hispano de Tokio y Kobe (Japón), 2004
Festival de Cine de Taipéi (Taiwán), 2004
Retrospectiva de Pedro Almodóvar en la Cineteca de Milán (Italia), 2003
Filmintezet de Budapest (Hungría), 1999
Festival Cine San Sebastián, 1980

***

LABERINTO DE PASIONES

FESTIVALES:

Ciclo de cine sobre La Movida de la Comunidad de Madrid (Proyecto conmemorativo sobre La
    Movida), 2007
¡VIVA! 12th Spanish & Latin American Film Festival (Reino Unido), 2006
Ciclo de Cine Español en la Cinemateca de Viena (Austria), 2004 – Cinematografías del
    Mediterráneo
Festival de Cine de España de Toulouse – Cinespaña (Francia), 2003
Festival Retrospectiva de Pedro Almodóvar en la Cinemateca de Milán (Italia), 2003
Encuentros de Cine Español en Nantes (Francia), 1999

***

ENTRE TINIEBLAS

PREMIOS:

Premio Sant Jordi, 1984
Mejor Actriz Española (Julieta Serrano)

Premios Guía del Ocio, 1983
Bronze, Mejor Actriz de Reparto (Chus Lampreave)

NOMINACIONES:

Fotogramas de Plata, 1984
Nominación Mejor Actriz de Cine (Julieta Serrano)

FESTIVALES:

Festival Internacional de Cine de Miami (EE.UU.), 2012
¡VIVA! 12th Spanish & Latin American Film Festival (Reino Unido), 2006
Ciclo de Cine Español en el Festival de Cine de Taipéi (Taiwán), 2004
Ciclo de Cine Español en la Filmoteca Austriaca (Austria), 2004
Retrospectiva de Pedro Almodóvar en la Cineteca en Milán (Italia), 2003
Festival OUTFEST (EE.UU.), 2002

***

¿QUÉ HE HECHO YO PARA MERECER ESTO?

PREMIOS:

Asociación de Cronistas del Espectáculo de Nueva Cork (ACE) (EE.UU.), 1986
Premio Mejor Actriz de reparto (Verónica Forqué)
Premio Sant Jordi (España), 1985
Premio Mejor Película Española
Fotogramas de Plata (España), 1985
Premio Mejor Actriz de Cine (Carmen Maura)
Festival de Cine de Madrid (IMAGFIC) (España), 1985
Premio Mejor Película (Pedro Almodóvar)
Festival de Cine del Mediterráneo de Valencia (España), 1984
Premio FIPRESCI
Premio Palmera de Plata Mejor Película

NOMINACIONES:

Fotogramas de Plata (España), 1985
Nominación Mejor Actriz de Cine (Chus Lampreave)
Nominación Mejor Actriz de Cine (Carmen Maura)
Asociación de Cronistas del Espectáculo de Nueva Cork (ACE) (EE.UU.), 1986
Nominación Mejor Actriz de reparto (Verónica Forqué)
Premio Sant Jordi (España), 1985
Nominación Mejor Película Española

FESTIVALES:

Ciclo de cine sobre La Movida de la Comunidad de Madrid en el Círculo de Bellas Artes (España),
       2006
Ciclo de Cine Español en la Filmoteca Austriaca (Austria), 2004
Ciclo de Cine Español en el Festival de Cine de Taipéi (Taiwán), 2004

Muestra de Cine Español Reciente en la American Cinemateca de Hollywood (EE.UU.), 2004
Festival Internacional de Cine de Shanghái (China), 2004
Festival Internacional de Copenhague (Dinamarca), 2003
Retrospectiva de Pedro Almodóvar en la Cinemateca de Milán (Italia), 2003
Festival de Cine de España de Toulouse – Cinespaña (Francia), 2001-2004
Fantasporto – Oporto "Cine General" (Portugal), 1998
Festival de Cine de Madrid (España), 1985
Semana Cine Español en México (México), 1985
Festival de Cine del Mediterráneo, 1984

***

MATADOR

PREMIOS:

Festival de Arcos de Valdevez (Portugal), 1987
Premio del Público
Festival de Cine de Oporto (Portugal), 1987
Premio Mejor Actriz: Julieta Serrano
Premio Mejor Director: Pedro Almodóvar
Asociación de Críticos de Los Ángeles (LAFCA) (EE.UU.), 1987
Premio "Nueva Generación"
XV Semana Internacional de Cine de Autor de Málaga (España), 1987
Nombrado uno de los mejores Filmes Españoles

NOMINACIONES:

Festival de Cine de Oporto (Portugal), 1987
Nominación Mejor Actriz (Julieta Serrano)
Nominación Mejor Director (Pedro Almodóvar)
Nominación Mejor Película

FESTIVALES:

Ciclo de Cine Español en la Cinemateca de Viena (Austria), 2004 – Cinematografías del
    Mediterráneo
Ciclo de Cine Español en el Festival de Cine de Taipéi (Taiwán), 2004
Festival de Arcos de Valderez (Portugal), 1987
Festival de Cine de Oporto (Portugal), 1987
Midnight Sun Film Festival (Finlandia), 1987
XV Semana Internacional de Cine de Autor de Málaga (España), 1987

***

LA LEY DEL DESEO

PREMIOS:

Festival Internacional de Cine de Bogotá (Colombia), 1988
Premio Mejor Actriz (Carmen Maura)

Premio Mejor Director (Pedro Almodóvar)
Premio Mejor Montaje (José Salcedo)
Premio Mejor Guión Cinematográfico (Pedro Almodóvar)
Premio Sant Jordi (RNE) (España), 1988
Premio Mejor Actor (Antonio Banderas)
Rosa de Sant Jordi Mejor Película (Premio del Público)
Fotogramas de Plata (España), 1988
Premio Mejor Película Española
San Francisco International Lesbian & Gay Film Festival (EE.UU.), 1987
Premio del Público Mejor Largometraje
Festival Internacional de Cine de Berlín (Alemania), 1987
Premio Teddy Mejor Largometraje Extranjero
Premios Onda Madrid (España), 1987
Premio Mejor Película
Premio Mejor Director (Pedro Almodóvar)
Festival Internacional de Cine de Cannes (Francia), 1987
Premio Film Reporter por votación del Público
Premio Long Play (España), 1987
Premio Mejor Director (Pedro Almodóvar)
Asociación de Críticos de Los Ángeles (EE.UU.), 1987
Premio Nueva Generación (Pedro Almodóvar)
Royal Film Archive Bruselas (Bélgica), 1987
Premio para la Distribución de las Películas de Calidad
Festival de Salsomaggiore (Italia), 1987
Premio AGIS-BNL
Festival Internacional de Cine de Río de Janeiro (Brasil), 1987
Premio Tucán de Plata Mejor Director (Pedro Almodóvar)

NOMINACIONES:

Festival de Cine de Bogotá (Colombia), 1988
Nominación Mejor Actriz (Carmen Maura)
Nominación Mejor Director (Pedro Almodóvar)
Nominación Mejor Montaje (José Salcedo)
Nominación Mejor Película
Nominación Mejor Guión (Pedro Almodóvar)
Fotogramas de Plata (España), 1988
Nominación Mejor Película Española
Nominación Mejor Actor de Cine (Antonio Banderas)
Nominación Mejor Actriz de Cine (Carmen Maura)
Premio Sant Jordi (RNE) (España), 1988
Nominación Mejor Actor (Antonio Banderas)
Premio Long Play (España), 1987
Nominación Mejor Director (Pedro Almodóvar)
Premios Onda Madrid (España), 1987
Nominación Mejor Película
Nominación Mejor Director (Pedro Almodóvar)

FESTIVALES:

Ciclo de cine sobre La Movida de la Comunidad de Madrid en el Círculo de Bellas Artes (España),
    2006

Ciclo Cine Español en el National Film Theatre (Reino Unido), 2004
Ciclo de Cine Español en el Festival de Cine de Taipéi (Taiwán), 2004
Ciclo de Cine Español en la Cinemateca de Viena (Austria), 2004 – Cinematografías del
    Mediterráneo
Retrospectiva de Pedro Almodóvar en la Cineteca de Milán (Italia), 2003
Festival de Cine de España de Toulouse (Francia), 2001 – Cinespaña
Festival de Cine Español en Johannesburgo, Ciudad del Cabo y Durban (Sudáfrica), 1998
Fantasporto – Oporto "Cine General" (Portugal), 1998
Festival Internacional de Cine Gay y Lésbico de Turín (Italia), 1998-2005
Festival de Cine de Belgrado (Yugoslavia), 1991
Semana de Cine de Praga y Bratislava (Eslovaquia), 1990
Ciclo de Cine en el Museo de Múnich (Alemania), 1990
Festival de Cine de Dinamarca (Dinamarca), 1990
Festival Internacional de Cine de Viena (Austria), 1989
Ciclo de la Cinemateca China (China), 1989
Ciclo de Cine de Sao Paulo (Brasil), 1989
Festival de Cine de Bogotá (Colombia), 1988
Festival de Cine de Hong – Kong (China), 1988
Festival de Cine de Valladolid (España), 1988
Semana de Cine de Zúrich (Suiza), 1988
Festival de Cine de Benalmádena (España), 1988
Festival Internacional de Cine de Berlín (Alemania), 1987
San Francisco International Lesbian & Gay Film Festival (EE.UU.), 1987
Festival Internacional de Cine de Cannes (Francia), 1987
Festival de Salsomaggiore (Italia), 1987
Festival de Cine de Tyneside (Reino Unido), 1987
Festival de Cine de Londres (Reino Unido), 1987
Muestra de Cine de México (México), 1987
Festival de Cine de Montreal (Canadá), 1987
Festival de Cine de Toronto (Canadá), 1987
Cinemateca Royal de Bruselas (Bélgica), 1987
Festival de Cine de Río de Janeiro (Brasil), 1987
Festival de Cine de Miami (EE.UU.),1987
Muestra en El Museo de Arte Moderno de Nueva York (EE.UU.), 1987

***

MUJERES AL BORDE DE UN ATAQUE DE NERVIOS

PREMIOS:

Asociación de Cronistas de Espectáculos de Nueva York (EE.UU.), 1989
Premio Mejor Actriz de Reparto (María Barranco)
Festival Internacional de Cine de Comedia de Benicarló (España), 1989
Premio Mejor Comedia Española de la Década de los Ochenta
Premios Orson Welles (EE.UU.), 1989
Mejor Autor del Año en Lengua No Inglesa (Pedro Almodóvar)
Fotogramas de Plata (España), 1989
Premio Mejor Actriz de Cine (Carmen Maura)
Premio Mejor Actor de Cine (Antonio Banderas)

Premios De Película (TVE) (España), 1989
Premio Mejor Película
Premio Mejor Director (Pedro Almodóvar)
Premio Mejor Actriz (Carmen Maura)
Premios Goya (España), 1989
Premio Mejor Película
Premio Mejor Guión Original (Pedro Almodóvar)
Premio Mejor Actriz (Carmen Maura)
Premio Mejor Actriz de Reparto (María Barranco)
Premio Mejor Montaje (José Salcedo)
Premios David di Donatello (Italia), 1989
Premio Mejor Director Extranjero (Pedro Almodóvar)
Sindicato Nacional Italiano de Periodistas de Cine (Italia), 1989
Premio Nastro d'Argento Mejor Director Extranjero (Pedro Almodóvar)
Sociedad Nacional de Críticos de Cine de Estados Unidos (EE.UU.), 1989
Premio Especial (Pedro Almodóvar)
Segundo Premio Mejor Actriz (Carmen Maura)
Premios Sant Jordi de Cine (España), 1989
Premio Mejor Película Española (Premio del Público)
Premio Mejor Actriz de Cine (María Barranco)
Premios del Cine Europeo, 1988
Premio Mejor Película Joven
Premio Mejor Actriz (Carmen Maura)
Festival Internacional de Cine de Toronto (Canadá), 1988
Premio del Público (Pedro Almodóvar)
Círculo de Críticos Cinematográficos de Nueva York (EE.UU.), 1988
Premio Mejor Película Extranjera
Festival Internacional de Cine de Venecia (Italia), 1988
Premio CIAK Mejor Actriz (Carmen Maura)
Premio Mejor Argumento y Guión Cinematográfico (Pedro Almodóvar)
Premios Onda Madrid (España), 1988
Premio Mejor Película
Premio Mejor Director (Pedro Almodóvar)
Premio Mejor Actriz (Carmen Maura)
Premio Mejor Actriz de Reparto (María Barranco)
National Board of Review (EE.UU.), 1988
Premio Mejor Película Extranjera
Top Películas Extranjeras
Revista Premiere (EE.UU.), 1988
Premio Mejor Película Extranjera (por votación de los lectores)
Asociación de Escritores Cinematográficos de Andalucía (ASECAN) (España), 1988
Premio Mejor Película Española
Premios Claqueta (Radio Miramar de Barcelona) (España), 1988
Premio Mejor Película Española (por votación del público)

NOMINACIONES:

Premios BAFTA (Reino Unido), 1990
Nominación Mejor Película de Habla No Inglesa
Academy Awards (EE.UU.), 1989
Nominación Mejor Película Extranjera
Golden Globe Awards (EE.UU.), 1989

Nominación Mejor Película Extranjera
Premios David di Donatello (Italia), 1989
Nominación Mejor Director Extranjero (Pedro Almodóvar)
Premios Goya (España), 1989
Nominación Mejor Director (Pedro Almodóvar)
Nominación Mejor Película
Nominación Mejor Guión Original (Pedro Almodóvar)
Nominación Mejor Actriz Principal (Carmen Maura)
Nominación Mejor Actriz de Reparto (María Barranco)
Nominación Mejor Actriz de Reparto (Julieta Serrano)
Nominación Mejor Actor de Reparto (Guillermo Montesinos)
Nominación Mejor Dirección de Producción (Esther García)
Nominación Mejor Fotografía (José Luis Alcaine)
Nominación Mejor Dirección Artística (Félix Murcia)
Nominación Mejor Montaje (José Salcedo)
Nominación Mejor Diseño de Vestuario (José María de Cossío)
Nominación Mejor Maquillaje y/o Peluquería (Jesús Moncusi y Gregorio Ross)
Nominación Mejor Sonido (Gilles Ortion)
Nominación Mejores Efectos Especiales (Reyes Abades)
Nominación Mejor Música Original (Bernando Bonezzi)
Fotogramas de Plata (España), 1989
Nominación Mejor Actriz de Cine (Carmen Maura)
Nominación Mejor Actor de Cine (Antonio Banderas)
Nominación Mejor Actriz de Cine (María Barranco)
Nominación Mejor Actriz de Cine (Chus Lampreave)
Sindicato Nacional Italiano de Periodistas de Cine (Italia), 1989
Nominación Nastro d'Argento Mejor Director Extranjero (Pedro Almodóvar)
Asociación de Cronistas de Espectáculos de Nueva York (EE.UU.), 1989
Nominación Mejor Actriz de Reparto (María Barranco)
Nominación Mejor Actriz de Reparto (Rossy de Palma)
Premios Sant Jordi de Cine (España), 1989
Nominación Mejor Película Española (Premio del Público)
Nominación Actriz de Cine (María Barranco)
Premios del Cine Europeo, 1988
Nominación Mejor Película Joven
Nominación Mejor Actriz (Carmen Maura)
Nominación Mejor Dirección de Arte (Félix Murcia)
Festival Internacional de Cine de Venecia (Italia), 1988
Nominación Mejor Argumento y Guión Cinematográfico (Pedro Almodóvar)
National Board of Review (EE.UU.), 1988
Nominación Mejor Película Extranjera
Círculo de Críticos Cinematográficos de Nueva York (EE.UU.), 1988
Nominación Mejor Película Extranjera

FESTIVALES:

XIX Semana de Cine Español de Mula (España), 2007
Ciclo de Cine Español en el Festival de Cine de Taipéi (Taiwán), 2004
Ciclo de Cine Español en la Cinemateca de Viena (Austria), 2004 – Cinematografías del
    Mediterráneo
Muestra de Cine Español Reciente en la American Cinemateca de Hollywood (EE.UU.), 2004
Festival de Cine Español de Nueva Delhi (India), 2003

Retrospectiva de Pedro Almodóvar en la Cineteca de Milán (Italia), 2003
Instituto de Cine de Irlanda (Irlanda), 2003
Semana de Cine Español de Damasco (Siria), 1998
Semana Cultural de España en Vilnius (Lituania), 1998
Cine Español en la EXPO=98 de Lisboa (Portugal), 1998
Muestra De cine Español en Abidjan (Costa de Marfil), 1998
Muestra de Cine en El Museo de Múnich 1990 (Alemania)
Festival Internacional de Cine de Hong-Kong (Japón), 1989
Semana Internacional de Cine de Valladolid (España), 1989
Cineteca Real de Bruselas (Bélgica), 1988
Festival Internacional de Cine de Nueva York (EE.UU.), 1988
Festival Internacional de Cine de Toronto (Canadá), 1988
Festival Internacional de Cine de Venecia (Italia), 1988
Festival Internacional de Cine de Viena (Austria), 1988

***

ÁTAME

PREMIOS:

Festival Internacional de Cine de Cartagena de Indias (Colombia), 1991
Premio Mejor Actor (Antonio Banderas)
Fotogramas de Plata (España), 1991
Premio Mejor Película
Premio Mejor Actor de Cine (Antonio Banderas)
Asociación de Cronistas de Espectáculos de Nueva York (EE.UU.), 1991
Premio Mejor Actor (Antonio Banderas)
Premio Mejor Actriz de Reparto (Loles León)
Premios Sant Jordi (España), 1991
Premio Mejor Película Española
National Board of Review (EE.UU), 1990
Premio NBR Top Película Extranjera

NOMINACIONES:

Asociación de Cronistas de Espectáculos de Nueva York (EE.UU.), 1991
Nominación Mejor Actor (Antonio Banderas)
Nominación Mejor Actriz de Reparto (Loles León)
Premios Sant Jordi (España), 1991
Nominación Mejor Película Española
Premios César (Francia), 1991
Nominación Mejor Película Extranjera
Fotogramas de Plata (España), 1991
Nominación Mejor Película
Nominación Mejor Actor de Cine (Antonio Banderas)
Nominación Mejor Actriz de Cine (Victoria Abril)
Premios Goya (España), 1991
Nominación Mejor Película
Nominación Mejor Director (Pedro Almodóvar)
Nominación Mejor Guión Original (Pedro Almodóvar)

Nominación Mejor Actor Principal (Antonio Banderas)
Nominación Mejor Actriz Principal (Victoria Abril)
Nominación Mejor Actor de Reparto (Francisco Rabal)
Nominación Mejor Actriz de Reparto (Loles León)
Nominación Mejor Dirección de Producción (Esther García)
Nominación Mejor Fotografía (José Luis Alcaine)
Nominación Mejor Montaje (José Salcedo)
Nominación Mejor Diseño de Vestuario (José María Cossío)
Nominación Mejor Maquillaje y/o Peluquería (Juan Pedro Hernández, Jesús Moncusi)
Nominación Mejor Música Original (Ennio Morricone)
Nominación Mejor Dirección Artística (Ferrán Sánchez)
Nominación Mejor Sonido (Daniel Goldstein, Ricardo Steinberg)
National Board of Review (EE.UU), 1990
Nominación NBR Award Top Película Extranjera

FESTIVALES:

Ciclo de Cine Español en la Cinemateca de Viena (Austria), 2004 – Cinematografías del
    Mediterráneo
Festival de Belgrado (Yugoslavia), 1991
Festival Internacional de Cine de Berlín (Alemania), 1990
Festival Internacional de Cine de Cannes (Francia), 1990
Festival Internacional de Cine de Nueva Delhi (India), 1990
Festival Internacional de Cine de Karlovy Vary (República Checa), 1990
Semana de Cine de Moscú (Rusia), 1990
AFI Fest (EE.UU.), 1990
Festival Internacional de Cine de Múnich (Alemania), 1990

***

TACONES LEJANOS

PREMIOS:

Premios César (Francia), 1993
Premio Mejor Película Extranjera
Festival Internacional de Cine de Cartagena de Indias (Colombia), 1992
Premio Mejor Película
Premio Mejor Actriz (Marisa Paredes)
Fotogramas de Plata (España), 1992
Premio Mejor Actriz de Cine (Marisa Paredes)
Festival de Cine de Gramado (Brasil), 1992
Premio Mejor Dirección (Pedro Almodóvar)
Premio Mejor Actriz (Marisa Paredes)
Premios Sant Jordi (España), 1992
Premio Mejor Actriz Española (Marisa Paredes)
Premios de la Unión de Actores (España), 1992
Premio Mejor Actriz Protagonista (Marisa Paredes)

NOMINACIÓN:

Premios César (Francia), 1993
Nominación Mejor Película Extranjera
Festival Internacional de Cine de Cartagena de Indias (Colombia), 1992
Nominación Mejor Película
Nominación Mejor Actriz (Marisa Paredes)
Fotogramas de Plata (España), 1992
Nominación Mejor Actriz de Cine (Marisa Paredes)
Nominación Mejor Actriz de Cine (Victoria Abril)
Festival de Cine de Gramado (Brasil), 1992
Nominación Mejor Dirección (Pedro Almodóvar)
Nominación Mejor Actriz (Marisa Paredes)
Nominación Mejor Música (Ryûichi Sakamoto)
Golden Globe Awards (EE.UU), 1992
Nominación Mejor Película Extranjera
Premios Goya (España), 1992
Nominación Mejor Montaje (José Salcedo)
Nominación Mejor Actriz de Reparto (Cristina Marcos)
Nominación Mejor Diseño de Vestuario (José María Cossío)
Nominación Mejor Sonido (Jean-Paul Mugel)
Nominación Mejor Maquillaje y/o Peluquería (Gregorio Ros, Jesús Moncusi)
Premios Sant Jordi (España), 1992
Nominación Mejor Actriz Española (Marisa Paredes)
Premios de la Unión de Actores (España), 1992
Nominación Mejor Actriz Protagonista (Marisa Paredes)

FESTIVALES:

Ciclo Cine Español en el National Film Theatre de Londres (Reino Unido), 2004
Festival Latinoamericano de Cine de Lima (Perú), 2001
AFI Fest (EE.UU), 1996
Festival Internacional de Cine de Cartagena de Indias (Colombia), 1992
Festival de Cine de Gramado (Brasil), 1992

***

KIKA

PREMIOS:

Festival Internacional de Cine de Harare (Zimbabue), 1996
Premio a la Película Más Original
Asociación de Críticos de Espectáculos de Nueva York (ACE) (España), 1995
Premio Mejor Actriz (Verónica Forqué)
Premio Mejor Actriz de Reparto (Rossy de Palma)
Fotogramas de Plata (España), 1994
Premio Mejor Actriz de Cine (Verónica Forqué)
Premios Goya (España), 1994
Premio Mejor Actriz Principal (Verónica Forqué)

Premios Sant Jordi (España), 1994
Premio Mejor Película Española
Premios Primera Línea (España), 1994
Premio Actriz Revelación (Anabel Alonso)

NOMINACIONES:

Asociación de Críticos de Espectáculos de Nueva York (ACE) (EE.UU.), 1995
Nominación Mejor Actriz (Verónica Forqué)
Nominación Mejor Actriz de Reparto (Rossy de Palma)
Fotogramas de Plata (España), 1994
Nominación Mejor Actriz de Cine (Verónica Forqué)
Premios Goya (España), 1994
Nominación Mejor Actriz Principal (Verónica Forqué)
Nominación Mejor Actriz de Reparto (Rossy de Palma)
Nominación Mejor Dirección de Producción (Esther García)
Nominación Mejor Dirección Artística (Alain Bainée, Javier Fernández)
Nominación Mejor Diseño de Vestuario (José María de Cossío)
Nominación Mejor Sonido (Jean-Paul Mugel, Graham V. Hartstone)
Nominación Mejores Efectos Especiales (Olivier Gleyze, Yves Domenjoud, Jean-Baptiste Bonetto)
Nominación Mejor Maquillaje y/o Peluquería (Gregorio Ros, Jesús Moncusi)
Premios Sant Jordi (España), 1994
Nominación Mejor Película Española
Premios de la Unión de Actores (España), 1994
Nominación Mejor Actriz Protagonista (Verónica Forqué)
Nominación Mejor Actriz Secundaria (Rossy de Palma)

FESTIVALES:

Ciclo de Cine Español en la Cinemateca de Viena (Austria), 2004 – Cinematografías del
        Mediterráneo
Festival Internacional de Cine de Harare (Zimbabue), 1996
Festival Internacional de Cine de Miami (EE.UU), 1994
Ciclo de Cine Español en Los Ángeles (EE.UU), 1994
Festival Internacional de Cine de Cartagena de Indias (Colombia), 1994
Festival Internacional de Cine de Hong Kong (China), 1994
Festival Internacional de Cine de San Francisco (EE.UU.), 1994
Festróia Festival Internacional de Cinema de Tróia (Portugal),1994
Festival Internacional de Cine de Houston (EE.UU.), 1994

***

LA FLOR DE MI SECRETO

PREMIOS:

Asociación de Cronistas de Espectáculos de Nueva York (ACE) (EE.UU.), 1997
Premio Mejor Actriz (Marisa Paredes)
Fotogramas de Plata (España), 1996
Premio Mejor Actriz de Cine (Marisa Paredes)

Festival Internacional de Cine de Karlovy Vary (República Checa), 1996
Premio Mejor Actriz (Marisa Paredes)
Premios Sant Jordi (España), 1996
Premio Mejor Actriz Española (Marisa Paredes)

NOMINACIONES:

Asociación de Cronistas de Espectáculos de Nueva York (ACE) (EE.UU.), 1997
Nominación Mejor Actriz (Marisa Paredes)
Fotogramas de Plata (España), 1996
Nominación Mejor Actriz de Cine (Marisa Paredes)
Premios Goya (España), 1996
Nominación Mejor Director (Pedro Almodóvar)
Nominación Mejor Actriz Principal (Marisa Paredes)
Nominación Mejor Actriz de Reparto (Chus Lampreave)
Nominación Mejor Actriz de Reparto (Rossy de Palma)
Nominación Mejor Dirección Artística (Wolfgang Burmann)
Nominación Mejor Sonido (Bernardo Menz, Graham V. Hartstone)
Nominación Mejor Maquillaje y/o Peluquería (Juan Pedro Hernández, Antonio Panizza)
Premios Sant Jordi (España), 1996
Nominación Mejor Actriz Española (Marisa Paredes)
Premios de la Unión de Actores (España), 1996
Nominación Mejor Actriz Protagonista (Marisa Paredes)
Nominación Mejor Actriz Secundaria (Chus Lampreave)
Nominación Mejor Actriz Secundaria (Rossy de Palma)

FESTIVALES:

Muestra Internacional de Cine de Santo Domingo (República Dominicana), 2004
Jornadas de Cine Europeo en Manila (Filipinas), 1998
Festival Internacional de Cine de Karlovy Vary (República Checa), 1996

***

CARNE TRÉMULA

PREMIOS:

Fotogramas de Plata (España), 1998
Premio Mejor Actor de Cine (Javier Bardem)
Premio Mejor Actriz de Cine (Ángela Molina)
Premios Goya (España), 1998
Premio Mejor Actor de Reparto (José Sancho)
Sindicato Nacional Italiano de Periodistas de Cine (Italia), 1998
Premio Nastro D'Argento Mejor Director Extranjero (Pedro Almodóvar)
Premio Nastro D'Argento Mejor Actriz Protagonista (Francesca Neri)
Popcorn Film Festival (Suecia), 1998
Premio del Público (Pedro Almodóvar)
Premios de la Unión de Actores (España), 1998
Premio Mejor Actriz de Reparto (Pilar Bardem)

Premios "El Mundo" al Cine Vasco (España), 1998
Premio Mejor Banda Sonora (Alberto Iglesias)
Premio Mejor Actor de Reparto (Álex Angulo)
Asociación de Críticos de Espectáculos de Nueva York (ACE) (EE.UU.), 1998
Premio Mejor Película
Festival Internacional de Cine de Sao Paulo (Brasil), 1998
Segundo Premio del Público Mejor Película

NOMINACIONES:

Premios BAFTA (Reino Unido), 1998
Nominación Mejor Película Extranjera
Círculo de Críticos Cinematográficos de Australia (Australia), 1998
Nominación Mejor Película Extranjera
Premios del Cine Independiente Británico (Reino Unido), 1998
Nominación Mejor Película Extranjera
Premios del Cine Europeo, 1998
Nominación Mejor Película
Nominación Mejor Actor (Javier Bardem)
Fotogramas de Plata (España), 1998
Nominación Mejor Actor de Cine (Javier Bardem)
Nominación Mejor Actriz de Cine (Ángela Molina)
Premios Goya (España), 1998
Nominación Mejor Actor de Reparto (José Sancho)
Nominación Mejor Actor Principal (Javier Bardem)
Nominación Mejor Actriz de Reparto (Ángela Molina)
Sindicato Nacional Italiano de Periodistas de Cine (Italia), 1998
Nominación Nastro D'Argento Mejor Director Extranjero (Pedro Almodóvar)
Nominación Nastro D'Argento Mejor Actriz Protagonista (Francesca Neri)
Satellite Awards (EE.UU), 1998
Nominación Mejor Película Extranjera
Premios de la Unión de Actores (España), 1998
Nominación Mejor Actriz de Reparto (Pilar Bardem)
Nominación Mejor Actriz de Reparto (Penélope Cruz)
Nominación Mejor Actriz Secundaria (Ángela Molina)

FESTIVALES:

Festival Semana de Cine Español en Tánger, Tetuán, Rabat, Casablanca y Fez (Marruecos), 2002
Festival Internacional de Cine de Sao Paulo (Brasil), 1998
Festival de Cine de Punta del Este (Uruguay), 1998
Festival Internacional de Cine de Busan (Corea del Sur), 1998
Festival de Cine Español en Pekín (China), 1998
Festival Semana de Cine Español de Tokio (Japón), 1998
Festival de Cine de Cornerhouse Manchester (Reino Unido), 1998
Festival Internacional de Cine de Cartagena de Indias (Colombia), 1998
Festival Semana de Cine Joven Español en Arcachon (Francia), 1998
Festival Internacional de Cine de Karlovy Vary (República Checa), 1998
Festival Internacional de Cine de San Sebastián (España), 1998

***

TODO SOBRE MI MADRE

PREMIOS:

Academy Awards (EE.UU.), 2000
Premio Mejor Película Extranjera
Premios BAFTA (Reino Unido), 2000
Premio Mejor Película de Habla No Inglesa
Premio Mejor Director (Pedro Almodóvar)
Bodil Awards (Dinamarca), 2000
Premio Mejor Película No Americana
Broadcast Film Critics Association Awards (EE.UU), 2000
Premio Mejor Película Extranjera
Premios de la Asociación de Críticos Cinematográficos de Chicago (EE.UU), 2000
Premio Mejor Película Extranjera
Gran Premio de Cine de Brasil (Brasil), 2000
Premio Mejor Película Extranjera
Medallas CEC (Círculo de Escritores Cinematográficos), 2000
Premio Mejor Montaje (José Salcedo)
Premios César (Francia), 2000
Premio Mejor Película Extranjera
Premios David de Donatello (Italia), 2000
Premio Mejor Película Extranjera
Fotogramas de Plata (España), 2000
Premio Mejor Actriz de Cine (Cecilia Roth)
Premios del Cine Alemán (Alemania), 2000
Premio Mejor Película Extranjera
Golden Globe Awards (EE.UU.), 2000
Premio Mejor Película Extranjera
Premios Goya (España), 2000
Premio Mejor Película
Premio Mejor Director (Pedro Almodóvar)
Premio Mejor Actriz Principal (Cecilia Roth)
Premio Mejor Montaje (José Salcedo)
Premio Mejor Música Original (Alberto Iglesias)
Premio Mejor Dirección de Producción (Esther García)
Premio Mejor Sonido (Miguel Rejas, José Bermúdez, Diego Garrido)
Guldbagge Awards (Suecia), 2000
Premio Mejor Película Extranjera
Festival de Cine de Huesca (España), 2000
Premio La Navaja de Buñuel (Pedro Almodóvar)
Lumière Awards (Francia), 2000
Premio Mejor Película Extranjera
Robert Festival (Dinamarca), 2000
Premio Mejor Película Extranjera
Círculo de Críticos Cinematográficos de Santa Fe (EE.UU.), 2000
Premio Mejor Película Extranjera
Premio Mejor Actriz de reparto (Maria Paredes)
Satellite Awards (EE.UU.), 2000
Premio Mejor Película Extranjera

Premios de la Unión de Actores (España), 2000
Premio Mejor Secundario de Cine (Antonia San Juan)
Premios de la Música (España), 2000
Premio Mejor Álbum de Banda Sonora de Obra Cinematográfica (Alberto Iglesias)
Premios La Luna (Colombia), 2000
Premio Mejor Película
Mejor Director (Pedro Almodóvar)
Mejor Actriz Protagonista (Cecilia Roth)
Mejor Actriz Revelación (Antonia San Juan)
Ft. Lauderdale International Film Festival (EE.UU.), 1999
Premio del Público (Pedro Almodóvar)
National Board of Review (EE.UU), 1999
Premio Mejor Película Extranjera
Asociación de Cronistas del Espectáculo de Nueva York (EE.UU.), 1999
Premio Mejor Película
Premio Mejor Actriz (Cecilia Roth)
Premio Mejor Actriz de reparto (Marisa Paredes)
Premio Mejor Actor de reparto (Fernando Fernán Gómez)
Federación Italiana de Cine de Arte y Ensayo (Italia), 1999
Premio FICI del Público
Mejor Película del Año por la revista *Entertainment Weekly* (EE.UU), 1999
Seleccionada como Mejor Película del Año
Mejor Película del Año por la revista *Time* (EE.UU), 1999
Seleccionada como Mejor Película del Año
Sociedad de Críticos Cinematográficos de Boston (EE.UU.), 1999
Premio Mejor Película Extranjera
Premios Británicos de Cine Independiente (Reino Unido), 1999
Premio Mejor Película Extranjera
Premios Butaca (España), 1999
Premio Mejor Actriz Catalana (Candela Peña)
Festival Internacional de Cine de Cannes (Francia), 1999
Premio Mejor Director (Pedro Almodóvar)
Premio Ecuménico
Premios del Cine Europeo, 1999
Premio Mejor Película
Premio Mejor Actriz (Cecilia Roth)
Premio del Público Mejor Director (Pedro Almodóvar)
Círculo de Críticos Cinematográficos de Londres (Reino Unido), 1999
Premio Mejor Película Extranjera del Año
Asociación de Críticos Cinematográficos de Los Ángeles (EE.UU.), 1999
Premio Mejor Película Extranjera
Círculo de Críticos Cinematográficos de Nueva York (EE.UU.), 1999
Premio Mejor Película Extranjera
Premio Ondas (España), 1999
Premio Mejor Película Española
Festival Internacional de Cine de San Sebastián (España), 1999
Premio FIPRESCI Película del Año (Pedro Almodóvar)
Premio Olid-Meliá de Cine de Valladolid (España), 1999
Premio Mejor Película del Año
Círculo de Críticos Británicos (Reino Unido), 1999
Premio Alfie Mejor Película Extranjera

Festival Internacional de Cine de Zimbabue (República de Zimbabue), 1999
Premio Mejor Película
Premio Mejor Director (Pedro Almodóvar)
Premio Mejor Actriz (Cecilia Roth)
Premio Mejor Dirección Artística (Antxón Gómez)
Premio Película Más Original y Entretenida
Club de Críticos de Polonia (Polonia), 1999
Premio Sirena de Varsovia Mejor Película Extranjera
Universidad de Blanquerna (España), 1999
Premio Mejor Película Nacional

NOMINACIONES:

Chlotrudis Awards (EE.UU), 2001
Nominación Mejor Actriz (Cecilia Roth)
Nominación Mejor Actriz de reparto (Antonia San Juan)
Czech Lions (República Checa), 2001
Nominación Mejor Película Extranjera
Círculo de Críticos Cinematográficos de Australia (Australia), 2001
Nominación Mejor Película Extranjera
Academy Awards (EE.UU.), 2000
Nominación Mejor Película Extranjera
Asociación de Críticos Cinematográficos Argentinos (Argentina), 2000
Nominación Mejor Película Extranjera
Premios Ariel (México), 2000
Nominación Mejor Película Iberoamericana
Instituto de Cine Australiano (Australia), 2000
Nominación Mejor Película Extranjera
Premios BAFTA (Reino Unido), 2000
Nominación Mejor Película de Habla No Inglesa
Nominación Mejor Director (Pedro Almodóvar)
Nominación Mejor Guión Original (Pedro Almodóvar)
Online Film Critics Society (EE.UU.), 2000
Nominación Mejor Película de Habla No Inglesa
Bodil Awards (Dinamarca), 2000
Nominación Mejor Película No Americana
Broadcast Film Critics Association Awards (EE.UU.), 2000
Nominación Mejor Película Extranjera
Lumière Awards (Francia), 2000
Nominación Mejor Película Extranjera
Fotogramas de Plata (España), 2000
Nominación Mejor Actriz de Cine (Cecilia Roth)
Nominación Mejor Actros de Cine (Fernando Fernán Gómez)
GLAAD Media Awards (EE.UU), 2000
Nominación Mejor Película
Premios del Cine Alemán (Alemania), 2000
Nominación Mejor Película Extranjera
Golden Globe Awards (EE.UU.), 2000
Nominación Mejor Película Extranjera
Premios Goya (España), 2000
Nominación Mejor Película
Nominación Mejor Director (Pedro Almodóvar)

Nominación Mejor Guión Original (Pedro Almodóvar)
Nominación Mejor Actriz (Cecilia Roth)
Nominación Mejor Actriz Revelación (Antonia San Juan)
Nominación Mejor Actriz de Reparto (Candela Peña)
Nominación Mejor Montaje (José Salcedo)
Nominación Mejor Dirección de Producción (Esther García)
Nominación Mejor Sonido (Miguel Rejas, José Bermúdez, Diego Garrido)
Nominación Mejor Música Original (Alberto Iglesias)
Nominación Mejor Fotografía (Affonso Beato)
Nominación Mejor Diseño de Vestuario (Bina Daigeler, José María de Cossío)
Nominación Mejor Maquillaje y/o Peluquería (Juan Pedro Hernández)
Nominación Mejor Dirección Artística (Antxón Gómez)
Guldbagge Awards (Suecia), 2000
Nominación Mejor Película Extranjera
Independent Spirit Awards (EE.UU.), 2000
Nominación Mejor Película Extranjera
Círculo de Críticos Cinematográficos de Londres (Reino Unido), 2000
Nominación Mejor Película Extranjera del año
Asociación de Críticos Cinematográficos de Chicago (EE.UU), 2000
Nominación Mejor Película Extranjera
Gran Premio del Cine de Brasil (Brasil), 2000
Nominación Mejor Película Extranjera
Medallas CEC (Círculo de Escritores Cinematográficos) (España), 2000
Nominación Mejor Película
Nominación Mejor Director (Pedro Almodóvar)
Nominación Mejor Montaje (José Salcedo)
Nominación Mejor Fotografía (Affonso Beato)
Nominación Mejor Música Original (Alberto Iglesias)
Nominación Mejor Actriz Secundaria (Antonia San Juan)
Online Film Critics Society Awards (EE.UU.), 2000
Nominación Mejor Película Extranjera
Círculo de Críticos Cinematográficos de Santa Fe (EE.UU), 2000
Nominación Mejor Película Extranjera
Nominación Mejor Actriz de Reparto (Marisa Paredes)
Satellite Awards (EE.UU), 2000
Nominación Mejor Película Extranjera
Nominación Mejor Actriz (Cecilia Roth)
Nominación Mejor Actriz Secundaria (Marisa Paredes)
Premios de la Unión de Actores (España), 2000
Nominación Mejor Actriz Secundaria de Cine (Antonia San Juan)
Nominación Mejor Actriz Protagonista de Cine (Cecilia Roth)
Nominación Mejor Actriz de Reparto de Cine (Rosa María Sardà)
Nominación Mejor Actriz de Reparto de Cine (Candela Peña)
Premios de la Música (España), 2000
Nominación Mejor Álbum de Banda Sonora de Obra Cinematográfica (Alberto Iglesias)
Premios César (Francia), 2000
Nominación Mejor Película Extranjera
Premios David de Donatello (Italia), 2000
Nominación Mejor Película Extranjera
Premios Butaca (España), 1999
Nominación Mejor Actriz Catalana de Cine (Candela Peña)

Camerimage (Polonia), 1999
Nominación Golden Frog (Affonso Beato)
Premios del Cine Europeo, 1999
Nominación Mejor Película
Nominación Mejor Director (Pedro Almodóvar)
Nominación Mejor Actriz (Cecilia Roth)
Asociación de Críticos Cinematográficos de Los Ángeles (EE.UU.), 1999
Nominación Mejor Película Extranjera
Sociedad de Críticos Cinematográficos de Boston (EE.UU.), 1999
Nominación Mejor Película Extranjera
Premios Británicos de Cine Independiente (Reino Unido), 1999
Nominación Mejor Película Extranjera
National Board of Review (EE.UU.), 1999
Nominación Mejor Película Extranjera
Círculo de Críticos Cinematográficos de Nueva York (EE.UU.), 1999
Nominación Mejor Película Extranjera
Premio Ondas (España), 1999
Nominación Mejor Película Española
Asociación de Críticos de Espectáculos de Nueva York (EE.UU.), 1999
Nominación Mejor Película
Nominación Mejor Actriz (Cecilia Roth)
Nominación Mejor Actriz de Reparto (Marisa Paredes)
Nominación Mejor Actor de Reparto (Fernando Fernán Gómez)
Asociación de Críticos Cinematográficos de Toronto (Canadá), 1999
Nominación Mejor Actriz (Cecilia Roth)

FESTIVALES:

Festival Internacional de Cine de Shanghái (China), 2007
II Semana de Cine sobre la Diversidad Sexual La Habana (Cuba), 2006
Robert Festival (Dinamarca), 2000
Festival Internacional de Cine de Cannes (Francia), 1999 – Sección Oficial
Festival de Cine de Jerusalén (Israel), 1999 – Apertura
Festival de Cine de Sarajevo (Bosnia – Herzegovina), 1999
Festival Internacional de Cine de Nueva York (EE.UU.) – Apertura del festival
AFI Fest (EE.UU.), 1999 – Clausura
Festival Internacional de Cine de Zimbabue (República de Zimbabue), 1999
Ft. Lauderdale International Film Festival (EE.UU.), 1999

***

HABLE CON ELLA

PREMIOS:

Academy Awards (EE.UU), 2003
Premio Mejor Guión Original (Pedro Almodóvar)
Asociación de Críticos Cinematográficos Argentinos (Argentina), 2003
Premio Cóndor de Plata Mejor Película Extranjera
Premios BAFTA (Reino Unido), 2003
Premio Mejor Película Extranjera

Premio Mejor Guión Original
Festival Internacional de Cine de Bangkok (Tailandia), 2003
Premio Mejor Película
Premio Mejor Director (Pedro Almodóvar)
Bodil Awards (Dinamarca), 2003
Premio Mejor Película No Americana
Gran Premio de Cine de Brasil (Brasil), 2003
Premio Mejor Película Extranjera
Medallas CEC (Círculo de Escritores Cinematográficos) (España), 2003
Premio Mejor Música Original (Alberto Iglesias)
Czech Lions (República Checa), 2003
Premio Mejor Película Extranjera
Premios César (Francia), 2003
Premio Mejor Película Europea
Sindicato Francés de Críticos Cinematográficos (Francia), 2003
Premio Mejor Película Extranjera
Golden Globe Awards (EE.UU), 2003
Premio Mejor Película Extranjera
Premios Goya (España), 2003
Premio Mejor Música Original (Alberto Iglesias)
Periodistas de Cine Mexicano (México), 2003
Premio Mejor Película Extranjera
Asociación de Cronistas del Espectáculo de Nueva York (EE.UU.), 2003
Premio Mejor Director (Pedro Almodóvar)
Premio Mejor Actriz Secundaria (Geraldine Chaplin)
Satellite Awards (EE.UU.), 2003
Premio Mejor Película Extranjera
Premio Mejor Guión Original
Festival Internacional de Cine de Sofía (Bulgaria), 2003
Premio del Público Mejor Película
Premios de la Unión de Actores (España), 2003
Premio Mejor Actriz de Reparto (Mariola Fuentes)
Círculo de Críticos de Cine de Vancouver (Canadá), 2003
Premio Mejor Película Extranjera
Bogey Awards (Alemania), 2002
Premio Bogey (Tobis StudioCanal)
Premios del Cine Europeo, 2002
Premio Mejor Película
Premio Mejor Director (Pedro Almodóvar)
Premio Mejor Guión Original (Pedro Almodóvar)
Premio del Público Mejor Director (Pedro Almodóvar)
Premio del Público Mejor Actor (Javier Cámara)
Sindicato Nacional Italiano de Periodistas de Cine (Italia), 2002
Premio Nastro D'Argento (Pedro Almodóvar)
Círculo de Críticos Cinematográficos de Los Ángeles (EE.UU.), 2002
Premio Mejor Director (Pedro Almodóvar)
National Board of Review (EE.UU), 2002
Premio Mejor Película Extranjera
Top Mejor Película Extranjera
Círculo de Críticos de Cine de Nueva York (EE.UU.), 2002
Segundo Premio Mejor Director (Pedro Almodóvar)
Segundo Premio Mejor Película Extranjera

Tercer Premio Mejor Película
Sindicato Ruso de Críticos de Cine (Rusia), 2002
Premio Mejor Película Extranjera
Sociedad de Críticos de Cine de San Diego (EE.UU.), 2002
Premio Mejor Película Extranjera
Asociación de Críticos Uruguayos de Cine (Uruguay), 2002
Premio Mejor Película
Black Nights Film Festival Tallin (Estonia), 2002
Premio del público Mejor Película
Premio Ciak D'Oro (Italia), 2002
Premio Mejor Película Extranjera
Premio Sergio Amidei (Italia), 2002
Premio Mejor Guión Original
Trophées Le Film Français (Francia), 2002
Premio Mejor Película Europea
Federación Italiana de Salas de Cine de Ensayo (Italia), 2002
Premio Mejor Película Internacional

NOMINACIONES:

Academy Awards (EE.UU.), 2003
Nominación Mejor Guión Original (Pedro Almodóvar)
Nominación Mejor Director (Pedro Almodóvar)
Asociación de Críticos Cinematográficos Argentinos (Argentina), 2003
Nominación Mejor Película Extranjera
Premios BAFTA (Reino Unido), 2003
Nominación Mejor Película Extranjera
Nominación Mejor Guión Original
Bodil Awards (Dinamarca), 2003
Nominación Mejor Película Extranjera
Broadcast Film Critics Association Awards (EE.UU.), 2003
Nominación Mejor Película Extranjera
Asociación de Críticos de Cine de Chicago (EE.UU.), 2003
Nominación Mejor Película Extranjera
Chlotrudis Awards (EE.UU.), 2003
Nominación Mejor Director (Pedro Almodóvar)
Gran Premio de Cine de Brasil (Brasil), 2003
Nominación Mejor Película Extranjera
Medallas CEC (Círculo de Escritores Cinematográficos) (España), 2003
Nominación Mejor Director (Pedro Almodóvar)
Nominación Mejor Música Original (Alberto Iglesias)
Nominación Mejor Actor (Javier Cámara)
Nominación Mejor Fotografía (Javier Aguirresarobe)
Czech Lions (República Checa), 2003
Nominación Mejor Película Extranjera
Premios César (Francia), 2003
Nominación Mejor Película Europea
Premios David de Donatello (Italia), 2003
Nominación Mejor Película Extranjera
Premios del Círculo de Críticos Cinematográficos de Australia (Australia), 2003
Nominación Mejor Película Extranjera

Fotogramas de Plata (España), 2003
Nominación Mejor Actor de Cine (Javier Cámara)
Sindicato Francés de Críticos Cinematográficos (Francia), 2003
Nominación Mejor Película Extranjera
Globos de Oro (Italia), 2003
Nominación Mejor Película Europea
Golden Globe Awards (EE.UU.), 2003
Nominación Mejor Película Extranjera
Premios Goya (España), 2003
Nominación Mejor Película
Nominación Mejor Director (Pedro Almodóvar)
Nominación Mejor Guión Original (Pedro Almodóvar)
Nominación Mejor Música Original (Alberto Iglesias)
Nominación Mejor Actor Principal (Javier Cámara)
Nominación Mejor Sonido (Miguel Rejas, José Antonio Bermúdez, Manuel Laguna, Rosa Ortiz, Diego Garrido, José Salcedo)
Nominación Mejores Efectos Especiales (David Martí, Montse Ribé, Jorge Calvo)
Guldbagge Awards (Suecia), 2003
Nominación Mejor Película Extranjera
Círculo de Críticos de Cine de Londres (Reino Unido), 2003
Nominación Director del Año (Pedro Almodóvar)
Nominación Mejor Película Extranjera del Año
Periodistas de Cine Mexicanos (México), 2003
Nominación Mejor Película Extranjera
Online Film Critics Society Awards (EE.UU.), 2003
Nominación Mejor Película Extranjera
Asociación de Cronistas del Espectáculo de Nueva York (EE.UU.), 2003
Nominación Mejor Película
Nominación Mejor Director (Pedro Almodóvar)
Nominación Mejor Actriz de Reparto (Geraldine Chaplin)
Nominación Mejor Actor (Javier Cámara)
Satellite Awards (EE.UU.), 2003
Nominación Mejor Película Extranjera
Nominación Mejor Director (Pedro Almodóvar)
Nominación Mejor Guión Original (Pedro Almodóvar)
Premios de la Unión de Actores (España), 2003
Nominación Mejor Actriz de Reparto (Mariola Fuentes)
Nominación Mejor Actor Protagonista (Javier Cámara)
Círculo de Críticos de Cine de Vancouver (Canadá), 2003
Nominación Mejor Película Extranjera
Robert Festival (Dinamarca), 2003
Nominación Mejor Película No Americana
Bogey Awards (Alemania), 2002
Nominación Bogey (Tobis StudioCanal)
Premios Británicos del Cine Independiente (Reino Unido), 2002
Nominación Mejor Película Extranjera
Premios del Cine Europeo, 2002
Nominación Mejor Película
Nominación Mejor Director (Pedro Almodóvar)
Nominación Mejor Guión Original (Pedro Almodóvar)
Nominación Mejor Actor (Javier Cámara)
Nominación Mejor Fotografía (Javier Aguirresarobe)

Sindicato Nacional Italiano de Periodistas de Cine (Italia), 2002
Nominación Nastro D'Argento (Pedro Almodóvar)
Círculo de Críticos Cinematográficos de Los Ángeles (EE.UU.), 2002
Nominación Mejor Director (Pedro Almodóvar)
National Board of Review (EE.UU.), 2002
Nominación Mejor Película Extranjera
Círculo de Críticos de Nueva York (EE.UU.), 2002
Nominación Mejor Director (Pedro Almodóvar)
Nominación Mejor Película Extranjera
Nominación Mejor Película
Sindicato Ruso de Críticos de Cine (Rusia), 2002
Nominación Mejor Película Extranjera
Sociedad de Críticos de Cine de San Diego (EE.UU.), 2002
Nominación Mejor Película Extranjera
Premios FIPRESCI, 2002
Nominación Mejor Película

FESTIVALES:

Festival Internacional de Cine de Sofía (Bulgaria), 2003
Festival de Cine de París (Francia), 2002 – Inauguración
Festival de Cine de Múnich (Alemania), 2002
Festival Internacional de Cine de Sarajevo (Bosnia-Herzegovina), 2002
Festival Internacional de Cine de Jerusalén (Israel), 2002 – Inauguración
Festival de Cine Español en Islandia (Islandia), 2002
Festival Nuevos Horizontes (Polonia), 2002
Festival de Cine de Telluride (EE.UU.), 2002
Festival Internacional de Cine de Transilvania (Rumanía), 2002
Black Nights Film Festival Tallin (Estonia), 2002
AFI Fest (EE.UU.), 2002 – Clausura
Festival Internacional de Cine de Nueva York (EE.UU.), 2002 – Clausura
Festival Internacional de Cine de Sao Paulo (Brasil), 2002
Festival Internacional de Cine de Montevideo (Uruguay), 2002
Festival Internacional de Cine de Río (Brasil), 2002
Festival American Film Institute (EE.UU), 2002 – Clausura
Festival Cinematográfico Hispano/Franco/Italiano en Argentina, Chile y Uruguay (EFI) (Argentina, Chile y Uruguay), 2002
Festival Internacional de Cine de Toronto (Canadá), 2002
Festival Internacional de Cine de Karlovy Vary (República Checa), 2002
Festival Internacional de Cine de Moscú (Rusia), 2002

***

LA MALA EDUCACIÓN

PREMIOS:

Sindicato Nacional Italiano de Periodistas Cinematográficos (Italia), 2005
Premio Nastro D'Argento Mejor Película Extranjera
Premios Unión de Actores (España), 2005
Premio Mejor Actor de Reparto (Javier Cámara)

Glitter Awards (EE.UU.), 2005
Premio Mejor Película
Premio Mejor Actor (Gael García Bernal)
Premio Mejor Película – Festival de Cine Extranjero
GLAAD Media Awards (EE.UU.), 2005
Premio Mejor Película Limited release
Premio "La Navaja de Buñuel" concedido por el programa "Versión Española" (España), 2005
Premio Mejor Película Española, por votación de espectadores
Festival Internacional de Cine de Valdivia (Chile), 2004
Premio Mejor Actor Protagonista (Gael García Bernal)
Premios Cien de Cine (España), 2004
Premio Mejor Director (Pedro Almodóvar)
Círculo de Críticos de Nueva York (EE.UU.), 2004
Premio Mejor Película Extranjera
Premios Chlotrudis (EE.UU.), 2004
Premio Mejor Actor (Gael García Bernal)
National Board of Review (EE.UU.), 2004
Premio Mejor Película Extranjera
Fort Lauderdale International Film Festival (EE.UU.), 2004
Premio del Jurado Mejor Actor (Gael García Bernal y Fele Martínez)
Mejor Película del Año por *The New York Times*
Mejor Película del Año por *Paper*
Top 10 Películas del Año por *Newsday*
Top 10 Películas del Año por *Newsweek*
Top 10 Películas del Año por *New York Post*
Top 10 Películas del Año por *Premiere*

NOMINACIONES:

Sindicato Nacional Italiano de Periodistas Cinematográficos (Italia), 2005
Nominación Nastro D'Argento Mejor Película Extranjera
Independent Spirit Awards (EE.UU.), 2005
Nominación Mejor Película Extranjera
Premios Goya (España), 2005
Nominación Mejor Película
Nominación Mejor Director (Pedro Almodóvar)
Nominación Mejor Dirección de Producción (Esther García)
Nominación Mejor Dirección de Arte (Antxón Gómez)
Medallas CEC (Círculo de Escritores Cinematográficos) (España), 2005
Nominación Mejor Actor (Gael García Bernal)
Nominación Mejor Música (Alberto Iglesias)
Nominación Mejor Montaje (José Salcedo)
International Online Cinema Awards (INOCA) (EE.UU.), 2005
Nominación Mejor Película Extranjera
BBC Four World Cinema Awards (Reino Unido), 2005
Nominación Mejor Película Extranjera
Premios BAFTA (Reino Unido), 2005
Nominación Mejor Película de Habla no Inglesa
Premios César (Francia), 2005
Nominación Mejor Película de la Unión Europea
Sindicato de Directores de Reino Unido (Reino Unido), 2005
Nominación Mejor Director de Película Extranjera

Premios GLAAD (EE.UU.), 2005
Nominación Mejor Limited Release
Glitter Awards (EE.UU.), 2005
Nominación Mejor Película
Nominación Mejor Actor (Gael García Bernal)
Nominación Mejor Película – Festival de Cine Extranjero
Premios José María Forqué (España), 2005
Nominación Mejor Película
Premios de la Música (España), 2005
Nominación Premio al Mejor Álbum de Banda Sonora
Premios Polacos del Cine (Polonia), 2005
Nominación Mejor Película Europea
Asociación de Cronistas del Espectáculo de Nueva York (EE.UU.), 2005
Nominación Mejor Película
Nominación Mejor Director (Pedro Almodóvar)
Nominación Mejor Actor (Fele Martínez)
Nominación Mejor Actor de Reparto (Daniel Giménez Cacho)
Premios de La Unión de Actores (España), 2005
Nominación Mejor Actor (Gael García Bernal)
Nominación Mejor Actor de Reparto (Javier Cámara)
Satellite Awards (EE.UU.), 2005
Nominación Mejor Película Extranjera
Premios del Cine Europeo, 2004
Nominación Mejor Película Europea
Nominación Mejor Director Europeo (Pedro Almodóvar)
Nominación Mejor Guión (Pedro Almodóvar)
Nominación Mejor Música (Alberto Iglesias)
Nominación Mejor Fotografía (José Luis Alcaine)
The James People's Choice Awards (EE.UU.), 2004
Nominación Mejor Director Europeo (Pedro Almodóvar)
Nominación Mejor Actor Europeo (Fele Martínez)
Círculo de Críticos de Nueva York (EE.UU.), 2004
Nominación Mejor Película Extranjera
Círculo de Críticos de Londres (Reino Unido), 2004
Nominación Mejor Película Extranjera
National Board of Review (EE.UU.), 2004
Nominación Mejor Película Extranjera
Asociación de Críticos de Cine Argentinos (Argentina), 2004
Nominación Mejor Película Extranjera en Habla Hispana
Premios Butaca (España), 2004
Nominación Mejor Actor de Cine Catalán (Luís Homar)
Premios Chlotrudis (EE.UU.), 2004
Nominación Mejor Actor (Gael García Bernal)
Nominación Mejor Película
World Soundtrack Awards (Bélgica), 2004
Nominación Compositor de Bandas Sonoras del Año (Alberto Iglesias)

FESTIVALES:

II Semana de Cine sobre la Diversidad Sexual de La Habana (Cuba), 2006
Festival de Cine Hispanic Beat de Tokio (Japón), 2004 – Apertura
Festival Internacional de Cine de Cannes (Francia), 2004 – Apertura

Festival Internacional de Cine de Karlovy Vary (República Checa), 2004
Festival de Cine de Telluride (EE.UU.), 2004
TIFF Festival Internacional de Cine de Toronto (Canadá), 2004 – Apertura
Festival Internacional de Cine de Nueva York (Estados Unidos), 2004 – Tributo Viva Pedro!
SEMINCI Festival Internacional de Cine de Valladolid (España), 2004 – Sección Spanish Cinema
Festival Internacional de Cine de San Sebastián (España), 2004 – Sección Made in Spain
Festival de Cine de Sevilla (España), 2004 – Sección Europa Europa
Festival Internacional de Cine de Valdivia (Chile), 2004
Festival Internacional de Nuevo Cine Latinoamericano de La Habana (Cuba), 2004 – Muestra de Cine Español

***

VOLVER

PREMIOS:

Festival Internacional de Cine de Cannes (Francia), 2007
Premio Mejor Guión (Pedro Almodóvar)
Premio Mejor Interpretación Femenina (Penélope Cruz, Carmen Maura, Lola Dueñas, Blanca Portillo, Yohana Cobo y Chus Lampreave)
Sindicato Francés de Críticos de Cine (Francia), 2007
Premio León Mussinac a la Mejor Película Extranjera
Fotogramas de Plata (España), 2007
Mejor Película Española (ex aequo con *El Laberinto del Fauno*)
Mejor Actriz de Cine (Penélope Cruz)
Premios Goya (España), 2007
Premio Mejor Película
Premio Mejor Director (Pedro Almodóvar)
Premio Mejor Música Original (Alberto Iglesias)
Premio Mejor Actriz Principal (Penélope Cruz)
Premio Mejor Actriz de Reparto (Carmen Maura)
Premios Unión de Actores (España), 2007
Premio Mejor Actriz Protagonista (Penélope Cruz)
Premio Mejor Actriz Secundaria (Blanca Portillo)
Premio Mejor Actriz de Reparto (Chus Lampreave)
Sociedad de Críticos de Cine de Boston (EE.UU.), 2007
Segundo Premio Mejor Película en Lengua Extranjera
Czech Lion Awards (República Checa), 2007
Premio Mejor Película Extranjera
Flaiano International Prizes (Italia), 2007
Premio Golden Pegasus Mejor Actriz Extranjera (Carmen Maura)
Chlotrudis Awards (EE.UU.), 2007
Premio Mejor Actriz de Reparto (Carmen Maura)
Premios Internacionales Terenci Moix (España), 2007
Premio Mejor Trabajo Cinematográfico
Academia Nacional de las Artes y las Ciencias Cinematográficas de Rusia (Rusia), 2007
Premio Golden Eagle Mejor Película Extranjera
Premios Polacos del Cine (Polonia), 2007
Premio Eagle Mejor Película Europea

Premio Artivisive San Fedele (Italia), 2007
Premio Mejor Película
Premios Cien de Cine (España), 2007
Premio del Público Mejor Película Nacional
Premio del Público Mejor Director (Pedro Almodóvar)
Premio del Público Mejor Actriz (Penélope Cruz)
Sindicato Nacional Italiano de Periodistas de Cine (Italia), 2007
Premio Nastro D'Argento Mejor Director Europeo (Pedro Almodóvar)
Sindicato Alemán de Cine de Arte y Ensayo (Alemania), 2007
Premio Mejor Película Extranjera
Círculo de Críticos de Cine de Nueva York (EE.UU), 2007
Premio Mejor Película en Lengua Extranjera
Círculo de Críticos de Londres (Reino Unido), 2007
Premio Mejor Película del Año en Lengua Extranjera
Asociación de Críticos Cinematográficos Argentinos (Argentina), 2007
Premio Cóndor Mejor Película Iberoamericana
Premios *Empire Magazine* (Reino Unido), 2007
Premio Mejor Actriz (Penélope Cruz)
Premios Tirant (España), 2007
Premio Especial del Jurado
Círculo de Críticos de Cine de Vancouver (Canadá), 2007
Premio Mejor Película Extranjera
Asociación de Cronistas de Espectáculos de Nueva York (ACE) (EE.UU.), 2007
Premio Mejor Director (Pedro Almodóvar)
Premio Mejor Actriz Principal (Penélope Cruz)
Premio Mejor Actriz Secundaria (Carmen Maura)
Globos de Oro (Italia), 2006
Premio Mejor Película Europea
Premio Mejor Distribuidora (Warner Bros.)
Asociación de Críticos de Cine de Los Ángeles (EE.UU.), 2006
Segundo Premio Mejor Actriz (Penélope Cruz)
Festival Internacional de Cine de Tartu (Estonia), 2006
Premio del Público Mejor Película
Festival Internacional de Cine de San Sebastián (España), 2006
Premio FIPRESCI Mejor Película del Año
Sindicato Ruso de Críticos Cinematográficos (Rusia), 2006
Premio Mejor Película Extranjera
Festival Internacional de Cine de Valdivia (Chile), 2006
Premio del Público (Pedro Almodóvar)
Premio Especial del Jurado (Pedro Almodóvar)
National Board of Review (EE.UU.), 2006
Premio Mejor Película Extranjera
Hollywood Awards (EE.UU.), 2006
Premio Mejor Actriz del Año (Penélope Cruz)
Premio Hollywood World Award a la Mejor Película Extranjera
Premios del Cine Europeo, 2006
Premio Mejor Director (Pedro Almodóvar)
Premio del Público a la Mejor Película Europea
Premio Mejor Actriz (Penélope Cruz)
Premio Mejor Director de Fotografía (José Luís Alcaine)
Premio Mejor compositor (Alberto Iglesias)

Satellite Awards (EE.UU.), 2006
Premio Mejor Película de Habla no Inglesa
Medallas CEC (Círculo de Escritores Cinematográficos) (España), 2006
Premio Mejor Película
Premio Mejor Director (Pedro Almodóvar)
Premio Mejor Actriz (Penélope Cruz)
Premio Mejor Actriz Secundaria (Carmen Maura)
Premio Mejor Guión Original (Pedro Almodóvar)
Premio Mejor Música (Alberto Iglesias)
Fort Lauderdale International Film Festival (EE.UU.), 2006
Premio del Jurado Mejor Película
Premios del Programa de Cine "La Claqueta" (Radio Marca) (España), 2006
Premio Segunda Mejor Película Española
Premio Mejor Actriz Española (Penélope Cruz)
Premio Segunda Mejor Actriz Española (Blanca Portillo)
Premios de la Música (España), 2006
Premio Mejor Álbum de Banda Sonora de Obra Cinematográfica (Alberto Iglesias)
Lista de los Mejores del Año de *EP3* (España), 2006
Premio Mejor Película
Premio Mejor Actriz (Penélope Cruz)
Premios *Latina Style Magazine* (EE.UU.), 2006
Premio Lifetime Achievement (Pedro Almodóvar)
Premio Mejor Actriz del Año (Penélope Cruz)
Premios *ELLE Magazine* (Reino Unido), 2006
Premio Mejor Película del Año
Top 10 Mejor Películas de 2006 de Susan Granger (EE.UU.), 2006
Top Mejor Película Extranjera
Top Mejor Actriz (Penélope Cruz)
Top 10 Mejor Películas de 2006 por *Star Magazine* (EE.UU.), 2006

NOMINACIONES:

Gran Premio de Cine de Brasil (Brasil), 2008
Nominación Mejor Película Extranjera del Año
Premios Goya (España), 2007
Nominación Mejor Película
Nominación Mejor Dirección (Pedro Almodóvar)
Nominación Mejor Guión Original (Pedro Almodóvar)
Nominación Mejor Fotografía (José Luís Alcaine)
Nominación Mejor Dirección Artística (Salvador Parra)
Nominación Mejor Diseño de Vestuario (Bina Daigeler)
Nominación Mejor Dirección de Producción (Toni Novella)
Nominación Mejor Música Original (Alberto Iglesias)
Nominación Mejor Sonido (Miguel Rejas, J.A. Bermúdez, M. Laguna, D. Garrido.)
Nominación Mejor Actriz Principal (Penélope Cruz)
Nominación Mejor Actriz de Reparto (Carmen Maura)
Nominación Mejor Actriz de Reparto (Blanca Portillo)
Nominación Mejor Actriz de Reparto (Lola Dueñas)
Nominación Mejor Maquillaje y/o Peluquería" (Ana Lozano y Massimo Gattabrusi)
Academy Awards (EE.UU.), 2007
Nominación Mejor Actriz Protagonista (Penélope Cruz)

Golden Globe Awards (EE.UU.), 2007
Nominación Mejor Película Extranjera
Nominación Mejor Actriz Protagonista (Penélope Cruz)
Academia de las Artes y Ciencias Cinematográficas de la Argentina (Argentina), 2007
Nominación Mejor Película Extranjera
BAFTA Awards (Reino Unido), 2007
Nominación Mejor Película de Habla No Inglesa
Nominación Mejor Actriz Protagonista (Penélope Cruz)
Premios César (Francia), 2007
Nominación Mejor Película Extranjera
Premios David de Donatello (Italia), 2007
Nominación Mejor Película Europea
Bodil Awards (Dinamarca), 2007
Nominación Mejor Película No Americana
Guldbagge Awards (Suecia), 2007
Nominación Mejor Película Extranjera
Sociedad de Críticos de Cine de Boston (EE.UU.), 2007
Nominación Mejor Película en Lengua Extranjera
Czech Lion Awards (República Checa), 2007
Nominación Mejor Película Extranjera
Flaiano International Prizes (Italia), 2007
Nominación Golden Pegasus Mejor Actriz Extranjera (Carmen Maura)
Chlotrudis Awards (EE.UU.), 2007
Nominación Mejor Director (Pedro Almodóvar)
Nominación Mejor Actriz de Reparto (Carmen Maura)
Image Awards (EE.UU.), 2007
Nominación Mejor Película Extranjera
Nominación Mejor Actriz Protagonista (Penélope Cruz)
Premios Irlandeses del Cine y la Televisión (Irlanda), 2007
Nominación Mejor Actriz Internacional (Penélope Cruz)
Premios Internacionales Terenci Moix (España), 2007
Nominación Mejor Trabajo Cinematográfico
Academia Nacional de las Artes y las Ciencias Cinematográficas de Rusia (Rusia), 2007
Nominación Mejor Película Extranjera
Premios Polacos del Cine (Polonia), 2007
Nominación Mejor Película Europea
Premio Artivisive San Fedele (Italia), 2007
Nominación Mejor Película
Online Film Critics Society Awards (EE.UU.), 2007
Nominación Mejor Película Extranjera
Nominación Mejor Actriz (Penélope Cruz)
Premios Cien de Cine (España), 2007
Nominación Mejor Película Nacional
Nominación Mejor Director (Pedro Almodóvar)
Nominación Mejor Actriz (Penélope Cruz)
Sindicato Nacional Italiano de Periodistas de Cine (Italia), 2007
Nominación Mejor Director Europeo (Pedro Almodóvar)
Guild of German Art House Cinemas (Alemania), 2007
Nominación Mejor Película Extranjera
Círculo de Críticos de Cine de Nueva York (EE.UU), 2007
Nominación Mejor Película en Lengua Extranjera

Robert Festival (Dinamarca), 2007
Nominación Mejor Película No Americana
Círculo de Críticos de Londres (Reino Unido), 2007
Nominación Mejor Película del Año en Lengua Extranjera
Nominación Mejor Actriz del Año (Penélope Cruz)
Nominación Mejor Director del Año (Pedro Almodóvar)
Nominación Mejor Película del Año
Asociación de Críticos Cinematográficos Argentinos (Argentina), 2007
Nominación Mejor Película Iberoamericana
Asociación de Críticos Cinematográficos de Chicago (EE.UU.), 2007
Nominación Mejor Película Extranjera
Nominación Mejor Actriz (Penélope Cruz)
Sociedad de Cinematógrafos Británicos (Reino Unido), 2007
Nominación Mejor Trabajo Cinematográfico (José Luis Alcaine)
Broadcast Film Critics Association Awards (EE.UU.), 2007
Nominación Mejor Película Extranjera
Nominación Mejor Actriz (Penélope Cruz)
Screen Actors Guild Awards (EE.UU.), 2007
Nominación Mejor Actriz Protagonista (Penélope Cruz)
Círculo de Críticos de Cine de Vancouver (Canadá), 2007
Nominación Mejor Película Extranjera
Asociación de Críticos Cinematográficos de Toronto (Canadá), 2007
Nominación Mejor Película de Habla Extranjera
Nominación Mejor Actriz (Penélope Cruz)
Asociación de Cronistas de Espectáculos de Nueva York (ACE) (EE.UU.), 2007
Nominación Mejor Director (Pedro Almodóvar)
Nominación Mejor Actriz Principal (Penélope Cruz)
Nominación Mejor Actriz Secundaria (Carmen Maura)
Premios Unión de Actores (España), 2006
Nominación Mejor Actriz Protagonista (Penélope Cruz)
Nominación Mejor Actriz Secundaria (Lola Dueñas)
Nominación Mejor Actriz Secundaria (Carmen Maura)
Nominación Mejor Actriz Secundaria (Blanca Portillo)
Nominación Mejor Actriz de Reparto (Chus Lampreave)
Fotogramas de Plata (España), 2006
Nominación Mejor Película Española
Nominación Mejor Actriz (Penélope Cruz)
Nominación Mejor Actriz (Carmen Maura)
Globos de Oro (Italia), 2006
Nominación Mejor Película Europea
Nominación Mejor Distribuidora (Warner Bros.)
Asociación de Críticos de Cine de Los Ángeles (EE.UU.), 2006
Nominación Mejor Actriz (Penélope Cruz)
Asociación de Críticos de Cine de Dallas-Fort Worth (EE.UU.), 2006
Nominación Mejor Película Extranjera
Nominación Mejor Actriz (Penélope Cruz)
Sindicato Ruso de Críticos Cinematográficos (Rusia), 2006
Nominación Mejor Película Extranjera
National Board of Review (EE.UU.), 2006
Nominación Mejor Película Extranjera
Hollywood Awards (EE.UU.), 2006
Nominación Mejor Actriz del Año (Penélope Cruz)

Nominación Mejor Película Extranjera
Premios del Cine Europeo, 2006
Nominación Mejor Director (Pedro Almodóvar)
Nominación Mejor Actriz (Penélope Cruz)
Nominación Mejor Director de Fotografía (José Luís Alcaine)
Nominación Mejor Compositor (Alberto Iglesias)
Nominación Mejor Película Europea
Nominación Mejor Guión Original (Pedro Almodóvar)
Premios Británicos del Cine Independiente (Reino Unido), 2006
Nominación Mejor Película Extranjera Independiente
Satellite Awards (EE.UU.), 2006
Nominación Mejor Película de Habla no Inglesa
Nominación Mejor Actriz Protagonista (Penélope Cruz)
Nominación Mejor Director (Pedro Almodóvar)
Nominación Mejor Guión Original (Pedro Almodóvar)
Medallas CEC (Círculo de Escritores Cinematográficos) (España), 2006
Nominación Mejor Película
Nominación Mejor Director (Pedro Almodóvar)
Nominación Mejor Actriz (Penélope Cruz)
Nominación Mejor Actriz Secundaria (Carmen Maura)
Nominación Mejor Guión Original (Pedro Almodóvar)
Nominación Mejor Música (Alberto Iglesias)
Nominación Mejor Fotografía (José Luis Alcaine)
Nominación Mejor Montaje (José Salcedo)
Nominación Mejor Actriz Secundaria (Lola Dueñas)
Nominación Mejor Actriz Sedundaria (Blanca Portillo)
Premios del Programa de Cine "La Claqueta" (Radio Marca) (España), 2006
Nominación Mejor Película Española
Nominación Mejor Actriz Española (Penélope Cruz)
Nominación Mejor Actriz Española (Blanca Portillo)
Premios de la Música (España), 2006
Nominación Mejor Álbum de Banda Sonora de Obra Cinematográfica (Alberto Iglesias)

FESTIVALES:

Festival Internacional de Cine de la India (India), 2007
Festival de Cine Español de Nantes (Francia), 2007 – Cinéma Katorza
Robert Festival (Dinamarca), 2007
Festival Internacional de Cine de Cannes (Francia), 2006 – Sección Oficial
Festival Internacional de Cine de Shanghái (China), 2006 – Clausura
Festival Internacional de Cine de Moscú (Rusia), 2006 – Clausura
Festival Internacional de Cine de Karlovy Vary (República Checa), 2006 – Sección oficial
Festival Internacional de Cine de Toronto (Canadá), 2006 – Sección Galas
Festival Internacional de Cine de Beirut (Líbano), 2006
Festival de Cine de Skopje (Macedonia), 2006
Festival de Cine de Nueva York (EE.UU.), 2006
Festival Internacional de Cine de Yakarta (Indonesia), 2006 – Sección Mujeres
Festival de Cine de Hollywood (EE.UU.), 2006
AFI Fest (EE.UU.), 2006 – Tributo a Penélope Cruz
Festival de Cine Global de la República Dominicana (República Dominicana), 2006
Festival Internacional del Nuevo Cine Latinoamericano de La Habana (Cuba), 2006 – Muestra de
     Cine Español

Muestra Cinema Senza Barriere Milano (Italia), 2006
Festival International de Cine de Dubái (Emiratos Árabes), 2006 – Sección Café Europe
Festival Internacional de Cine de Kerala (India), 2006
Festival de Cine de Telluride (EE.UU.), 2006
Festival de Cine de Tartu, (Estonia), 2006 – Clausura
Festival Internacional de Cine de Valdivia (Chile), 2006

***

LOS ABRAZOS ROTOS

PREMIOS:

Premios Goya (España), 2010
Premio Mejor Música (Alberto Iglesias)
Fotogramas de Plata (España), 2010
Premio Mejor Actriz Española (Penélope Cruz)
Broadcast Film Critics Association Awards (EE.UU.), 2010
Premio Mejor Película Extranjera
Satellite Awards (EE.UU.), 2009
Premio Mejor Película de Habla No Inglesa
Premios del Cine Europeo, 2009
Premio Mejor Música (Alberto Iglesias)
Asociación de Críticos de Phoenix (EE.UU.), 2009
Premio Mejor Película de Habla No Inglesa
Festival Internacional de Cine de São Paulo (Brasil), 2009
Premio del Público a la Mejor Película

NOMINACIONES:

Golden Globe Awards (EE.UU.), 2010
Nominación Mejor Película Extranjera
Premios BAFTA (Reino Unido), 2010
Nominación Mejor Película Extranjera
Critics' Choice Awards (EE.UU.), 2010
Nominación Mejor Película de Habla No Inglesa
Online Film Critics Society Awards (OFCS) (EE.UU.), 2010
Nominación Mejor Película de Habla Extranjera
Orange British Academy Film Awards (Reino Unido), 2010
Nominación Mejor Película de habla extranjera
Premios Goya (España), 2010
Nominación Mejor Actriz Protagonista (Penélope Cruz)
Nominación Mejor Guión Original (Pedro Almodóvar)
Nominación Mejor Música (Alberto Iglesias)
Nominación Mejor Maquillaje y Peluquería (Ana Lozano y Máximo Gattabrusi)
Nominación Mejor Vestuario (Sonia Grande)
Medallas CEC (Círculo de Escritores Cinematográficos) (España), 2010
Nominación Mejor Guión Original (Pedro Almodóvar)
Nominación Mejor Actriz Española (Penélope Cruz)
Nominación Mejor Actriz Reparto (Blanca Portillo)
Nominación Mejor Música (Alberto Iglesias)

Nominación Mejor Fotografía (Rodrigo Prieto)
Asociación de Cronistas Cinematográficos de Argentina (Argentina), 2010
Nominación Mejor Película Iberoamericana
Fotogramas de Plata (España), 2010
Nominación Mejor Actor Español (Lluís Homar)
Nominación Mejor Actriz Española (Penélope Cruz)
Nominación Mejor Actriz de Reparto (Blanca Portillo)
Premios Unión de Actores (España), 2010
Nominación Actriz Protagonista (Penélope Cruz)
Nominación Actriz Secundaria (Blanca Portillo)
Nominación Actriz de Reparto (Lola Dueñas)
Nominación Actor Protagonista (Lluís Homar)
Nominación Actor Secundario (José Luis Gómez)
Premios de la Música (España), 2010
Nominación Mejor Álbum de Banda Sonora (Alberto Iglesias)
TLA Gaybie Awards (EE.UU.), 2010
Nominación Mejor Película Habla No Inglesa.
Premios del Cine Europeo, 2009
Nominación Mejor Director (Pedro Almodóvar)
Nominación Mejor Actriz (Penélope Cruz)
Nominación Mejor Música (Alberto Iglesias)
Satellite Awards (EE.UU.), 2009
Nominación Mejor Actriz Dramática (Penélope Cruz)
Nominación Mejor Película de Habla No Inglesa
Asociación de Críticos de Cine de Washington (EE.UU.), 2009
Nominación Mejor película de Habla No Inglesa
Premios EP3 (*El País*), 2009
Nominación Mejor Película
Nominación Mejor Actriz Española (Ángela Molina)

FESTIVALES:

Festival Internacional de Cine de Cannes (Francia), 2009 – Sección Oficial
Slovak Art Film Festival (República Checa) – Sección European Corner
Sarajevo Film Festival (Bosnia-Herzegovina), 2009 – Sección Open Air
Summer Screen at Somerset House (Reino Unido), 2009 – Premiere
Era New Horizons (Polonia), 2009
London Spanish Film Festival (Reino Unido) 2009
Festival Internacional de Cine de Karlovy Vary (República Checa), 2009 – Sección Open Eyes
Festival de Cine de Nueva York (EE.UU.), 2009 – Clausura
Toronto International Film Festival (Canadá), 2009 – Visa Screening Room
Festival de Cine de San Sebastián, 2009 – Sección Made in Spain
AFI Fest (EE.UU.), 2009
Festival de Cine Español de Venezuela, 2009
Ljubljana International Film Festival (Eslovenia), 2009 – Avantpremière
Festival Internacional del Nuevo Cine Latinoamericano en La Habana (Cuba), 2009
Festival Internacional de Cine de República Dominicana, 2009
Festival Internacional de Dubái (Emiratos Árabes), 2009 – Cinema of the World
Festival Internacional de Cine de Nueva Zelanda, 2009 – Screened in Auckland
Festival Internacional de Cine de Bogotá (Colombia), 2009 – Fuera de competición
Festival Internacional de Cine de Río (Brasil), 2009 – Fuera de competición
Festival Internacional de cine de Bangkok (Tailandia), 2009

Festival Internacional de Cine de Atenas (Grecia), 2009
Festival Internacional de Cine de Morelia (México), 2009
Festival Internacional de Cine de Damasco (Siria), 2009
Festival Internacional de Cine de Brasilia (Brasil), 2009.
Festival Internacional de Cine de São Paulo (Brasil), 2009

***

LA PIEL QUE HABITO

PREMIOS:

Premios Saturn (EE.UU.), 2012
Premio Mejor Película Internacional
Premio FAPAE-Rentrak (España), 2012
Premio FAPA-Rentrak a la Película Española con Mayor Repercusión Internacional
Premios Unión de Actores (España), 2012
Nominación Mejor Actor Revelación (Jan Cornet)
Premios Shangay (España), 2012
Premio Mejor Película Española
Premio Mejor Actuación de Cine (Elena Anaya y Jan Cornet)
Fotogramas de Plata (España), 2012
Premio Mejor Actriz de Cine (Elena Anaya)
Rosa de Sant Jordi (RNE) (España), 2012
Premio del Público Mejor Película Española
Premios Goya (España), 2012
Premio Mejor Música Original (Alberto Iglesias)
Premio Mejor Actor Revelación (Jan Cornet)
Premio Mejor Interpretación Femenina Protagonista (Elena Anaya)
Premio Mejor Maquillaje y/o Peluquería (Karmele Soler, David Martí, Manolo Carretero)
Premios BAFTA (Reino Unido), 2012
Premio Mejor Película Extranjera
Premios José María Forqué (España), 2011
Premio Mejor Actriz Protagonista (Elena Anaya)
Film Misery Awards (EE.UU.), 2011
Premio Mejor Guión Adaptado (Pedro Almodóvar)
Premio Mejor Banda Sonora (Alberto Iglesias)
Asociación de Críticos de Phoenix (EE.UU.), 2011h
Premio Mejor Película Extranjera
Círculo de Críticos de Oklahoma (EE.UU.), 2011
Premio Mejor Película Extranjera
Festival de Cinoche de Baie-Comeau (Canadá), 2011
Premio Mejor Guión (Pedro Almodóvar)
Asociación de Críticos de Florida (EE.UU.), 2011
Premio Mejor Película Extranjera
Asociación de Críticos de Indiana (EE.UU.), 2011
Premio Mejor Película Extranjera
Asociación de Críticos de Washington (EE.UU.), 2011
Premio Mejor Película Extranjera
Festival CIBRA (España), 2011
Premio del Público

Premios GQ (España), 2011
Mejor Actor Revelación (Jan Cornet)
Festival de Cine Latin Beat (Japón), 2011
Premio Mejor Película
Festival Internacional de Cine de Cannes (Francia), 2011
Prix de la Jeunesse (Premio de la Juventud)
Premio Vulcain al mérito técnico (José Luis Alcaine)
Top Ten Indiewire, 2011
Top 25 Mejores películas de 2011 por *Slant Magazine*
Top 10 Mejores películas de 2011 por *The Star-Ledger*
Top 10 Mejores películas de 2011 por *The Hollywood Reporter*

NOMINACIONES:

Premios Juventud Awards (México), 2012
Nominación Mejor Actor Protagonista (Antonio Banderas)
Premios Saturn (EE.UU.), 2012
Nominación Mejor Actor Protagonista (Antonio Banderas)
Nominación Mejor Actriz Secundaria (Elena Anaya)
Nominación Mejor Película Internacional
Nominación Mejor Maquillaje (David Martí)
Premios Unión de Actores (España), 2012
Nominación Mejor Actor Protagonista (Antonio Banderas)
Nominación Mejor Actriz Protagonista (Elena Anaya)
Nominación Mejor Actor Revelación (Jan Cornet)
Nominación Mejor Actriz de Reparto (Marisa Paredes)
Nominación Mejor Actriz de Reparto (Susi Sánchez)
Golden Globe Awards (EE.UU.), 2012
Nominación Mejor Película Extranjera
Premios BAFTA (Reino Unido), 2012
Nominación Mejor Película de Habla No Inglesa
Premios Goya (España), 2012
Nominación Mejor Dirección (Pedro Almodóvar)
Nominación Mejor Música Original (Alberto Iglesias)
Nominación Mejor Interpretación Masculina Protagonista (Antonio Banderas)
Nominación Mejor Actor Revelación (Jan Cornet)
Nominación Mejor Dirección de Producción (Toni Novella)
Nominación Mejor Montaje (José Salcedo)
Nominación Mejor Diseño de Vestuario (Paco Delgado)
Nominación Mejor Sonido (Iván Marín, Marc Orts, Pelayo Gutiérrez)
Nominación Mejor Guión Adaptado (Pedro Almodóvar)
Nominación Mejor Película (Pedro Almodóvar)
Nominación Mejor Interpretación Femenina Protagonista (Elena Anaya)
Nominación Mejor Actriz Revelación (Blanca Suárez)
Nominación Mejor Dirección de Fotografía (José Luis Alcaine)
Nominación Mejor Dirección Artística (Antxón Gómez)
Nominación Mejor Maquillaje y/o Peluquería (Karmele Soler, David Martí, Manolo Carretero)
Nominación Mejor Efectos Especiales (Reyes Abades, Eduardo Díaz)
Premios ASECAN (España), 2012
Nominación Mejor Película (no andaluza)
Premios Shangay (España), 2012
Nominación Mejor Película Española

Nominación Mejor Actuación de Cine (Elena Anaya y Jan Cornet)
Gold Derby Film Awards (EE.UU.), 2011
Nominación Mejor Película Extranjera
International Film Music Critics Association, 2011
Nominación Mejor Música Original (Alberto Iglesias)
Fotogramas de Plata (España), 2012
Nominación Mejor Actriz de Cine (Elena Anaya)
Nominación Mejor Actor de Cine (Antonio Banderas)
International Cinephile Society Awards, 2011
Nominación Mejor Película Extranjera
Nominación Mejor Guión Adaptado (Pedro Almodóvar)
Nominación Mejor Banda Sonora (Alberto Iglesias)
Medallas CEC (Círculo de Escritores Cinematográficos) (España), 2011
Nominación Mejor Guión Adaptado (Pedro Almodóvar)
Nominación Mejor Actriz Protagonista (Elena Anaya)
Nominación Mejor Fotografía (José Luis Alcaine)
Nominación Mejor Montaje (José Salcedo)
Nominación Mejor Música (Alberto Iglesias)
Asociación de Críticos de Cine de Denver (EE.UU.), 2011
Nominación Mejor Película Extranjera
Asociación de Críticos de Phoenix (EE.UU.), 2011
Nominación Mejor Película Extranjera
Círculo de Críticos de Oklahoma (EE.UU.), 2011
Nominación Mejor Película Extranjera
Asociación de Críticos de Ohio (EE.UU.), 2011
Nominación Mejor Película Extranjera
Asociación de Críticos de Florida (EE.UU.), 2011
Nominación Mejor Película Extranjera
Asociación de Críticos de Dallas (EE.UU.), 2011
Nominación Mejor Película Extranjera
Asociación de Críticos de Chicago (EE.UU.), 2011
Nominación Mejor Película Extranjera
Asociación de Críticos del Sur (EE.UU.), 2011
Nominación Mejor Película Extranjera
Online Film Critics' Society (EE.UU.), 2011
Nominación Mejor Película Extranjera
Asociación de Críticos de Houston (EE.UU.), 2011
Nominación Mejor Película Extranjera
Alliance of Women Film Journalists' EDA Awards (EE.UU.), 2011
Nominación Mejor Película Extranjera
Círculo de Críticos de Londres (Reino Unido), 2011
Nominación Mejor Película Extranjera
Nominación Logro Técnico por la Banda Sonora (Alberto Iglesias)
Premios José María Forqué (España), 2011
Nominación Mejor Película
Nominación Mejor Actriz (Elena Anaya)
Critics' Movie Choice Awards, 2011
Nominación Mejor Película extranjera
Premios del Cine Europeo, 2011
Nominación Mejor Compositor (Alberto Iglesias)
Nominación Mejor Diseño de Producción (Antxón Gómez)

British Independent Film Awards (Reino Unido), 2011
Nominación Mejor Película extranjera

FESTIVALES:

Festival Internacional de Cine de Cannes (Francia), 2011- Sección oficial
Lisbon & Estoril Film Festival (Portugal), 2011 – Clausura
Cinedays European Film Festival, Skopje (Macedonia), 2011 – Clausura
Festival Internacional de Río de Janeiro (Brasil), 2011) – Sección Panorama de Cine Mundial
Festival Internacional de Cine de Morelia (México), 2011
Festival de Cine Latin Beat de Japón (Japón), 2011
Festival Internacional de Cine de Helsinki (Finlandia), 2011
Festival Internacional de Cine de Karlovy Vary (República Checa), 2011
Art Film Festival (Eslovaquia), 2011
Festival internacional de Cine de San Petersburgo (Rusia), 2011- Inauguración
Festival Internacional de Cine de Brisbane (Australia), 2011- Clausura
Fantastic Fest (EE.UU.), 2011
Festival Internacional de Cine de Nueva York (EE.UU.), 2011
Festival Internacional de Cine de Toronto (Canadá), 2011
Festival Internacional de Cine de Vancouver (Canadá), 2011- Inauguración de la gala
Art-Mainstream Film Festival (Rusia), 2011

Bibliografía

Abbas, Ackbar. "Cinema, the City and the Cinematic". *Global Cities*. Eds. Linda Krause and Patrice Petro. New Brunswick, New Jersey and London: Rutgers University Press, 2003. 142-157.

Acevedo-Muñoz, Ernesto. *Pedro Almodóvar*. London: British Film Institute, 2007.

Átame. Pressbook. Madrid: El Deseo, 1989.

Acland, Charles. *Screen Traffic*. Durham and London: Duke University Press, 2003.

Aguado, Txetxu. "Pedro Almodóvar, la Movida y la Transición: memoria, espectáculo y anti-franquismo". *Buñuel y/o Almodóvar. El laberinto del deseo*. Eds. Javier Herrera y Cristina Martínez-Carazo. *Letras Peninsulares* 22.1 (2009): 23-44.

Allinson, Mark. *A Spanish Labyrinth*. London and New York: I.B Tauris Publishers, 2001.

Almodóvar, Pedro. "Pedro Almodóvar habla de *Entre tinieblas*". Madrid: Tesauro, S.A. Producciones cinematográficas, 1983. Documento de la Filmoteca Española de Madrid.

Ballesteros, Isolina. *Cine (ins)urgente*. Madrid: Fundamentos, 2001.

—. "Performing Identities in the Cinema of Pedro Almodóvar'. *All About Almodóvar*. Eds. Brad Epps and Despina Kakoudaki. Minneapolis and London: University of Minnesota Press, 2009. 71-100.

Bywater, Tim and Thomas Sobchack. *Introduction to Film Criticism. Major Critical Approaches to Narrative Film*. New York and London: Longman, 1989.

Beck, Jay and Vicente Rodríguez, eds. *Contemporary Spanish Cinema and Genre*. Manchester: Manchester University Press, 2008.

—. "Introducción". *Contemporary Spanish Cinema and Genre*. Eds. Jay Beck and Vicente Rodríguez Ortega. Manchester University Press, 2008.

Bordwell, David. "Film criticism: Alway declining, never quite falling", http://www.davidbordwell.net/blog/2010/03/16/film-criticism-always-declining-never-quite-falling/

Cabranes-Grant, Leo. "El espectador ontologizado en *Todo sobre mi madre* y *Hable con ella* de Pedro Almodóvar". *Buñuel y/o Almodóvar. El laberinto del deseo*. Eds. Cristina Martínez-Carazo y Javier Herrera. *Letras Peninsulares* 22.1 (2009): 63-76.

Campbell, Jan. *Film Cinema Spectatorship*. Malden, MA: Polity Press, 2005.

Caparros Lera, J.M. *El cine español de la democracia. De la muerte de Franco al 'cambio' socialista (1975-1989)*. Barcelona: Anthropos, 1992.

Cobos, Juan and Miguel Marías."Almodóvar Secreto". *Nickel Odeon* 1(1995): 74-149.

Colmeiro, José. "El discreto encanto del sueño americano: Hollywood y el nuevo cine español". *Ventanas sobre el Atlántico: Estados Unidos-España durante el postfranquismo (1975-2008)*. Coords. Carlos X. Ardavín Trabanco y Jorge Marí. Valencia: Publicacions de la Universitat de València, 2011. 99-115.

Colmenero Salgado, Silvia. *Pedro Almodóvar. Todo sobre mi madre*. Barcelona: Paidós, 2001.

Correa Ulloa, Juan David. *Pedro Almodóvar. Alguien del montón*. Colombia, Bogotá: Editorial Panamericana, 2005.

Davies, Ann. *Pedro Almodóvar*. London: Grant & Cutler, 2007.

—, ed. *Spain on Screen*. London: Palgrave McMillan, 2011.

D' Lugo, Marvin. *Pedro Almodóvar*. Urbana and Chicago, IL: University of Illinois Press, 2006.

Doherty, Thomas. "The Death of Film Criticism". *The Chronical of Higher Education* (28-2-2010) (http://chronical.com/article/The-Death-of-Film-Criticism/64352/

Ebert, Roger. "Film Criticism is Dying? Not Online". *The Wall Street Journal* (22-1-2011). http://online.wsj.com/article/SB10001424052748703583404576080392163051376.html

Epps, Brad and Despina Kakoudaki, eds. *All About Almodóvar. A Passion for Cinema*. Minneapolis. London: University of Minnesota Press, 2009.

Evans, Peter. "Las citas filmicas en las películas de Almodóvar" en *Almodóvar: el cine como pasión*. Eds. Fran Zurián y Carmen Vázquez Varela. Cuenca: Ediciones de la Universidad de Castilla-La Mancha, 2005. 155-160.

Fish, Stanley. *Is There a Text in This Class? The Authority of Interpretive Communities*. Cambridge, MA: Harvard University Press, 1980.

García-Abad, María Teresa. "Cine y literatura: *Carne trémula*, adaptación libérrima". *Almodóvar, el cine como pasión*. Coords. Frank Zurián y Carmen Vázquez Valera. Cuenca: Ediciones Castilla-La Mancha, 2005. 361-371.

García de León, María Antonia y Teresa Maldonado. *Pedro Almodóvar, la otra España cañí. (Sociología y crítica cinematográficas)*. Ciudad Real: Editorial B.A.M, 1989.

Gledhill, C. "Pleasurable Negotiations". *Cultural Theory and Popular Culture: A Reader*. Ed. J. Storey. London: Pearson, 2009. 98-110.

Goss, Brian Michael. *Global Auteurs. Politics in the Films of Almodóvar, von Tier, and Winterbottom*. New York: Peter Lang, 2009.

—. "Foreign Correspondent: Spain in the Gaze of *The New York Times* and *The Guardian*". *Journalism Studies* 5.2 (2004): 203-219.

Hall, Stuart. "Encoding/Decoding". *Media and Cultural Studies*. Eds. Meenakshi Gigi Durham and Douglas M. Kellner. Malden, Mass.: Blackwell Publishers, 2001.

Harcastle, Anne. "Family Therapy and Spanish Difference/Deviance in Pedro Almodóvar's Tacones lejanos". *Spanishness and Spanish Novel and Film in the 20th-21st Century*. Ed. Cristina Sánchez-Conejero. Newcastle: Cambridge Scholars Publishing, 2007. 79-92.

Herrera, Javier. "El cine dentro del cine: pasión cinéfila y tradición barroca". *How the Films of Pedro Almodóvar Draw Upon and Influence Spanish Society*. Eds. Maria R. Matz y Carole Salmon. Lewinston, New York: Edwin Mellen Press, 2012. 115-136.

Holguín, Antonio. *Pedro Almodóvar*. Madrid: Cátedra, 1999.

Horn, John and Lewis Beale. "Foreign films don't tend to do well in the U.S but Hollywood is happy to remake them". *Los Angeles Times* (2-4-2010).

Jenkins, Henry. "Reception theory and audience research: the mystery of the vampire's kiss". *Reinventing Film Studies*. Eds. Christine Gledhill and Linda Williams. London: Arnold, 2000. 165-182.

Jaffe, Ira. *Hollywook Hybrids*. Lanham, Maryland: The Rowman & Littlefield Publishing Group, 2008.

—. *Hollywood Hybrids*. Lanham, Maryland: Rowman & Littlefield Publishers, Inc. 2010.

Jordan, Barry. "How Spanish is it? Spanish cinema and national identity". *Contemporary Spanish Cultural Studies*. Eds. Barry Jordan and Rikki Morgan-Tamosunas. London: Arnold, 2000. 68-82.

—. "Audiences, Film Culture, Public Subsidies: The End of Spanish Cinema?". *Spain on Screen*. Ed. Ann Davies. London: Palgrave Macmillan, 2011. 19-40.

Kinder, Marsha. "Documenting the National and its Subversion in a Democratic Spain". *Re-figuring Spain*. Ed. Marsha Kinder. Durham and London: Duke University Press, 1997. 65-99.

Kauffman, Anthony. "Is Foreign Film the New Endangered Species? *New York Times* (22-1-2007).

Kika. Un film de Almodóvar. Pressbook. Madrid: El Deseo, 1993.

Kinder, Marsha. *Refiguring Spain. Cinema/media/representation*. Durham and London: Duke University Press, 1997.

—. "Mad Love and Melodrama in the Films of Buñuel and Almodóvar". *Buñuel y/o Almodóvar. El laberinto del deseo*. Eds. Javier Herrera y Cristina Martínez-Carazo. Letras Peninsulares 22.1 (2009): 191-212.

Koehler, Robert. "Foreign Films Fade Out at U.S. Box Office". *abc News* (7-6-2009).

Langman, Larry. *Destination Hollywood: The Influence of Europeans on American Filmmaking*. London: McFarland, 2000.

Law, C. *La intertextualidad en el cine de Pedro Almodóvar*. Clermont-Ferrand: Université Blaise Pascal, 2010.

Lipovestki, Gilles y Jean Serroy. *La pantalla global*. Barcelona: Anagrama, 2009.

Marcantonio, Carla. "The Travestite Figure and Film Noir: Pedro Almodóvar's Transnational Imaginary". *Contemporary Spanish Cinema and Genre*. Eds. Jay Beck and Vicente Rodríguez Ortega. Manchester and New York: Manchester University Press, 2008. 157-178.

Marsh, Steven. "Missing a Beat. Syncopated Rhytmes and Subterranean Subjects in the Spectral Economy of *Volver*". *All About Almodóvar. A Passion for Cinema*. Eds. Brad Epps and Despina Kakoudaki. Minneapolis. London: University of Minnesota Press, 2009. 339-356.

Marías, Miguel. "Actualidad de Bienvenido Mr. Marshall" en Agustín Tena. *50 aniversario de Bienvenido Mr. Marshall*. Madrid: Tf. Editores, 2002.

Martínez-Carazo, Cristina. "La flor de mi secreto. La literatura como seducción". *Arbor* 187 (2011): 383-390.

—. "Introducción". *Almodóvar y/o Buñuel. El laberinto del deseo*. Eds. Javier Herrera y Cristina Martínez-Carazo. *Letras Peninsulares* 22.1 (2009): 9-21.

Mast, Gerald and Marshall Cohen. *Film Theory and Criticism*. New York: Oxford University Press, 1985.

Mayne, Judith. *Cinema and Spectatorship*. New York: Routledge, 1993.

Mira, Alberto. "Camp y underground homosexual en *¿Qué he hecho yo para merecer esto?*". *¿Qué he hecho yo para merecer esto?*. Ed. Roberto Cueto. Valencia: Ediciones de la Filmoteca, 2009. 121-141.

—. "Camp y underground homosexual en *¿Qué he hecho yo para merecer esto?*". Roberto Cueto. Ed. *¿Qué he hecho yo para merecer esto?*. Valencia: Ediciones de la Filmoteca, 2009. 89-120.

Monsivais, Carlos. *A través del espejo. El cine mexicano y su público*. México: Ediciones El Milagro. Instituto Mexicano de Cinematografía, 1994.

Pohl, Burkhard y Jörg Türschmann. "El cine español desde 1989: entre transgresión internacional y afirmación local, entre hibridez de géneros y estilismo clásico" http://www.romanistik.uni-goettingen.de.

Postman, Neil. *Amusing Ourselves to Death: Public Discourse in the Age of Show Bussines*. New York: Penguin, 1985.

Rickey, Carrie, "Americans are seeing fewer and fewer foreign films". *The Philadelphia Enquirer* (9-5-2010).

Robertson Wojcik, Pamela. "Spectatorship and Audience Research". *The Cinema Book*. Ed. Pam Cook. London: British Film Institute, 2007. 538-546.

Rodríguez Ortega, Vicente. "Trailing the Spanish auteur: Almodóvar's, Amenábar's and de la Iglesia generic routes in the US". *Contemporary Spanish Cinema and Genre*. Eds. Jay Beck and Vicente Rodríguez Ortega. Manchester University Press, 2008. 44-65.

Rosenbaum, Jonathan. *Movie Wars: How Hollywood and the Media Limit what Movies We Can See*. Chicago: Chicago Review Press, 2002.

Schnuerer Vaidovits, Guillermo. *Laberinto de pasiones. El cine de Pedro Almodóvar*. Zapopa, Jalisco. México: Universidad de Guadalajara, 1998.

Segrave, Kerry. *Foreign Films in America*. Jefferson, NC: McFarland & Company, Inc., Publishers, 2004.

Seguin, Jean-Claude. *Pedro Almodóvar o la deriva de los cuerpos*. Murcia: Tres Fronteras Ediciones, 2009.

Singh, J. P. *Globalized Arts*. New York: Columbia University Press, 2011.

Skinner, James. *The Cross and the Cinema: The Legion of Decency and the National Catholic Office for Motion Pictures: 1933—1970*. Westport, Conn: Praegar, 1993.

Smith, Paul J. "The Curse of Almodóvar". *The Guardian* 17-6-2008.

—. "La reescritura del melodrama en *¿Qué he hecho yo para merecer esto?*". *¿Qué he hecho yo para merecer esto?*. Valencia: Ediciones de la Filmoteca, 2009. 123-139.

—. *Desire Unlimited*. London: Verso, 2000.

—. *Contemporary Spanish Culture*. Cambridge, UK: Polity, 2003.

—. *Television in Spain. From Franco to Almodóvar*. Suffolk, UK: Tamesis, 2006.

—. "Escape Artistry: Debating *The Skin I Live In*". http://www.filmquarterly.org/2011/10/escape-artistry-debating-the-skin-i-live-in/

Staiger, Janet. *Perverse Spectators. Practices of Film Reception*. New York: New York University Press, 2000.

—. "Autorship Approaches" in *Authorship and Film*. Eds. David Gerstner and Janet Staiger. New York: Routledge, 2002. 27-57.

Sotinel, Thomas. *Pedro Almodóvar. Cahiers du Cinema*. Edición Española. 2010.

Stam, Robert. *Film Theory. An Introduction*. Malden, MA: Blackwell, 2000.

Strauss, Frédéric. *Conversaciones con Pedro Almodóvar*. Madrid: Ediciones Akal, 2001.

—. *Pedro Almodóvar. Un cine visceral*. Madrid: Santillana, 1995.

Tena, Agustín. *50 aniversario de Bienvenido Mr. Marshall*. Madrid: Tf. Editores, 2002.

Triana-Toribio, Nuria. "Journeys of El Deseo between the nation and the transnational in Spanish Cinema". *Studies in Hispanic Cinemas* 4.3 (2007): 151-163.

Todo sobre mi madre. Pressbook. Madrid: El Deseo S.A/Renn Productions/France 2 Cinema, 1999.

Vattimo, Gianni. *La sociedad transparente*. Barcelona: Paidós, 1998.

Vargas Llosa, Mario. *La civilización del espectáculo*. Madrid: Alfaguara, 2012.

Vernon, Kathleen. "Melodrama against itself: Pedro Almodóvar's *What Have I Done to Deserve This?*". *Film Quarterly* 46.3 (1993): 28-40.

Vilarós, Teresa. *El mono del desencanto*. Madrid: Siglo XXI, 1998.

Williams, Linda. "Melancholy Melodrama". *All About Almodóvar*. Eds. Brad Epps and Despina Kakoudaki. Minneapolis and London: University of Minnesota Press, 2009. 166-192.

Yarza, Alejandro. *Un caníbal en Madrid*. Madrid: Libertarias, 1999.

Young, Brian. *Cinematic Reflexivity: Postmodernism and the Contemporary Metafilm*. University of California, Davis, 2011. Tesis doctoral. Sin publicar.

Zurian, Fran y Carmen Vázquez Varela. *Almodóvar: el cine como pasión*. Cuenca: Universidad de Castilla-La Mancha, 2003.

Biblioteca Javier Coy d'estudis nord-americans

1. Carme Manuel, *Guía bibliográfica para el estudio de la literatura norteamericana*

2. Carme Manuel, ed., *Teaching American Literature in Spanish Universities*

3. Russell DiNapoli, *The Elusive Prominence of Maxwell Anderson's Works in the American Theater*

4. José Beltrán, *Celebrar el mundo: introducción al pensar nómada de George Santayana*

5. Nieves Alberola, *Texto y deconstrucción en la literatura norteamericana postmoderna*

6. María Ruth Noriega, *Challenging Realities: Magic Realism in Contemporary American Women's Fiction*

7. Belén Vidal, *Textures of the Image: Rewriting the American Novel in the Contemporary Film Adaptation*

8. Santiago Juan Navarro, *Postmodernismo y metaficción historiográfica: una perspectiva interamericana*

9. Antonio Lastra, *La Constitución americana y el arte de escribir*

10. Yvonne Shafer, *The Changing American Theater: Mainstream and Marginal, Past and Present*

11. Vicente Cervera y Antonio Lastra, eds., *Los reinos de Santayana*

12. David Hamilton, *Textualities: Essays on Poetry in the United States*

13. Carme Manuel and Paul S. Derrick, eds., *Nor Shall Diamond Die: American Studies in Honour of Javier Coy*

14. Maurice A. Lee, *The Aesthetics of LeRoi Jones/Amiri Baraka: The Rebel Poet*

15. Xavier García Raffi, *Alfred North Whitehead: un metafísico atípico*

16. Carmen Rueda Ramos, *Voicing the Self: Female Identity and Language in Lee Smith's Fiction*

17. Maurice A. Lee, *The Image of Women in Literature of the Harlem Renaissance*

18. Paul Scott Derrick, *"We Stand Before the Secret of the World": Traces Along the Pathway of American Romanticism*

19. Javier Alcoriza, *El poder de la escritura. La ética literaria de Henry Adams*

20. J. Hillis Miller, *Zero Plus One*

21. Francisco Collado, *El orden del caos: literatura, política y posthumanidad en la narrativa de Thomas Pynchon*

22. Ana María Fraile Marcos, *Planteamientos estéticos y políticos en la obra de Zora Neale Hurston*

23. Suzanne Greenslade, *Under the Magnolias: Growing Up White in the South*

24. Miriam López and Mª Dolores Narbona, eds., *Women's Contribution to Nineteenth-Century American Theatre*

25. Susana Mª Jiménez Placer, *Katherine Anne Porter y la Revolución Mexicana: de la fascinación al desencanto*

26. Fabio L. Vericat, *From Physics to Metaphysics: Philosophy and Allegory in the Critical Writings of T. S. Eliot*

27. Juan J. Coy, *Entre el espejo y el mundo. Texto literario y contexto histórico en la literatura norteamericana* (I)

28. Juan J. Coy, *Entre el espejo y el mundo. Texto literario y contexto histórico en la literatura norteamericana* (II)

29. Antonio Lastra, Emerson transcendens. *La trascendencia de Emerson*

30. Juan I. Guijarro y Ramón Espejo, eds., *Arthur Miller: visiones desde el nuevo milenio*

31. Manuel Vela Rodríguez, *La lucha contra el nihilismo: la recuperación platónica de Stanley Rosen*

32. Jesús Ángel González López, *La narrativa popular de Dashiell Hammett: 'pulps,' cine y cómics*

33. Mercedes Peñalba, *Sinclair Lewis: la ironía como conciencia crítica*

34. Gabriel Torres Chalk, *Robert Lowell: la mirada de Aquiles*

35. Antonio Lastra, *Herencias straussianas*

36. Mª Rosario Ferrer Gimeno, *El viaje de Helen Hanff a 84, Charing Cross Road*

37. Fernando Beltrán Llavador, *La encendida memoria: aproximación a Thomas Merton*

38. Carme Manuel, *La reconstrucción del Sur en la narrativa de George W. Cable y Thomas N. Page*

39. Paul S. Derrick, Norma González y Anna M. Brígido, *La poesía temprana de Emily Dickinson: el primer cuadernillo*

40. Douglas Edward LaPrade, *Censura y recepción de Hemingway en España*

41. Elvira del Pozo Aviñó, ed., *Integralism, Altruism and Reconstruction: Essays in Honor of Pitirim A. Sorokin*

42. Carolina Núñez Puente, *Feminism and Dialogics: Charlotte Perkins Gilman, Meridel Le Sueur, Mikhail M. Bakhtin*

43. Rosa María Díez Cobo, *Nueva sátira en la ficción postmodernista de las Américas*

44. María Frías, José Liste and Begoña Simal, eds., *Ethics and Ethnicity in the Literature of the United States*

45. Maria del Guadalupe Davidson, *The Rhetoric of Race: Towards a Revolutionary Construction of Black Identity*

46. Rodrigo Andrés, *Herman Melville: poder y amor entre hombres*

47. Gerald Vizenor, *Literary Chance: Essays in Native Survivance*

48. Douglas Edward LaPrade, *Hemingway and Franco*

49. Mary Chesnut, *Páginas de un diario de la Guerra Civil*, trad. y ed. Carme Manuel

50. Sarah Orne Jewett, *La tierra de los abetos puntiagudos*, trad. y ed. Paul S. Derrick y Juan López Gavilán

51. Charlotte Perkins Gilman, *Mujeres y economía*, trad. y ed. Empar Barranco Ureña

52. Frances E. W. Harper, *Iola Leroy, o las sombras disipadas*, trad. Ángeles Carreres; ed. Carme Manuel

53. Olga Barrios, *The Black Theatre Movement in the United States and in South Africa*

54. Mª Gema Fernández Sampedro, *El viaje en la ficción norteamericana: símbolos e identidades*

55. Mary Rowlandson, *La verdadera historia del cautiverio y restitución de la señora Mary Rowlandson*, trad. y ed. Elena Ortells

56. Empar Barranco Ureña, *Willa Cather: el reverso de la alfombra*

57. Beatriz Ferrús Antón, *Sor María de Ágreda: historia y leyenda de la dama azul en Norteamérica*

58. Jack Kerouac, *Mexico City Blues (Sesenta Poemas)*, trad. y ed. Rolando Costa Picazo

59. Fred Hobson, *A Southern Enigma: Essays on the U.S. South*

60. Constante González Groba, *On Their Own Premises: Southern Women Writers and the Homeplace*

61. Agustín Reyes Torres, *Walter Mosley's Detective Novels: The Creation of a Black Subjectivity*

62. Nancy Prince, *Vida y viajes de la señora Nancy Prince*, trad. Sergio Saiz; ed. Carme Manuel

63. A. Robert Lee, *USA: Re-viewing Multicultural American Literature*

64. Mar Gallego and Isabel Soto, eds. *The Dialectics of Diasporas: Memory, Location and Gender*

65. Graziella Fantini, *Shattered Pictures of Places and Cities in George Santayana's Autobiography*

66. Elena Ortells Montón, *Truman Capote, un camaleón ante el espejo*

67. María Jesús Castro Dopacio, *Emperatriz de las Américas: la Virgen de Guadalupe en la literatura chicana*

68. Louisa May Alcott, *Louisa May Alcott: tres relatos de adultos*, trad. y ed. Míriam López Rodríguez

69. Emilia María Durán Almarza, *Performeras del Dominicanyork: Josefina Báez y Chiqui Vicioso*

70. Francisco Javier Rodríguez Jiménez, *¿Antídoto contra el antiamericanismo? American Studies en España, 1945-1969*

71. Rubén Vázquez Negro, *Sam Shepard: el teatro contra sí mismo*

72. Juan José Coy, *Mark Twain o el sentimiento trágico del humor*

73. Douglas Edward LaPrade, *Hemingway prohibido en España*

74. Elisa María Martínez Martínez, *Hitchcock: imágenes entre líneas*

75. Michael Rockland, *Un diplomático americano en la España de Franco*

76. Nephtalí de León, *Chicanos: Our Background and Our Pride*

77. Teresa Gómez Reus, ed., *¡Zona prohibida! Mary Borden, una enfermera norteamericana en la Gran Guerra*

78. Víctor Junco Ezquerra, Cristina Garrigós, Daniel Fyfe, Manuel Broncano, ed., *El 11 de septiembre y la tradición disidente en Estados Unidos*

79. Carlos X. Ardavín Trabanco, Jorge Marí, coord. *Ventanas sobre el Atlántico: Estados Unidos-España durante el postfranquismo (1975-2008)*

80. Beatriz Ferrús Antón, *Mujer y literatura de viajes en el siglo XIX: entre España y las Américas*

81. José Beltrán, Manuel Garrido, Sergio Sevilla, eds. *Santayana, un pensador universal*

82. Paul Mitchell, *Sylvia Plath: The Poetry of Negativity*

83. Yvonne Shafer, *Eugene O'Neill and American Society*

84. Rolando Costa Picazo, ed. *Emily Dickinson: oblicuidad de luz (95 poemas)*

85. Urszula Niewiadomska-Flis, *The Southern Mystique: Food, Gender and Houses in Southern Fiction and Films*

86. Fernando Savater, *Acerca de Santayana*, ed. José Beltrán y Daniel Moreno

87. Carmen Castilla, *Diario de viaje a Estados Unidos. Un año en Smith College (1921-1922)*, ed. Santiago López-Ríos Moreno

88. Paul S. Derrick, Nicolás Estévez, Gabriel Torres Chalk, ed., *La poesía temprana de Emily Dickinson: Cuadernillos 2 & 3*

89. Judit Ágnes Kádár, *Going Indian: Cultural Appropriation in Recent North American Literature*

90. Lisa Ann Twomey, *Hemingway en la crítica y en la ficción de la España de postguerra*

91. Elena Ortells Montón, *Prisioneras de salvajes: relatos y confesiones de mujeres cautivas de indios norteamericanos*

92. Constante González Groba, ed., *Hijas del viejo sur: La mujer en la literatura femenina del Sur de los Estados Unidos*

93. Márgara Averbach, *Caminar dos mundos: visiones indígenas en la literatura y el cine estadounidenses*

94. Didac Llorens Cubedo, *T.S. Eliot and Salvador Espriu: Converging Poetic Imaginations*

95. Cristina Martínez-Carazo, *Almodóvar en la prensa de Estados Unidos*

66324956R00151

Made in the USA
Lexington, KY
10 August 2017